DATE			

The University of Wisconsin

PUBLICATIONS IN MEDIEVAL SCIENCE

Marshall Clagett, GENERAL EDITOR

The *Algebra of* Abū Kāmil

THE
ALGEBRA
OF ABŪ KĀMIL

Kitāb fī al-jābr wa'l-muqābala

in a Commentary by Mordecai Finzi

HEBREW TEXT, TRANSLATION, AND COMMENTARY
WITH SPECIAL REFERENCE TO THE ARABIC TEXT

MARTIN LEVEY

THE UNIVERSITY OF WISCONSIN PRESS
MADISON, MILWAUKEE, AND LONDON : 1966

Published by the University of Wisconsin Press
Madison, Milwaukee, and London
P.O. Box 1379, Madison, Wisconsin 53701
Copyright © 1966 by the
Regents of the University of Wisconsin
Printed in the United States of America
Library of Congress Catalog Card Number 65-12107

TO

O. Neugebauer

FOREWORD

Having published in a previous volume of this series one of the key arithmetical works produced in Islam, the *Principles of Hindu Reckoning* of Kūshyār ibn Labbān, we thought it only fitting that a crucial work in Arabic algebra be added to the series. The *Algebra of abū Kāmil* (*ca.* 850–930) fulfills this role in an ideal way. The best known of the Arabic algebras is that of al-Khwārizmī, which is also the earliest one. Both Arabic and Latin versions have been published and widely circulated, and it has become the point of departure for every discussion of Arabic algebra. Following this foundation work of al-Khwārizmī, the earliest Arabic algebra which is known to be extant is that of abū Kāmil. It is essentially a commentary on and extension of al-Khwārizmī's tract. Thus abū Kāmil takes over many of the problems of al-Khwārizmī (al-Khwārizmī has 40 problems while abū Kāmil has 69), but abū Kāmil often adds further solutions to those found in the earlier work. For example in solving problem number 7, which he takes over from al-Khwārizmī, abū Kāmil adds a further solution, using the so-called Diophantine method, a procedure of Babylonian origin. The most significant change of point of view in the later algebra is that abū Kāmil blends the practical, Babylonian-like algebra of al-Khwārizmī with the more theoretical, geometrical approach of the Greek mathematicians. In the course of his solutions, abū Kāmil is careful to prove the identities he makes use of. Thus he proves such identities as $a/b = a^2/ab$ and $(a/b) + (b/a) = (a^2 + b^2)/ab$. Like al-Khwārizmī and other Arabic algebraists, abū Kāmil avoids negative solutions. But important innovations are present in his work. He gives direct solutions for the square of the unknown (x^2). He uses powers greater than the second power, in fact up to the eighth power ("square square square square"). From the terminology used, Levey deduces that abū Kāmil practiced the addition of exponents in multiplication. He has a solution for the addition and subtraction of radicals equivalent to $\sqrt{a} \pm \sqrt{b} = \sqrt{a + b \pm 2\sqrt{ab}}$, a solution also found in later Arabic and Latin works. Levey believes that it was under the influence of Book X of Euclid's *Elements* that abū Kāmil introduced the irrational as a solution for some of his quadratic equations. It is worth noting finally that abū Kāmil's *Algebra* strongly influenced the works of later algebraists, and particularly those of al-Kharajī and Leonardo Fibonacci.

The reader may wonder at first glance why Levey has elected to publish and translate the Hebrew version of Mordecai Finzi rather than the extant Arabic text. After collating the single Arabic manuscript with the Hebrew version (and with the medieval Latin translation), the editor found that the Arabic version contained many errors and omissions not present in the Hebrew version and furthermore that the Arabic text was much more obscure in style and expression than the Hebrew. Thus, by using the Hebrew text, Levey concluded that the reader would have a clearer idea of abū Kāmil's intentions. And indeed when one reads the translation together with the notes and Introduction he feels confident that he has penetrated the thought of this master Arabic algebraist.

MARSHALL CLAGETT

Institute for Advanced Study
Princeton, New Jersey

PREFACE

The algebraic text which is the subject of this book is the work of one of the most creative mathematicians of the medieval Muslim world. Abū Kāmil not only was original in his algebraic thinking but, perhaps more importantly, he was also instrumental in the ordering of a new philosophy of science which wedded theory to practice. His integrating of the practical Babylonian algebra with the more theoretical Greek approach was the first such detailed and sound attempt. I have endeavored in this volume to point out the significant elements in this fusion and to demonstrate the areas in which the Muslims were true innovators in medieval mathematics.

In the translation I have, therefore, placed the primary emphasis on mathematical ideas, rather than on literary values, since this will be the most useful rendering for students of medieval mathematics. The figures have been proportioned but I have tried to contain the vocabulary and ideas within the confines of abū Kāmil's society.

It was through the work of Dr. Josef Weinberg, the young scholar—a victim of Nazi cruelty in World War II—who produced the German translation that I first became interested in this text. I am also deeply indebted to my late teacher and colleague, Professor Solomon Gandz, for his many ideas which have been incorporated in the editing of the Hebrew text, in which parentheses enclose redundant words or phrases and square brackets my own additions to, or corrections of, the text. To Professor Marshall Clagett must go a scholar's appreciation not only for his penetrating criticism but also for his thoughtfulness and consideration in the course of his academic pursuits. I also wish to thank my colleagues in the scholarly community for the many pleasant discussions which led directly and indirectly to my present work and some of its directions.

This work was improved and put into its final form with the support of a grant from the U.S.P.H.S., RG 7391.

MARTIN LEVEY

Rockefeller Institute
New York

CONTENTS

INTRODUCTION

INTRODUCTION

Abū Kāmil and
the Development of Mathematics

Abū Kāmil Shujāʿ ibn Aslam ibn Muḥammad ibn Shujāʿ, known as "the reckoner from Egypt," al-Ḥāsib al-Miṣrī (*ca.* 850–930 A.D.),[1] whose work on algebra provides the basis for this book, was the product of a period of intellectual ferment in the Muslim world. He is, after al-Khwārizmī (*ca.* 825), the earliest algebraist of the Islamic Middle Ages whose writings are extant, and his work reflects one of the fundamental contributions made by the Muslims of this period. The Arabs in addition to transmitting Hellenistic learning made many solid contributions in the establishment of new facts, and they revamped many fundamental ideas in science and mathematics. But more than this, their fusion of a practical approach with the more abstract Greek methods led to a higher level of theoretical investigation and practical learning from which modern scientific methodology evolved. In abū Kāmil this combining of the two systems of thought strongly influences his algebra.

The Arabic tradition in science, deriving from its Babylonian and Egyptian predecessors, was one that emphasized the practical. And in the Golden Age of the Muslims the science of chemistry, for example, advanced greatly. The Arabs were responsible for the tremendous growth of industrial processes, pharmacy, and iatrochemistry, as well as for the furtherance of the development of chemical technique and apparatus. Simultaneously, however, experimental chemistry thrived as it never had previously, and the Arabs investigated the theoretical aspects of chemical

[1] See W. Hartner in *Encyclop. of Islam*, 2nd ed. 1, 132–33 (London, 1954); Mac Guckin de Slane, transl. "Prolégomènes historiques d'Ibn Khaldun," *Notices et extraits des manuscrits* 21, 136 (Paris, 1868).

reactions in the laboratory while they continued to further the practical side. Many Muslim manuscripts, therefore, contain labeled drawings of experimental apparatus and elaborate descriptions of experimental techniques together with theoretical discussions of the properties of chemical substances and their reactions.[2]

It should be noted that Alexandrian chemists had already contributed much in this direction. By the time of Zosimos, in the fifth century, there were Greek manuscripts containing diagrams, which Greek writers had not in general employed before, and descriptions of such processes as calcination, solution, filtration, crystallization, sublimation, and especially distillation.[3] In addition, the much earlier theories of Democritos and of the various philosophical schools, as well as the idea of the humors in medicine, began in Alexandrian times to affect the newly recognized field of chemistry.

Similarly in mathematics, Muslim algebra seems to parallel the development of Arabic chemistry in that it is a fusion of the practical arts and the more theoretical Greek approach to mathematical thinking. Although there is no conclusive chain of transmission, it is probable that this combining of the two methods also traces back to Alexandrians, Heron and others like him, of the second century.

Abū Kāmil, following this new path, effected his greatest contribution in a fresh approach to geometry and particularly to algebra. He utilized the theoretical Greek mathematics without destroying the concrete base of al-Khwārizmī's algebra[4] and evolved an algebra based on practical realities derived from Babylonian roots and strengthened by Greek theory. Abū Kāmil's understanding of practical principles gave him a basis for the sound evolution of the next higher stages of algebraic method. This may be seen more clearly in a comparison of his approach with the mathematical methodologies of Euclid, Heron, and al-Khwārizmī in the solution of the classical equation, $x^2 + b = ax$, which I shall discuss in detail in a later section. But at the same time abū Kāmil complements his practical solutions by giving adequate proofs for the

---

[2] An excellent example of this may be found in Maqbūl Aḥmad, "A Persian Translation of the Eleventh Century Arabic Alchemical Treatise 'Ain Aṣ-ṣan'ah Wa'Aun Aṣ-ṣana'ah," Mem. As. Soc. Bengal 18, no. 7, 419–60 (1929); H. E. Stapleton, R. F. Azo, and M. H. Ḥusain, "Chemistry in Iraq and Persia in the Tenth Century A.D.," ibid. 18, no. 6, 317–418 (1927); H. E. Stapleton, "Alchemical Equipment in the Eleventh Century A.D.," ibid. 1, no. 4, 47–70 (1905).

[3] M. Levey, "Beginnings of Early Chemical Equipment: Some Apparatus of Ancient Mesopotamia," Journ. Chem. Educ. 32, 180–84 (1955); Evidences of Ancient Distillation, Sublimation and Extraction in Mesopotamia," Centaurus 4, 23–33 (1955).

[4] Almost half of al-Khwārizmī's Algebra is devoted to problems arising from the inheritance laws of the Muslims.

identities he uses. A closer look at his text in this particular instance may serve to clarify the methodology which threads through his treatise. See pages 100-102 of the text (fol. 116a), where he gives rules bearing on the solution of the problem

$$x + y = 10,$$

$$\frac{y}{x} = 4, \qquad \frac{x}{y} = \tfrac{1}{4};$$

$$\text{or } \frac{x}{y} + \frac{y}{x} = 4\tfrac{1}{4}.$$

"For every number which one divides by another, then, the quotient is equal to the square of the dividend divided by the product of the dividend and divisor."

In this analysis he arrives at the important algebraic rule

$$\frac{a}{b} = \frac{a^2}{ab},$$

one which al-Khwārizmī did not know. Abū Kāmil, in his explanation, gives a figure including a unit line in an attempt to introduce a more abstract and generalized clarification. He is not content merely to demonstrate that his identities work out, as in the preceding example. He proceeds to a more explicit example of an algebraic identity in his next paragraph. It would have been simple for him to substitute in his rhetorical formula the values given in his figure and claim a truth. But he does not do this. At issue is the identity generally written as

$$\frac{x}{y} + \frac{y}{x} = \frac{x^2 + y^2}{xy}.$$

In this case, abū Kāmil's figure is very revealing in that it gives concrete values for the lengths of the lines. These are also denoted by letters. See page 98 of the text, with Figure 32 (fol. 115b): "For every two numbers, one divided by the other one, . . ." etc.

It may be seen here that he is not satisfied with giving the practical arithmetic but insists on providing a more theoretical and, at the same time, more substantial proof which leads to

$$\left(\frac{x}{y} + \frac{y}{x}\right) xy = x^2 + y^2, \text{ a very useful identity.}$$

This expression is in a slightly different form from the one above, indicating a remarkable facility with rhetorical algebraic expressions. While al-Khwārizmī knew this second form of the identity (but not the first), the significant point in abū Kāmil's treatment is his method of arriving at the identity.

5

In regard to this insistence on a generalized proof, another identity discussed by abū Kāmil is worth examination. This is:

$$\frac{x}{y} \cdot \frac{y}{x} = 1.$$

See page 100 (fol. 116a) of the text. His presentation given in modern terms is

$$\frac{A}{B} = G, \ \frac{B}{A} = D,$$

$$\therefore \ G \cdot D = 1, \ \frac{A}{B} \cdot \frac{B}{A} = 1.$$

He then gives his proof, page 100, Figure 33 (fol. 116a), supporting this rule, a rule also given by al-Khwārizmī and found in Babylonian sources.

Frequently, abū Kāmil's proofs are difficult to classify as theoretical or practical. It is of importance to note that he resorts to more than one explanatory proof of his identities, as in the above, with varying degrees of theoretical and practical elaboration. Here and in other problems, he not only demonstrates a highly theoretical proof but also attempts to give a theoretical proof which is closely allied to a highly practical one. He therefore frequently finds it necessary to give more proofs than just the usual theoretical and purely practical demonstrations.

It may be seen from the above that abū Kāmil drew together the two previously existing approaches to mathematics, the Arabic (Babylonian and Egyptian) and the Greek. He also had extensive influence on later mathematicians. Al-Karajī (*ca.* 1010) owed much to abū Kāmil. He took over intact the geometrical explanations of abū Kāmil's quadratic equations and also the direct solutions for the square. Many of his problems came basically from abū Kāmil.

Later, abū Kāmil's work was significant in the development of mathematics in the West as a result of his influence on the Pisan mathematician Leonardo Fibonacci (1202). Leonardo leaned heavily on abū Kāmil, borrowing the latter's problems, directly and indirectly. He frequently changed the constant term in an equation to improve upon the practicalities of solution, but of abū Kāmil s sixty-nine problems, many are to be found in Leonardo, complete or in part.[5] For a list of the problems Leonardo derived from abū Kāmil, see the Appendix.

---

[5] J. Tropfke, *Gesch. d. Elementar-Mathematik* 3, 80–81, 110–14; see also Leonardo in *Scritti* 1, 415 ff.; Suter, *Bib. Math.* 11, 114 (1910–11).

Abū Kāmil's Works and Extant Texts

Biographical details on abū Kāmil are almost entirely lacking. In al-Nadīm's *Fihrist* (end of tenth century)[6] under abū Kāmil, the following works are listed: "The Book of Fortune," "The Book of the Key to Fortune," "Book on Algebra," "On Augmentation and Diminution," "Book on the Two Errors (*regula falsi* or False Position)," "Book on Surveying and Geometry," "Book of the Adequate,"[7] and "The Book of Omens (by the Flight of Birds)." Woepcke[8] has attempted to identify the fourth one with the Latin "Liber augmenti et diminutionis," edited by Libri.[9] Of the works mentioned above, only the work on algebra has survived in the Arabic. Abū Kāmil was famous among the Arabs for his algebra. Ibn Khaldūn[10] (1322–1406) wrote that the first to write on this topic was al-Khwārizmī and that after him came abū Kāmil.

Ḥājjī Khalīfa[11] attributed another work to abū Kāmil entitled, "Inheritance Distribution with the Aid of Algebra," otherwise titled, "Book on Legacies with the Help of Root Calculations." This was probably similar to al-Khwārizmī's work on inheritance problems in his algebra. Abū Kāmil's book on indeterminate algebra is relevant.

Suter attempted to demonstrate that a work "Augmentation and Diminution" was written by abū Kāmil. This, of course, was a title very commonly used by early Muslim algebraists, deriving from a phrase in al-Khwārizmī's algebra. The authorship of this work is still in doubt.[12]

Three[13] commentaries were written on abū Kāmil's algebra:

1. Al-Iṣṭakhri.[14] This commentator may be abū Ṣa'id al-Haṣan b.

[6] H. Suter, translator of mathematical section of the "Fihrist" by al-Nadīm, "Das Mathematiker-Verzeichniss im Fihrist des Ibn Abī Ya'qūb an-Nadīm," in *Abh. z. Gesch. d. math. Wiss.* **6**, 43 (1900).

[7] Abū Kāmil is listed with other mathematicians under the heading, "The New Reckoners and Arithmeticians," meaning those dealing with practical mathematics as Indian reckoning, citizen's arithmetic, and practical geometry.

[8] F. Woepcke, *Journ. Asiatique*, p. 514 (1863).

[9] G. Libri, *Histoire des sciences mathématiques en Italie*, 253–97 (Paris, 1838); 2nd ed., 304–69 (1865); see also J. Ruska, "Zur ältesten arab. Algebra und Rechenkunst," in *Sitzungsber. d. Akad. d. Wiss.* **8**, 14–23 (Heidelberg, 1917, No. 2).

[10] See L. C. Karpinski, "On the Pentagon and Decagon," *Bib. Math.* **12**, 41 (1911–12).

[11] Ḥajjī Khalīfa, *Lexicon bibliog. et encyclop. a Haji Khalfa compositum.* Edidit et lat. vert. G. Flügel (Leipzig, 1835–58).

[12] H. Suter, *Bib. Math.* **10**,33 (1909–10); F. Woepcke, *Journ. Asiatique*, p. 514 (1863).

[13] M. Steinschneider, *Zeit. deut. morg. Ges.* **25**, 408 (1871); also *Zeit. f. Math. und Physik* **12**, 23 (1867); L. C. Karpinski, *Robert of Chester's Latin Translation of the Algebra of al-Khwārizmī*, p. 20 (New York, 1915).

[14] H. Suter, "Die Mathematiker und Astronomen der Araber und ihre Werke," *Abh. z. Gesch. d. math. Wiss.* **10**, 51. Al-Iṣṭakhrī lived perhaps *ca.* 858–939/40.

Yazīd al-Iṣṭakhrī, the director of weights and measures in Baghdad (d. 939).

2. 'Alī b. Aḥmad al-'Imrānī.[15]

3. El Corechi, in Spanish.[16]

The first two commentaries are listed in the *Fihrist* but have been lost. The Spanish commentary, which has never been found, was mentioned by ibn Khaldūn.

The following extant manuscripts are definitely known to be works of abū Kāmil:[17]

1. *Kitāb al-ṭarā'if fi'l ḥisāb*, "Book of Rare Things in the Art of Calculation" (Leiden, Arabic 1003, fol. 50b–58b; Paris, B.N. Lat., 7377 A. 6 *(Anonymi tractatus de arithmetica)*, and in Munich, Cod. Heb. 225). The last is a Hebrew version by Mordecai Finzi *(ca.* 1460). The Arabic version was copied between 1211 and 1218 A.D. by Mas'ūd b. Muḥammad b. 'Alī al-Julfarī. It is in a small script with seventeen lines on a page.[18] Suter translated this work from the Arabic into German.[19] It deals with integral solutions of some indeterminate equations. Much earlier, Diophantos *(ca.* first century), had concerned himself, with rational, not exclusively integral, solutions. Abū Kāmil's procedure in this work, however, is less systematic, and he finds his solutions by trial. Indeterminate equations with integral solutions, although known much earlier, did not appear in India fully developed until *ca.* 1150,[20] but Āryabhata (b. 476) had used continued fractions in solutions, a system known later by Bhāskara (b. 1114) as the *kuṭṭaka* dispersion.[21] There is, however, little reason to believe that this information had passed to the Arabs by the time of abū Kāmil.

2. "On the Pentagon and Decagon" (Paris, B.N. Lat., 7377 A, and Paris, B.N. Lat., 1029, 7, and in Munich, Cod. Heb. 225).[22] The latter translation was done by Mordecai Finzi. Much of this treatise was used

---

[15] *Ibid.*, 56–57. Al-'Imrānī, who was born and lived in Mosul, was a mathematician and book collector (d. 955/6). He also wrote on astrology.

[16] L. C. Karpinski, *Bib. Math.* 12, 42 (1911–12).

[17] See C. Brockelmann, *Gesch. d. arab. Lit.* Suppl. 1, 390 (Leiden, 1937); Suter, "Die Mathematiker . . . ," 43, and Nachträge to p. 164.

[18] H. Suter, *Bib. Math.* 10, 34 (1909–10); 11, 100 (1910–11).

[19] H. Suter, "Das Buch der Seltenheiten der Rechenkunst von abū Kāmil al-Miṣrī," *Bib. Math.* 11, 100–120 (1910–11).

[20] H. T. Colebrooke, *Algebra with Arithmetic and Mensuration from the Sanskrit,* pp. 233–35 (London, 1817).

[21] G. Cantor, *Vorlesungen über Geschichte der Mathematik* 1, 588 ff. (Heidelberg, 1880).

[22] Translated by H. Suter into German, *Bib. Math.* 10, 15–42 (1909–10); into Italian by G. Sacerdote from Hebrew, in *Fest z. 80 Geburtstage M. Steinschneiders*, pp. 169–94 (Leipzig, 1896). The Arabic, just discovered by Levey, is in Istanbul.

by Leonardo Fibonacci in his *Practica geometriae.*[23] This abū Kāmil text, though primarily on geometry, is algebraic in treatment, and it includes solutions for a fourth degree equation and for mixed quadratics with irrational coefficients.[24] The twelfth problem of this text reads: "*Et si dicemus tibi trianguli equilateri et equianguli mensura est cum perpendiculari ipsius est 10 ex numero, quanta sit perpendicularis?*" This problem is of interest because the author here adds lines and areas, a practice not usually to be found in classical Greek mathematics.

3. A further work on indeterminate equations is in the great Munich Cod. Heb. 225. This is not a duplicate of the *Ṭarā'if* but is a much more extended and detailed exposition of Diophantine equations.[25]

4. *Al-wāṣayā bi'l-judhūr* (Mosul 294,3) concerns the ordering of roots.

5. *Kitāb fī al-jābr wa'l-muqābala* (Paris, B.N. Lat. 7377 A,[26] Munich, Cod. Heb. 225) in a commentary by M. Finzi.[27] A Hebrew fragment of the latter manuscript in Paris, B.N. Cod. Heb. 1029.7, goes only to the end of fol. 114a of the Munich manuscript. The Arabic text is extant in the manuscript, Kara Mustafa 379. This work by abū Kāmil is one of his most important treatises and is the subject of this book. I have used photocopies of the four extant manuscripts. The Munich manuscript is the clearest and fullest. Through the kindness of Professor Gandz, I have also been able to use his autograph copy of a copy of Munich 225 made by Dr. Josef Weinberg. Many writers, from the nineteenth century on, mentioned this text and discussed the importance of abū Kāmil in Arabic mathematics.[28] As early as 1841, M. Chasles called attention to the Latin manuscript in Paris, B.N. Lat. 7377 A.[29] This manuscript is finely written with thirty-one to forty lines on a page and begins on fol. 71b:

[23] Leonardo of Pisa's *Scritti*, edited by B. Boncompagni, **2** (Rome, 1862).

[24] See Arabic MS Kara Mustafa Kutubhane 379 No. 2, 67b–75b.

[25] I am now preparing a translation and commentary from the newly discovered Arabic.

[26] L. C. Karpinski, ed., *Bib. Math.* Ser. 3, **12**, 40–55 (1911–12); *Amer. Math. Monthly* **21**, 37–48 (1914).

[27] J. Weinberg, Dissertation, *Die Algebra des abū Kāmil Šoğā' ben Aslam* (Munich, 1935).

[28] L. Sédillot, *Matériaux pour servir à l'histoire comparée des sciences mathématiques chez les Grecs et les Orientaux*, p. 447 (Paris, 1845); J. Hammer-Purgstall, *Literaturgeschichte der Araber* **4**, 306; M. Steinschneider, *Zeit. f. Math. und Physik* **12**, 23 (1867), *Zeit. deut. morg. Ges.* **25**, 408 (1871), *Die heb. Uebersetz. des Mittelalters*, pp. 584–88 (Berlin, 1893), *Sitzungsber. d. Akad. d. Wiss., Phil.-hist. Klasse*, p. 149 (1905); H. Suter, "Das Mathematiker-verzeichnis im Fihrist . . . ," *Abh. z. Gesch. d. Math. Wiss.* **6**, 37, 69–70, "Die Mathematiker . . . ," *ibid.* **10**, 43, Nachträge, *ibid.* **14**, 164 (1902), *Verhandlung d. dritten internationalen Mathematiker-Kongress in Heidelberg* (Leipzig, 1905), "Zur Geschichte der Mathematik bei den Indern und Arabern," *ibid,* 556–61; G. Cantor, *Vorlesungen über Gesch. d. Math.,* 3rd. edition, **1**, 731.

[29] *Comptes rendus de l'acad. d. sciences (Paris)* **13**, 506 (1841).

Primum quod necessarium est aspicienti in hoc libro est 3 species quos memoratus est Mahamed filius Moysi Algorismi in libro suo, que sunt radices et census et numerus. Radix autem est omne in se multiplicatum ex uno et quod est super ipsum ex unis et fractis suis et quod est sub ipso ex fractis. Sed census est quod aggregatus ex ductu eius quod est in hac radice ex unis et unis et fractis in se ipso. Numerus vero est substans per se super quo non cadit nomen radicis vel census sed proportionantur ad id quod est in ipso d'unis.

This incipit is completely in accord with the Arabic and Hebrew versions. The final paragraph also is an almost exact translation. On fol. 93b, it reads:

Et si dixit 10 diuide in 2 partes et diuide 40 per unamquaque duarum partium, deinde duc quod exeunt ex eo in se et peruenit 625, necesse est ut quando diuides 10 per unamquamque duarum partium et ducis quod exeunt ex eo in se peruenit $\frac{e\;\;1}{8\;\;8}$ d'625 quod est 39 et $\frac{e\;\;1}{8\;\;2}$ quare 10 est $\frac{1}{4}$ d'40 et $\frac{1}{4}$ quando ducitur in se peruenit ex ipso sicut $\frac{e\;\;1}{8\;\;2}$ illius quod peruenit ex tota in se. et iam exposuimus operationem in hec. Et si uis aggregare questiones singulares multas ex isto modo questiones secundum ista uiam et aliam leves tibi erit operatio in ipsis secundum id quod premisi tibi ex eo quod exposui tibi in libro hoc. Unde laus et gloria sit soli creatori.

The Hebrew and Arabic versions are entirely rhetorical. Although most of the Latin text is still rhetorical, a newer fractional nomenclature is used in place of the Semitic rhetorical fractions. This nomenclature resembles that of Leonardo Fibonacci, of the early part of the thirteenth century. Quoted passages in the introduction bear this out. Further, it is a translation from a Semitic to an Indo-European language, carrying with it many changes in the meaning of the general and technical vocabularies. The value of the Latin text for comparative purposes is then much reduced because of its "modernization" and other changes.

The full Arabic text in Istanbul is in a clear Naskhi hand, twenty-one lines on a page, and goes from the title page on fol. 1a to fol. 67a. Most of it is unpointed but readable. It is dated as having been copied in the year 651 A.H. In collating this manuscript with the Hebrew text of Finzi, I found that they are very close to each other in content except in the case of the Arabic folios 9a–9b, which show a slight omission in the Hebrew text.[30] Finzi effected his mathematical clarification of the Arabic text not by means of a long discursive commentary, but rather by an excellent translation which is itself explanatory.

Collations of the Hebrew and Arabic texts indicate without doubt that the Hebrew version is to be preferred. To demonstrate the particular

[30] See note 36 of translation.

types of variations in the Hebrew and Arabic texts, I have given about thirty literal translations from sections of the Arabic version in the notes for the reader to compare with the Hebrew version. In the shorter problems, the texts seem to be very much alike. However, more prolonged and complex problems have many more errors in the Arabic and are often confusing in the original language as well as when translated into English.

The Arabic shows a confusion of the various "powers" of the unknown in the use of the original Arabic technical terms for "things," "squares," and "dirhams." On Ar. fols. 21b–22a and 54a, "things" are confused with "squares" and on Ar. fol. 24b, "roots" and "squares" are used one for the other. I have demonstrated these in my notes giving the highly literal translations. It would appear that the Arabic text was copied by a scribe who was not very competent in mathematics. Further, Finzi probably used a better Arabic text than the unique version now extant.

On Ar. fols. 26b–27a, there is much redundancy and faulty copying. On Ar. fols. 22b–23a and 43a–43b, there are serious lacunae. One of the more important defects in the Arabic text (for example, Ar. fol. 31b) is that in long drawn-out problems the intermediate numerical results for each stage are not always given. This must have been a serious problem for the student of this treatise. In the Hebrew, the translator commonly gives these values at the various mathematical stages.

In addition to its clearer technical aspects, the Hebrew text is far superior to the Arabic copy in style and grammar. These advantages make it definitely more satisfactory for study, because many of the linguistic difficulties which so often beset medieval scholarship are reduced to a minimum. In this particular case, the Hebrew, for the reasons given, has much less uncertainty in meaning and therefore provides greater clarity in exposition than does the Arabic text.

Because of these differences among the texts, I considered it most worthwhile to present the near-literal translation of the Hebrew text rather than of the Arabic or Latin. This is a tribute to the literary and mathematical abilities of the translator into Hebrew, Mordecai Finzi.

The Translator and the Translation

Not much is known about Mordecai Finzi of Mantua, but in 1925, an important document was published bearing on the history of the Finzi family.[31] It is an official legal manuscript dating from 1454 and concern-

[31] Carlo Bernheimer, *La Bibliofilia* **26**, 300–325 (Firenze, 1925); see also *La Bibliofilia* **27**, 100–120 (1926).

ing a litigation between Salamon Finzi, son of Angolus (Mordecai) Finzi and his wife, Bruneta, on the one hand, and a certain Santo, son of Rubin, a Jew of Barcelona. The Finzi family owed Santo a sum of 250 ducats which later amounted to 500 ducats. The court awarded Santo half of a house in Bologna owned by Finzi and also a collection of 206 Hebrew manuscripts belonging to the Finzis. The Latin catalogue of the Hebrew manuscripts is published by Bernheimer. However, in it there is no mention of the works of Finzi himself. Thus, in 1454 Finzi had a married son who possessed a house and an important and valuable private collection of Hebrew manuscripts. If it is assumed that the father Mordecai had reached the age of 50 in 1454, then he was about 70 in 1474 when he died. The collection of manuscripts indicates considerable family wealth and culture.

There has been some discussion in the critical literature as to the language of the manuscript from which Finzi made his translation. He may himself have been a Spanish Jew, but in any case it is not surprising that as a learned man living in a region of Italy not far from Spain he used Italian, Latin, Spanish, and Arabic words in his translations.[32] It was Steinschneider who first gave the opinion that the Hebrew translation was from the Spanish or Italian, originally Latin.[33] Karpinski thought that a "Spanish translation was prepared by an unknown Christian Spaniard."[34] Part of Karpinski's reasoning was based on a statement by ibn Khaldūn that a Spanish commentary on the "Algebra" had been written by a certain el Corechi. Not only has the Spanish commentary never been found but the translated text is also unknown.[35] The rest of Karpinski's reasoning is based on a personal communication from Suter to him. After having discussed this question, Suter concluded that it is to be regarded as certain that Finzi had made his translation from the Spanish. As proof, these words are cited: *algos* (plural of *algo*) meaning "capital" or "possession" equal to Arabic *mal*; *cobramiento, confrontamiento* equal to Arabic *al-jabr wa'l muqābala*. Although Steinschneider thought that the Hebrew came from the Spanish, he believed that the original source had been Latin.[36]

The fact is, however, that Finzi also used Spanish words in his translation of other works of abū Kāmil. Thus, the book on the pentagon and

---

[32] M. Steinschneider, *Zeit. deut. morg. Ges.* **25**, 406–9 (1871).

[33] M. Steinschneider, *Heb. Übersetzungen*, p. 487 (Berlin, 1893).

[34] L. C. Karpinski, *Amer. Math. Monthly* **21**, 38 (1914).

[35] H. Suter, *Bib. Math.* **10**, 35–36 (1909–10); Sacerdote, *Fest. z. 80 Geburtstage M. Steinschneiders*, p. 176.

[36] M. Steinschneider, *Zeit. deut. morg. Ges.* **25**, 408, 409, note 2 (1871), *Bib. Math.* **2**, 59–60 (1901).

decagon has a number of Spanish words. In addition to the words of Spanish origin mentioned by Suter, Finzi also used other loanwords throughout the manuscript.[37] The use of Spanish loanwords, however, by no means proves that the Hebrew text is a translation from a Spanish version. It does tend to indicate that the Hebrew translator was a Jew who was familiar with the Spanish terminology and who, in some difficult cases, gave the Spanish terms (in glosses) for the benefit of his readers. The book was apparently intended to be used by the Portuguese and Spanish Jews who, at that time, were still residing in the Iberian peninsula. Had there been a Spanish version, Finzi would not have taken the trouble of translating it into Hebrew. Finzi, who quoted Campanus and Nemorarius (1237 ?), doubtless knew Latin, but there is no evidence at all in his work for a Latin text. There is, however, almost a one to one correspondence between the Arabic and Hebrew texts which strongly suggests that Finzi translated directly from the Arabic into Hebrew.

Al-Khwārizmī and Abū Kāmil

Fundamentally, abū Kāmil's work on algebra as found in the Finzi manuscript is a commentary upon al-Khwārizmī's work together with Finzi's translation and explanation of the commentary. There are also quotations from al-Khwārizmī; I have pointed these out in the notes to the translation.

The following problems in abū Kāmil were taken directly with little or no change from al-Khwārizmī:

abū Kāmil	al-Khwārizmī
no. 1.[38]	
$x + y = 10$,	$x + y = 10$,
$x^2 = \frac{3}{2}xy$ (fol. 111a).	$x^2 = 4xy$ (p. 25 Ar. Rosen).
no. 2.	
$x + y = 10$,	$x + y = 10$,
$10^2 = \dfrac{25}{4}x^2$ (fol. 111b).	$(x + y)^2 = 2\frac{7}{9}y^2 = 6\frac{1}{4}x^2$ (p. 26).
	Neither the Arabic nor the Hebrew solves the problem where the square equals $2\frac{7}{9}y^2$.

[37] See translation and the corresponding notes.

[38] S. Gandz, *Osiris* 3, par. 16, par. 15, no. 9 (1938).

no. 3.[39]

$$x + y = 10,$$
$$\frac{y}{x} = 4 \text{ (fol. 112a).}$$

$$x + y = 10,$$
$$\frac{y}{x} = 4 \text{ (pp. 26, 27).}$$

no. 4.[40]

$$x + y = 10,$$
$$x^2 = 9y \text{ (fol. 112a, b).}$$

$$\left(\frac{x}{3} + 1\right)\left(\frac{x}{4} + 1\right) = 20 \text{ (pp. 27, 28).}$$

no. 5.[41]

$$x + y = 10,$$
$$xy = 21 \text{ (fol. 113a).}$$

$$x + y = 10,$$
$$xy = 21 \text{ (p. 30).}$$

no. 7.[42]

$$x + y = 10,$$
$$y^2 - x^2 = 80 \text{ (fol. 114a).}$$

$$x + y = 10,$$
$$x^2 - y^2 = 40 \text{ (p. 30).}$$

Abū Kāmil first solved number 7 as al-Khwārizmī did. However, he added a second method in which he employed the Diophantine procedure and stated that this second method can be easily used in the majority of problems, following the very old Babylonian procedure: let $x = 5 + z$, $y = 5 - z$, etc. See page 94 of the text (fol. 114a–b), where abū Kāmil gives it succinctly: "If it is desired, divide the 10 into two parts, divided according as arithmeticians divide the 10. . . ." etc. In modern notation, it would read:

$$(5 + x)^2 - (5 - x)^2 = 80,$$
$$\therefore x^2 + 10x + 25 - (25 - 10x + x^2) = 80,$$
$$\therefore 20x = 80,$$
$$\therefore x = 4,$$
$$\therefore (x + 5) = 9 \text{ and } (5 - x) = 1.$$

no. 8.[43]

$$x + y = 10,$$
$$\frac{x}{y} + \frac{y}{x} = 4\frac{1}{4} \text{ (fol. 114b, 115a).}$$

$$x + y = 10,$$
$$\frac{x}{y} + \frac{y}{x} = 2\frac{1}{6} \text{ (pp. 31, 32).}$$

[39] *Ibid.*, par. 14.
[40] *Ibid.*, par. 15.
[41] *Ibid.*, par. 14.
[42] *Ibid.*, par. 14.
[43] *Ibid.*, par. 14, note 86.1.

Number 8 resembles number 35 on fol. 130a where $x + y = 10$,

$\left(\dfrac{x}{y} + 10\right)\left(\dfrac{y}{x} + 10\right) = 122\frac{2}{3}$. Five solutions are given for this problem:

1. $x^2 + y^2 = 4\frac{1}{4}xy$,

   $y = 10 - x$,

   then $x^2 + 100 - 20x + x^2 = 4\frac{1}{4}(10x - x^2)$, etc.

2. $x = 5 + z$,

   $y = 5 - z$,

   then $x^2 + y^2 = 4\frac{1}{4}xy$,

   or $50 + 2z^2 = 4\frac{1}{4}(25 - z^2)$, etc.

3. $\dfrac{(10 - x)}{x} + \dfrac{x}{(10 - x)} = 4\frac{1}{4}$,

   $10 - x + \dfrac{x^2}{(10 - x)} = 4\frac{1}{4}x$, etc.

4. Let $\dfrac{(10 - x)}{x} = y$,

   then $xy = 10 - x$,

   $y + \dfrac{x}{(10 - x)} = 4\frac{1}{4}$,

   $\dfrac{x}{(10 - x)} = 4\frac{1}{4} - y$,

   $x = (10 - x)(4\frac{1}{4} - y) = 42\frac{1}{2} - 10y - 4\frac{1}{4}x + xy$,

   but $xy = 10 - x$,

   hence $x = 52\frac{1}{2} - 10y - 5\frac{1}{4}x$,

   $10y = 52\frac{1}{2} - 6\frac{1}{4}x$,

   $y = 5\frac{1}{4} - \frac{5}{8}x$,

   $\dfrac{10 - x}{x} = 5\frac{1}{4} - \frac{5}{8}x$, etc.

5. Let $\dfrac{x}{y} = z$

   and $\dfrac{y}{x} = 4\frac{1}{4} - z$, etc. This is a method used by the Babylonians.

Methods of solution 1 and 4 are given by al-Khwārizmī.

No. 10.

$$\frac{50}{x} - \left(\frac{50}{x+3}\right) = \frac{15}{4} \text{ (fol. 117b).} \qquad \frac{1}{x+1} = \frac{1}{x} - \frac{1}{6} \text{ (pp. 45, 46).}$$

The general formula is

$$\frac{a}{x} - \frac{a}{x+b} = c; \ a(x+b-x) = c \cdot x(x+b);$$

$$a \cdot b = c \cdot x(x+b); \ a = \frac{c}{b}(x^2 + bx).$$

Al-Khwārizmī mechanically followed this formula. Hence he directed the reader to divide through by b. This is unnecessary in his case since $b = 1$. Thus, al-Khwārizmī's problem is fully interpreted and emended by number 10.

The rule given by abū Kāmil in problem 10 (fol. 118a) is the same as that given by al-Khwārizmī (p. 45, lines 13–17) with a slight difference. The procedure in al-Khwārizmī is : take $c \cdot x$, then $cx(x+b)$, then

$$\frac{cx(x+b)}{b} = a.$$

In abū Kāmil, it is : take $c \cdot x$, then $\frac{cx}{b}$, then

$$\frac{cx(x+b)}{b} = a.$$

Both want to emphasize that the original number to be divided is equal to a. Problems 11 to 16 are variations.

No. 17.[44]

$$x + y = 10, \qquad\qquad\qquad\qquad x + y = 10,$$

$$\frac{1}{3} \cdot \frac{6x}{(10-x)} = 56 - 6x \text{ (fol. 122b, 123a).} \qquad \frac{5x}{2y} + 5x = 50 \text{ (pp. 33, 34).}$$

$$x = \frac{59}{6} - \sqrt{\frac{3481 - 3360}{6^2}} = \frac{59}{6} - \frac{11}{6} = 8.$$

The other root is suppressed since it gives $\frac{70}{6}$. Al-Khwārizmī also suppressed the other root.

[44] *Ibid.*, par. 15.

No. 18.

$$\left[x - \left(\frac{x}{3} + 2\right)\right]^2 = x + 24 \text{ (fol. 123a).} \quad \left[x - \left(\frac{x}{3} + 3\right)\right]^2 = x \text{ (pp. 40, 41).}$$

Al-Khwārizmī brought the solution up to only $x^2 + \frac{81}{4} = \frac{45}{4}x$. The negative root was avoided as in abū Kāmil.

No. 19.[45]

$$3\sqrt{x} - 4\sqrt{x - 3\sqrt{x}} = 20 \text{ (fol. 123b, 124a).} \quad \sqrt{x} + \sqrt{x - \sqrt{x}} = 2 \text{ (p. 47).}$$

Abū Kāmil enlarged upon al-Khwārizmī by giving three methods:

1. take $x = z^2$,

   $$3z + 4\sqrt{z^2 - 3z} = 20,$$

   $$5 - \tfrac{3}{4}z = \sqrt{z^2 - 3z},$$

   square both sides. etc.

2. $20 - 3z = 4\sqrt{z^2 - 3z}$,

   square both sides, etc.

3. take $z^2 - 3z = v^2$,

   substitute, etc.

No. 20.

$$\left(x - \tfrac{1}{3}\right)(3\sqrt{x}) = x, \qquad\qquad\qquad x\sqrt{x} = 3x \text{ (p. 39).}$$

$$\tfrac{2}{3}x \cdot 3\sqrt{x} = x \text{ (fol. 124a).}$$

Abū Kāmil stated that $\frac{2}{3}x$ must be multiplied by $\frac{3}{2}$ to get x. He reduced his equation to the al-Khwārizmī type and then solved it in contradistinction to al-Khwārizmī by dividing by x.

No. 21. [46]

$$\left(x - \tfrac{1}{3}\right)\left(3\sqrt{\tfrac{2}{3}x}\right) = x \text{ (fol. 124a).} \qquad\qquad x + 20 = 12\sqrt{x} \text{ (p. 40).}$$

No. 22.

$$2\sqrt{x - 3\sqrt{x}} = x - 3\sqrt{x} \text{ (fol. 124a).}$$

[45] *Ibid.*, par. 16.
[46] *Ibid.*, par. 15.

These are solved by abū Kāmil in two ways:

1. by an al-Khwārizmī rule (p. 4, lines 1–3)

$$x^2 = ax,$$

then $x = a$, $x = a\sqrt{x}$, $\sqrt{x} = a$, $x = a^2$.[47]

2. by a rule based on $x + 20 = 12\sqrt{x}$ solved by a quadratic formula. Al-Khwārizmī apparently did not know of the procedure of dividing through by x. He preferred the unusual method of extracting the root from both sides. This is the only example in which al-Khwārizmī used this method. Abū Kāmil also used this method in number 18. Al-Khwārizmī solved $(x - 3\sqrt{x})^2 = x$ as follows:

$$x - 3\sqrt{x} = \sqrt{x},$$

$$x = 4\sqrt{x},$$

$$\sqrt{x} = 4,$$

$$x = 16$$

No. 24. (See number 17.)

$$x + y = 10,$$

$$\frac{y}{x} + x = \frac{11}{2} \text{ (fol. 124b, 125a).}$$

$$x + y = 10,$$

$$\frac{5x}{2y} + 5x = 50 \text{ (pp. 33,34).}$$

Abū Kāmil took this to the point where the result was $10 - x$ or $x(\frac{11}{2} - x)$; $x = 4$. Hence, only the one root was obtained.

Al-Khwārizmī explained a total of forty problems in his algebra compared with abū Kāmil's sixty-nine. The latter greatly expanded al-Khwārizmī's algebra with the addition of different types of problems and also varied solutions for these problems. Abū Kāmil's work presented innovations in algebraic method such as in the solution directly for x^2 instead of for x, since the latter was frequently not desired by Islamic mathematicians.[48] Also new is the case where $x > p/2$ in $x^2 + q = px$; Euclid (II, 6) had taken care of the condition $x < p/2$ in this equation.

Abū Kāmil was the first Muslim to use powers greater than x^2 with ease; in fact, he went to x^8 (called square square square square). The seventh power of x was not in general use; x^6 was cube cube; x^5 was

[47] See L. C. Karpinski, *Robert of Chester's Latin Translation of the Algebra of Al-Khowarizmi*, (New York, 1915), pp. 100–101.

[48] J. Tropfke, *Gesch. d. Elementar-Mathematik* 3, 74–76, 80–82 (Berlin, 1937); see also the important chapter in J. Weinberg, Dissertation.

square square, root; x^4 was square square; x^3 was cube; x^2 was
This may be construed as an indication that abū Kāmil practi
addition of exponents in multiplication.[49] In contradistinction
Indian nomenclature, in which a square cube is equal to the sixth
Thus abū Kāmil was, in this direction, independent of Indian n
matics. It may be remembered that Diophantos (*ca.* 86 A.D.), who
exponents, was virtually unknown to the Arabs until the latter p
the tenth century, when abū'l-Wafā' (940–98) translated his work
Arabic.

The idea of root was taken over completely by abū Kāmil fron
Khwārizmī as $x \cdot 1^2$, an area or a line. Thus there is a duality in the m
uring of *jadhr*, root. As an area, it corresponds to the first powe
As a line, it is a root. Abū Kāmil followed al-Khwārizmī in defi
jadhr as the side of the square (x) multiplied by the square unit ($x \cdot$
This definition is also to be found in the Hebrew *Mishnat ha-Mid*
the oldest Hebrew geometry, dating from 150 A.D.[50] At one poi
al-Khwārizmī said: "If you multiply a side by any number, the res
is a number of roots." Here, he meant the same thing but the phrasi
is not quite so clear as it might be. It actually corresponds to the fo
mulation in the *Mishnat ha-Middot*, III, 2, p. 37 (Gandz edition
The passage, והצלע האחד הוא עקרה האחד, should not be emended bu
simply explained by "multiplied by one square unit, as al-Khwārizm
explained it. The Latin text (Paris, B.N. Lat., 7377 A) explains, "*duct*
in unum d'unitatibus que sunt in eo" to indicate that a line *(census)* is
multiplied by a unit in order to make an area.

This definition of *jadhr* may go back to the Egyptian *khet* = cubit strip and to the old Egyptian method of computing the area by cubit strips.[51] This is a relic of a more primitive stage of algebra in which the distinction was made between the two factors $x \cdot x$ making the area x^2. The one is an area $x \cdot 1^2$ and the other is the pure number. In Greek and even in Babylonian algebra there is already a stage of abstraction in which areas and sides are added together entirely ignoring the original difference in the units.

The definition of *jadhr* as $x \cdot 1^2$ as used by al-Khwārizmī and abū Kāmil is indispensable for the geometrical demonstration of the quadratic

[49] See al-Khwārizmī's *Algebra* in the Rosen edition, p. 51, lines 4–5; also p. 11, line 11; p. 13, line 9. See Hebrew fol. 95b, 103a of abū Kāmil MS.

[50] S. Gandz, *Amer. Math. Monthly* **35**, 67–75 (1928).

[51] See O. Neugebauer, *Quellen u. Studien* **2**, pp. 10, 23 (1932); *Tosafot Sukkah* 8a and *Erubim* 56b, and Guttman in his introd. to חבור המשיחה השרשים והשברים נקראים רצועות; Cantor, *Gesch. d. Math.* **1**, 404, 474, writes "Heron is a pure algebraist hence he adds areas and lines into one sum."

equations. Hence, it is given by al-Khwārizmī and abū Kāmil as premises for their demonstrations. It is noteworthy that Euclid (II, 1), in proving that $a (b + c + d + \ldots) = ab + ac + ad + \ldots$ is essentially a geometric illustration and form for the *jadhr*, considered it important enough to give it also in the preamble to his geometrical algebra.[52] It is obvious that Euclid and his Greek predecessors must have taken the idea from the ancient Babylonian or Egyptian sources also known to al-Khwārizmī.

Negative roots were not yet known. They do not appear in either al-Khwārizmī or abū Kāmil, nor are they to be found in the Greek works. It was the Hindu mathematician, Bhāskara (b. 1114 A.D.), who first affirmed the existence of negative as well as positive roots.

More important than the minor advances in solving techniques was the fact that abū Kāmil, utilized not only the ideas of al-Khwārizmī, the inheritor of Babylonian algebra, but also the concepts in the Greek mathematics of Euclid. The result of this approach was a welding of Babylonian and Greek algebra, the first time such a fusion had ever been attempted.[53]

Abū Kāmil's Methods and the
Integration of Babylonian and Greek Mathematics

Euclid, in his Book II, gives geometric demonstrations of algebraic formulas while, on the other hand, the works of the early Muslims are primarily algebraic with geometric explanations, more or less abstract. It has been shown that Greek geometry and algebra had no direct influence on al-Khwārizmī,[54] and the fact that Euclid's geometrical algebra appears in such different form supports this idea. Moreover, on closer examination of Euclid we find that ". . . the proofs of all the first ten propositions of Book II are practically independent of each other . . . ." Heath then asks and answers the question: "What then was Euclid's intention, first in inserting some propositions not immediately required, and secondly, in making the proofs of the first ten independent of each other ? Surely the object was to show the power of the method of geometrical algebra as much as to arrive at results."[55]

With the Babylonian accent on the algebraic form of geometry and the ensuing dependence of al-Khwārizmī upon this source, the latter's

---

[52] T. L. Heath, *The Thirteen Books of Euclid's Elements* 1 (2nd edition, New York, 1956), 372, 375 ff.
[53] For detailed discussion, see pages 20–27 of Introduction.
[54] S. Gandz, *Osiris* 1, 377 (1936).
[55] T. L. Heath, *Elements* 1, 377.

form of geometric algebra is to be fully expected. Thus abū Kāmil, drawing on the works of al-Khwārizmī, and of Heron and Euclid, representing respectively the Babylonian and the Greek forms of algebra, was able to present for the first time a sophisticated algebra combined with an elaborated geometry, both more abstract than al-Khwārizmī and yet more practical than Euclid, whose work he knew well. In this way, abū Kāmil provided theoretical explanation and demonstration, thus introducing the integration of Babylonian practice and Greek theory to give a more virile approach to algebra.[56]

To understand how abū Kāmil reacted to the mathematical approach of his predecessors, it is essential to examine the work of those before him. This can be done by comparing the solutions of the equation $x^2 + 21 = 10x$ given by Euclid, Heron, al-Khwārizmī, and abū Kāmil.

1. Euclid, Book II, Proposition 5

From Euclid, we have the geometric solution of the equation, $x^2 + b = ax$. According to the Commentary of Proclus,[57] this is an ancient proposition and a discovery of the Muse of the Pythagoreans.

If a straight line be cut into equal and unequal segments, the rectangle contained by the unequal segments of the whole together with the square on the straight line between the points of section is equal to the square on the half.

For let a straight line AB be cut into equal segments at C and into unequal segments at D; I say that the rectangle contained by AD, DB together with the square on CD is equal to the square on CB.[58]

In the geometric algebra of Euclid, addition and subtraction of simple numbers are, of course, performed by increasing and decreasing the lengths of lines. Multiplication is effected by construction of a rectangle using factors equivalent to the adjacent sides.

2. Heron's Solution

Heron proved many of the propositions of Book II by the algebraic method with the use of one line as a figure. The following excerpt is from a later Arabic commentary.[59]

---

[56] See also abū Kāmil's treatise on the pentagon and decagon for their algebraic treatment. References cited above.

[57] G. Friedlein, *Procli Diadochi in Primum Euclidis Elementorum Librum Commentarii* 1, 44 (Lipsiae, 1873).

[58] T. L. Heath, *Elements* 1, 382 (1908).

[59] R. O. Besthorn, J. L. Heiberg, *Codex Leidensis 399, 1. Euclidis Elementa Ex Interpretatione al-Hadschdschadschii cum Commentariis al-Narizii, Partis II*, Fasc. 1, pp. 27, 29 (Hauniae, 1900). My translation from the Arabic, with errors corrected. Corrected figure is given.

Then if we wish to demonstrate Heron's proof of this proposition, and the reasoning, we must show that the area outlined by the two parts AD and DB together with the square on line GD is equal to the square on line GB. We take two lines; one of them, AD, is divided by point G, and the other line, DB, is not divided. In the proof of proposition 1 of [Book] II, the area that is outlined by the two lines AD and DB is equal to the sum of the two areas, each outlined by line BD with the two divisions AG and GD respectively. Since AG equals GB, then the sum of the two areas, bounded respectively by the two lines, GB and BD, and the two lines, GD and DB, are equal to the area outlined by the two lines, AD and DB. Thus there remains to us the square on GD. We distribute it as to partners [add it to both sides equally]. Then the sum of the two areas bounded by the lines GB and BD, and the lines GD and DB respectively, together with the square on GD is equal to the area outlined by the two lines AD and DB plus the square on GD is equal to the area outlined by the two lines GD and DB plus the square on GD is equal to the area outlined by the two lines BG and GD, from proposition 3 of [Book] II. The sum of the two areas, one outlined by lines BG and GD, and the other by the two lines GB and BD is equal to the area outlined by the two lines AD and DB plus the square on GD. But the demonstration of proposition 2 of [Book] II,[60] the sum of the two areas, outlined respectively by the two lines GB and BD, and the two lines BG and GD, is equal to the square on line GB. The square on line GB thus is equal to the area that is outlined by the two divisions AD and DB plus the square on GD. This is what we wished to demonstrate.

In modern symbols, the demonstration of Heron would proceed as follows:

To prove: $AD \cdot DB + GD^2 = GB^2$.

Given: $AD = AG + GD$ and D another point on the line AB; $AG = GB$.

Proof: By II, 1, $AD \cdot DB = BD \cdot AG + BD \cdot GD$
But $AG = GB$ is given.
Then $GB \cdot BD + GD \cdot DB = AD \cdot DB$.
Add GD^2 to both sides of the equation:
$GB \cdot BD + GD \cdot DB + GD^2 = AD \cdot DB + GD^2$.
But by II, 3, $GD \cdot DB + GD^2 = BG \cdot GD$;
Hence, $BG \cdot GD + GB \cdot BD = AD \cdot DB + GD^2$;
But, by II, 2, $GB \cdot BD + BG \cdot GD = GB^2$;
Therefore, $GB^2 = AD \cdot DB + GD^2$.

Abū Kāmil does not hesitate to utilize a variation of this procedure at a number of points. For example, he demonstrates its use in his solution

[60] *Ibid.* p. 29 incorrectly has, "*Sed ex II, 2 summa duorum spatiorum . . .*" The figure for this demonstration is incorrectly given. G should be placed in the center of line AB as a step of the proof would require.

of the equations, $x + y = 10$, $x/y = 4 (x > y)$;[61] and for $x + y = 10$, $xy = 21$.[62] See page 90 of the text, with figure 29 (fol. 113a–b) for his explanation of the latter equation: "We make line AG times line BG equal to 21. . . ." etc.

3. Al-Khwārizmī's Solution

Although al-Khwārizmī did not make use of the more abstract one-line proof of Heron, it is evident, nevertheless, that he leaned on the concrete concept of root[63] already known in ancient Babylonian times. In his discussion of the equation $x^2 + 21 = 10x$, al-Khwārizmī utilized a concept extremely practical in geometric terms:[64]

When a square plus 21 dirhams are equal to 10 roots, we depict the square as a square surface AD of unknown sides. Then we join it to a parallelogram, HB, whose width, HN, is equal to one of the sides of AD. The length of the two surfaces together is equal to the side HC. We know its length to be 10 numbers since every square has equal sides and angles, and if one of its sides is multiplied by 1, this gives the root of the surface, and if by 2, 2 of its roots. When it is declared that the square plus 21 equals 10 of its roots, we know that the length of the side HC equals ten numbers because the side CD is a root of the square figure. We divide the line CH into two halves by the point G. Then you know that line HG equals line GC, and that line GT equals line CD. Then we extend line GT a distance equal to the difference between line CG and line GT to make the quadrilateral. Then line TK equals line KM making a quadrilateral MT of equal sides and angles. We know that the line TK and the other sides equal 5. Its surface is 25 obtained by the multiplication of $\frac{1}{2}$ the roots by itself, or 5 by 5 equals 25. We know that the surface HB is the 21 that is added to the square. From the surface HB, we cut off line TK, one of the sides of the surface MT, leaving the surface TA. We take from the line KM line KL which is equal to line GK. We know that line TG equals line ML and that line LK cut from line MK equals line KG. Then the surface MR equals surface TA. We know that surface HT plus surface MR equals surface HB, or 21. But surface MT is 25. And so, we subtract from surface MT, surface HT and surface MR, both equal to 21. We have remaining a small surface RK, or 25 less 21 or 4. Its root, line

[61] See fol. 112a of the text.

[62] Ibid., fol. 113a.

[63] For a full discussion of root and its practical significance, see S. Gandz, Amer. Math. Monthly 33, 261–65 (1926); 35, 67–75 (1928). See also S. Gandz, "The Mishnat ha-Middot, the First Hebrew Geometry of about 150 C. E.," in Quellen und Studien, Ser. A. Quellen, 2, passim (Berlin, 1932). The term "root" in most cases meant "square basis," that by whose multiplication we get the square area.

[64] I have made here a more literal translation from the Arabic edited by F. Rosen, The Algebra of Mohammed Ben Musa, pp. 11–13 Ar. (London, 1831). The Arabic was checked with the photostat of the MS. See also Rosen's translation, pp. 16–18 English.

RG, is equal to line *GA*, or 2. If we subtract it from line *CG*, which is $\frac{1}{2}$ the roots, there remains line *AC* or 3. This is the root of the first square. If it is added to line *GC* which is $\frac{1}{2}$ the roots, it comes to 7, or line *RC*, the root of a larger square. If 21 is added to it, the result is 10 of its roots. This is the figure:

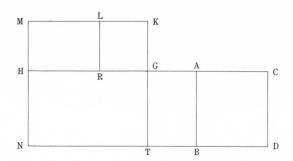

The algebra of al-Khwārizmī admitted the double solution and had a novel manner of utilizing geometry for algebra. Al-Khwārizmī showed the three Arabic types of quadratic equations. This classification is comparable with the standardized types which had long before been set up by the Babylonians.[65] It is interesting that al-Khwārizmī showed no evidence of acquaintance with the work of the great Greek algebraist, Diophantos.[66]

4. Abū Kāmil's Solution

Abū Kāmil[67] also discussed the solution of the equation $x^2 + 21 = 10x$. He solved it algebraically to obtain the following formulas, here given in modern notation for the sake of brevity:

$$x = \frac{10}{2} - \sqrt{\left(\frac{10}{2}\right)^2 - 21} = 3$$

$$x = \frac{10}{2} + \sqrt{\left(\frac{10}{2}\right)^2 - 21} = 7$$

[65] S. Gandz, "The Origin and Development of the Quadratic Equations in Babylonian, Greek and Early Arabic Algebra," *Osiris* 3, 542 (1938).

[66] S. Gandz, "The Sources of al-Khwārizmī's Algebra," *Osiris* 1, 268–69 (1936).

[67] MS., fols. 98b, 99a, 99b.

He also solved the equation directly for the two values of x^2.

$$x^2 = \frac{10^2}{2} - 21 - \sqrt{\left(\frac{10^2}{2}\right)^2 - 10^2 \cdot 21} = 9$$

$$x^2 = \frac{10^2}{2} - 21 + \sqrt{\left(\frac{10^2}{2}\right)^2 - 10^2 \cdot 21} = 49$$

These algebraic equations, whose forms were originally known to the Babylonians, are followed by their geometric proofs based on both Euclid and al-Khwārizmī. For abū Kāmil's solution of the equation $x^2 + 21 = 10x$ see pages 38–42 of the text, with figures 4 and 5 (fols. 98b, 99a, b): "Take the number which is together with the square, or 21, and which is more than the square. . . ." etc.

Abū Kāmil then goes on with a geometric discussion of the equation $x^2 + 25 = 10x$, a special case where the square equals the number, and the root of the square is equal to half of the root on the right side of the equation.

Abū Kāmil's discussion of the addition and subtraction of radicals is of interest.[68] In modern symbols, it would be

$$\sqrt{a} \pm \sqrt{b} = \sqrt{a + b \pm 2\sqrt{ab}}.$$

An example of this given in $\sqrt{9} - \sqrt{4}$ whose solution is determined to be

$$\sqrt{9 + 4 - 2\sqrt{36}} = 1.$$

See pages 78–80 of the text, with figure 24 (fol. 110a):

"When it is desired to subtract the root of 4 from the root of 9 . . . ." etc. The use of this formula for addition and subtraction of roots is found in the later works of al-Karajī[69] and Leonardo Fibonacci.[70] In abū Kāmil, there can be no doubt that Book X of Euclid influenced him to introduce the irrational as a solution for some of his quadratic equations.

It may be seen from the above discussion that while Euclid, in Book II, has geometric demonstrations of algebraic formulas, abū Kāmil gives separate solutions, one emphasizing algebra and one utilizing geometry.

---

[68] Abū Kāmil's algebra, as compared with al-Khwārizmī's presentation, has a very full description of fundamental algebraic operations. See the elaborate and carefully ordered series of problems dealing with irrationals in Simon Motot (G. Sacerdote, transl.) in *Revue Études Juives*, 1893–94; also similar passages to that in abū Kāmil found in al-Karajī, Woepcke, *Journ. Asiatique*, p. 514 (1863), and in Leonardo, *Scritti* 1, 363–65.

[69] Woepcke, *Journ. Asiatique*, p. 514 (1863), *passim*.

[70] Leonardo, *Scritti*.

In addition, he gives a more generalized proof of a new algebraic formula when the need arises. That abū Kāmil, a remarkable integrator, does not hesitate to apply geometry to algebra may be seen in his treatment of problem number 11. In modern terminology, the general rule taken up here is:

$$\frac{a}{x} - \frac{A}{x+b} = c,$$

$$\text{or } \frac{10}{x} - \frac{30}{x+4} = 4.$$

See page 108 of the text, with figure 35 (fols. 118b–119a): "One says that 10 be divided among men so that every one receives something. . . ."

It is possible that the innovations of Greek algebra were known to abū Kāmil through the works of Heron of Alexandria, although, as I mentioned earlier, we cannot trace a direct line of transmission. The influence of Heron has already been established in the case of the great Hebrew geometer, Abraham Savasorda, as is seen in his encyclopedia. Heron thus may have been the gad-fly responsible not only for Savasorda's new approach to geometry but also for abū Kāmil's contributions in algebra.[71]

In turn, abū Kāmil exerted much influence upon later mathematicians, as did Savasorda.[72] Both al-Karajī and Leonardo Fibonacci squeezed the algebra of abū Kāmil almost dry of examples, and as late as the fifteenth century Mordecai Finzi thought enough important material remained to be studied in the text to warrant his own Hebrew translation and his comments.

In the painful growth of the integration of mathematical abstraction with its counterpart, the schematization and understanding of the practical basis, we have the seed of the forward development of mathematical science. With abū Kāmil, mathematical abstraction attained recognition, not only for its own sake, but because of its value when properly elaborated together with a more practical mathematical methodology.

[71] See M. Levey, "Abraham Savasorda and His Algorism: A Study in Early European Logistic," *Osiris* 11 (1954); also M. Levey, "The Encyclopedia of Abraham Savasorda: A Departure in Mathematical Methodology," *Isis* **43**, 257–64 (1952).
[72] J. Tropfke, *Gesch. d. Elementar-Mathematik* 1, 108 (1930).

TEXT
AND
TRANSLATION

Calculation of Areas[1]

First, it is necessary for the reader of this book to know that there are three categories according to Muḥammad al-Khwārizmī in his book.[2] They are roots, squares, and numbers. The root is everything which is multiplied by itself just as 1, and greater than 1, and every fraction thereof, and every fraction of its fraction, and so on. The square is the product of this root by itself, whole or fractional. The number, which rises by itself, and is neither root nor square, is related to the units from which it has its origin. Each of these three categories may be equal to every one of the other categories; this is also true for the two categories which remain. One of them may be equal to one of the remaining categories, as one says, the square is equal to roots, and the square is equal to numbers, and the roots are equal to numbers. If the one category is equal to two of the remaining categories, it is as one says, squares and roots are equal to numbers, and squares and numbers are equal to roots, and roots and numbers are equal to squares. There are six cases which it is necessary to explain.

For the square which is equal to the roots, it is as if one says that the square equals 5 roots because the square is equal to 5 of its roots.[3] This is since the root of the square is always according to the sum of the roots of its square. Here it is 5. The square is 25; it is equal to 5 of its roots. Further I shall explain what the root of the square is according to the total of the roots. I shall base the explanation on this question.

For example, I construct the quadrate as a square surface *ABGD*:

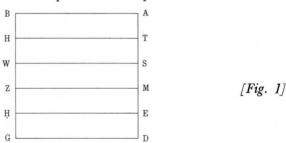

[Fig. 1]

---

[1] The title given here is incorrect and meaningless. It is correctly given in the Arabic text (fol. 1a) as *Kitāb fī al-jabr wa'l-muqābala*. The author of this book is Shujāʿ ibn Aslam known as abū Kāmil, "and Muḥammad Allah disclosed it and revealed it." Arabic text (fol. 1b). It was copied on the twenty-second day of the month of Rajab in the year 651 A.H. [i.e. 1253/4 A.D.]

חשברן השטחים

[folio 95a] תחלת מה שצריך לדעת קורא זה הספר הוא שלש חלקים אשר אמרם כבר מהומר אלבוארזמי* בספרו והם (שרשים ומרובעים ומספרים)† ראדיש אלגוש קאנטאש. והשורש הוא כל דבר שי[ת]רבה על עצמו כמו האחד ומן האחד ולמעלה ושבריו ושברי שבריו עד אין להם סוף. והאלגוש הוא המתקבץ מהתרבות זה השורש על עצמו שלם יהיה או נשבר. והמנין הוא הצומח מאליו אשר לא יוכל לפול בו לא שם שורש ולא שם אלגו והוא המתיחס אל מה שבו מן האחדי׳. ואלו השלשה חלקים כבר יהיה כל אחד מהם יהיה שוה לכל אחד מהחלקים הנשארים וכבר יהיה שישוה כמו השני חלקים שנשארו. אם שיהיה שוה לכל אחד (מהחלקי׳) מהנשארים זה כמו שיאמרו לך אלגוש ישוו שרשים ואלגו ישוו מספרים ושרשים ישוו מספרים. ואם שיהיה שוה החלק האחד לשני החלקים הנשארים הוא כמו שתאמר מרובעים ושרשים ישוו למספרים ומרובעים ומספרים ישוו לשרשים ושרשים ומספרים ישוו למרובעים ואלו הם ששה חלקים וצריך לבארם.

והאלגוש שישוו שרשים הוא כאילו תאמר אלגו ישוה חמש׳ שרשים בעבור כי האלגו הוא שוה לחמשת שרשיו כי שורש האלגו יהיה לעולם כפי סכום השרשים מהאלגו ישוה אלוה׳‡ והוא בזה חמשה והאלגו עשרים וחמשה והוא כמו חמשה שרשיו. ועוד אבאר למה היה שורש האלגוש כפי סכום השרשים. ואשים ביאורו בזאת השאלה.

[folio 95b] רצוני בזה המשל. ואניח האלגו שטח מרובע עליו א׳ ב׳ ג׳ ד׳ [*Fig. 1*] וצלעיו א״ב ב״ג ג״ד ד״א וכל אחד מצלעיו מרובה על אחד מסכום אורך זה השטח הוא שורש זה השטח האחד והעולה מכפל א״ב על אחד והוא

* מהומד אלכוארזמי

† Throughout the Hebrew text, parentheses enclose redundant words or phrases and square brackets my own additions to, or corrections of, the text.

‡ A marginal gloss explains וזה כי שורש האלגו ימנה האלגו במספר מה שימנה האחד לשורש· ומפני זה כאשר תדע סכום השרשים שיהיו שוים לאלגו תכם על עצמם והעולה הוא האלגו· ומופת זה כי השורש אמצעי בייחס בין האחד והמרובע ולכן ימנה השור שמרובע כמו מה שימנהו האחד·

---

[2] Arabic text (fols. 2b–3a). "First, for the reader of this book of mine, there are three types which Musā al-Khwārizmī mentioned in his book. These are roots, squares, and numbers. The root is anything which one multiplies by itself (as units) and that greater than it of the units, its fractions, and fractions smaller than these. As to the square, it is the product of this root of units, units and fractions, or fractions by themselves. The number which arises by itself and that does not have the name of root or square is related to what is in it of units."

[3] $x^2 = 5x$.

Its sides are *AB*, *BG*, *GD*, *DA*. Each one of its sides multiplied by a unit of the total length of this surface is a root of this unit surface. The result of the product of *AB* by a unit, namely line *BH* [i.e. the unit length], is the surface *AH*. It is a root of *AG* which is [divided] into 5 equal parts—the surfaces of *AH*, *TW*, *SZ*, [*MḤ*,] *EG*. The line *BG* is 5 and is the root of the square; the square is 25. This is what one wished to explain. It is like this. When one says that $\frac{1}{2}$ the square is equal to 10 roots,[4] the entire square equals 20 roots. Thus the root of the square is 20 and so the square is 400. When one says, then, 5 squares equal 20 roots,[5] the square equals 4 roots. The root of the square is 4 and the square is 16. If the square is enlarged or made smaller, always return to a unit quadrate. Thus one does to all the roots on the square which are equal.

The square is equal to numbers for the case where the square equals 16;[6] its roots equal 4. It is so when 5 squares equal 45.[7] The unit square is its $\frac{1}{5}$, or 9. If one says, $\frac{1}{3}$ the square equals 27,[8] then the square is 81. Thus for every square whether made greater or smaller, return always to the unit square. So one does when it equals it in numbers.

The roots are equal to numbers as when one says that the root is equal to 4.[9] The root is 4 and the square is 16.[10] Likewise, if you say 5 roots equal 30,[11] the root equals 6 and the square is 36. If one says, $\frac{1}{2}$ the root equals 10,[12] the root equals 20, the square is 400. Thus, return all roots which are greater or smaller to the unit root. So one does in regard to numbers.

One finds these as three categories. They are, namely, the square and roots are equal to numbers; the square and numbers are equal to roots; the roots and numbers are equal to the square.

The square plus roots which equal numbers is as when one says the square plus 10 roots equal 39.[13] This is to say that when we add to the

[4] $x^2/2 = 10x$. [5] $5x^2 = 20x$. [6] $x^2 = 16$.

[7] $5x^2 = 45$. The Arabic text (fol. 3b) gives the number as 45 dirhams.

[8] $x^2/3 = 27$. [9] $x = 4$.

[10] Arabic text (fol. 3b). "As to the roots that are equal to a number, if one says to you that a root is equal to 4, then the root is 4 and the square is 16. One may say to you 5 roots are equal to 30; then the root is equal to 6 and the square is 36. One may say that $\frac{1}{2}$ a root is equal to 10; then the root is equal to 20. The square is 400. Similarly one works in regard to numbers."

[11] $5x = 30$. [12] $x/2 = 10$.

[13] Arabic text (fol. 4a). "As to the squares and roots that equal a number, or as one may say that a square and 10 roots are equal to 39 dirhams, its meaning is: what is the square which when 10 roots are added to it, comes as a total to 39 dirhams? To this question there are two answers. One comes out to the root of the square and the other to the square."

קו ב״ה ויהיה שטח א״ה הוא שורש א״ג. ושטח א״ג [נחלק] לחמשה חלקים שוים והיו שטחי א״ה ט״ו ס״ז (מ״ס) [מ״ח] ע״ג. וקו ב״ג חמשה והוא שורש האלגו והאלגו הוא עשרים וחמשה (ומשל)*. וכמו כן אם יאמר חצי אלגו ישוה עשרה שרשים והאלגו כלו (ישער) [ישוה] עשרים שרשים. הנה שורש האלגו עשרים והאלגו ארבע מאו׳. וכמו שתאמר חמשה אלגו ישוו עשרים שרשים והאלגו ישוה ארבע שרשים ושרש האלגוש הוא ארבעה והאלגוש הוא ששה עשר. וכן כמו שנרבה מהאלגו או שנחסר ישיבם לעולם לאלגו אחד וכן תעשה לכל מה (שישיבו) [שישוו] מן השרשים אל האלגו. והאלגו ישוו מספרי׳ כמו אלגו שישוה שש עשרה והנה הוא אלגו ושרשיו ארבעה. וכן חמשה אלגו ושוו חמשה וארבעים והאלגו האחד הוא חמישיתם והוא תעשה. וכן אם תאמר שלישית אלגו׳ ישוו שבעה ועשרים והאלגוש שמנים ואחד וכן כל האלגוש איזה שיהיה יותר או פחות השיבם לעולם אל אלגו׳ אחד וכן תעשה לאשר (ישיבו אליו מהספרים) [ישוו אליו מהמספרים].

[folio 96a] והשרשים שישוו מספרים כמו שתאמר שורש ישוה ארבע והשורש הוא ארבעה והאלגוש שש עשרה. וכמו אם תאמר חמשה שרשים ישוו שלשי׳ והשורש ישווה ששה והאלגוש ששה ושלשי׳. וכמו אם תאמר חצי שורש ישוה עשרה והשורש ישוה עשרים והאלגוש ארבע מאות. וכן כל השרשים איזה שיהיו יותר או פחות השיבם לעולם אל שורש אחד. וכן תעשה לאשר (ישיבו אליו מהמספרים) [ישוו אליו מהמספרים] ותמצא אלו שלשה חלקים [כבר יהיה כל אחד ישוה שני החלקים שנשארו][†] והם כמו שתאמר אלגוש ושרשים ישוו מספרים ואלגוש ומספרים ישוו שרשים ושרשים ומספרים ישוו אלגוש, והאלגוש והשרשים שישוו מספרים הוא כאלו תאמר אלגוש ועשרה שרשים ישוו תשעה ושלשים דרה״מוש נאמר כי כאשר נחבר על האלגוש שרשיו העשרה ישוו תשעה ושלשי׳ אדרה״מיש. ובזאת השאלה יש שנים אופנים האחד יראך שורש האלגו והאחד יראך (שורש) האלגוש. ועוד אבאר

* ומשל = וזהו מה שרצינו לבארו

† Compare Latin version in *Bib. Math.* **12**, 43 (1912).

square 10 of its roots, then it equals 39.[14] There are two solutions to this problem; one indicates the root of the square and the other indicates the square. Moreover, I shall explain their rule using geometric figures clarified by wise men of geometry and which is explained in the Book of Euclid.[15] The solution which the root of the square shows was already related by Muḥammad al-Khwārizmī in his book. This is that you always take $\frac{1}{2}$ the roots; in this problem, it is 5. You multiply it by itself; it is 25. One adds this to 39; it is 64. Take its root; it is 8. Subtract from it $\frac{1}{2}$ the roots or 5; 3 remains. It is the root of the square. The square is 9. For the solution which reveals the square, one multiplies the 10 by itself; it is 100. Multiply by the 39; it is 3,900. Take $\frac{1}{2}$ the 100 and it is 50. Multiply it by itself; it is 2,500. You add it to 3,900. It is 6,400. Take its root and it is 80. Subtract it from [the sum of] 50 which is $\frac{1}{2}$ of 100 and 39, the equal of the square. It comes to 89. There remains 9, the square. Moreover, for 2 squares or 3, or more or less, return them always to the unit square. Return, wherever possible, the roots and numbers, in this manner of the return of the square.[16]

This is as when one says 2 squares and 10 roots are equal to 48.[17] It is as one says 2 squares, when one [adds] them, and one totals them with 10 of the roots of one of them to give 48.[18] It is necessary that one return the 2 squares to a unit square.[19] Already one knows that 1 of 2 is $\frac{1}{2}$. Convert every term to its $\frac{1}{2}$. For these one says 1 square plus 5 roots are equal to 24. It is, accordingly, as when one adds 5 of its roots to the square to make 24. Already, it has been demonstrated how one finds the root and how one finds the square by two given methods. If one says, $\frac{1}{2}$ the square and 5 roots are equal to 28, it is said that when one adds

[14] $x^2 + 10x = 39$. If the equation is of the form $x^2 + bx = c$,

$$x = \sqrt{(b/2)^2 + c} - b/2 = \sqrt{(10/2)^2 + 39} - 10/2 = 3.$$

$$x^2 = (\sqrt{(b/2)^2 + c} - b/2)^2 = b^2/2 + c - \sqrt{(b^2/2)^2 + b^2 c}$$

$$= 10^2/2 + 39 - \sqrt{(10^2/2)^2 + 10^2 \cdot 39} = 9.$$

[15] See T. Heath, *Greek Mathematics* 1 (Oxford, 1921), 394–96, or Book X.

[16] In modern terminology, it is: solve for the unit number, root, or square.

[17] Arabic text (fols. 4b–5a). "It is as one says to you that 2 squares plus 10 roots equal 48. One means here that if one has 2 squares summed up with 10 roots, then that comes to 48. It is essential that you return the 2 squares to a unit square. We know that 1 square of 2 squares is $\frac{1}{2}$ them so that everything one has here is returned [converted by the proper algebraic operation] in this problem to its $\frac{1}{2}$. And so he says that a square and 5 roots equal 24 dirhams. We mean here that if one adds 5 of the roots to the square then it comes out to 24. It is as if it comes out to the root. It is that you halve the roots to give $2\frac{1}{2}$. One multiplies it by itself to give $6\frac{1}{4}$. Unify it with 24 to give $30\frac{1}{4}$. Take its root to give $5\frac{1}{2}$. Subtract $\frac{1}{2}$ the roots which is $2\frac{1}{2}$ from it to give a remainder of 3. This is the root of the square. The square is 9.

לך משפטן עם תמונות גימט״ריות יבינום חכמי הגימטרי״א אשר ישכילו בספר אקלידס. והאופן אשר יראך שורש האלגוש כבר אמרו (מהומר אלכוארזמי) [קרא מחומד אלכוארזמי] בספרו. והוא שתקח לעולם חצי השרשים והוא בזאת השאלה חמשה ותרבם על עצמם ויהיה עשרים וחמשה ותקבצם על התשעה ושלשים ויהיו ס״ד וקח שורשו ויהיה שמונה חסר ממנו (וחצי) [חצי] השרשים והם חמש׳ ישארו שלשה והם שורש האלגוש והאלגוש תשעה. והאופן אשר יראך האלגוש הוא שתרבה העשרה על עצמו ויהיה מאה ותרבם על הלט׳ ויהיו ג׳ אלפים ותת״ק וקח חצי המאה והם חמישים תרבם על עצמם והם אלפים ות׳ק ותחברם על ג׳ [folio 96b] אלפים תת״ק ויהיו ששת אלפים ות׳ תקח שרשם והוא שמוני׳ נחסרם מהחמישים שהם חצי המאה ומן הלט׳ המשוים האלגו שהם יחד פ״ט וישארו תשעה והם האלגוש. וכן שנים אלגוש או שלושה או יותר או פחות השיבם לעולם אל אלגוש אחד והשיב עמו אשר תוכל מהשרשים ומהמספרים בדרך שהשיבות האלגוש. וזה כמו שתאמר שנים אלגוש ועשרה שרשים ישוו מ״ח אדר״המיש נאמר ששני אלגוש כאשר (נזכרם) [נחברם]* ונקבצם על שרשיו עשרה מאחד מהם יהיה מ״ח אדר״המיש. ויצטרך שתשיב השני אלגוש לאלגוש אחד וכבר ידעת כי אחד משני הוא החצי והשיב כל דבר אשר החזקת במבוקש אל חציו כאלו אמרת אלגוש וחמשה שרשים ישוו כ״ד אדרה״המיש. ומשפטו כי כאשר תחבור על האלגוש שרשיו החמשה יהיו כ״ד. וכבר הראתיך כיצד תמצא השורש וכיצד תמצא האלגוש בשני האופני׳ האמורים. ואם אמרו לך חצי אלגוש וחמשה שרשים ישוו כ״ח אדרה״מיש נאמר כאשר חברנו על חצי האלגוש חמשה שרשי האלגוש יהיו כ״ח אדרה״מיש. וצריך שתשיב האלגוש שלך שלם והוא שתכפלהו ותכפול השרשים שיהיו עמו ויהיה האלגוש ועשרה שרשי׳ ישוו נ״ו וכבר הראת מה לעשות לך עמהם. והמשפט והסבה אשר בזה רצוני שאלגוש ועשרה שרשי׳ שישוו ל״ט אדרה״מיש הנה האופן אשר יראך השורש הוא שתשים שטח מרובע עליו א״ב

* Compare Latin version, p. 44.

"In order to obtain the square, the explanation is that we multiply 5 of the roots by itself to give 25. Then we multiply it by 4 [corrected to 24 in a gloss] to give 600. Then we halve the 25 to give $12\frac{1}{2}$ which is then multiplied by itself to give $156\frac{1}{4}$. Take the square root of it to give $27\frac{1}{2}$. Subtract it *(saqata)* from $12\frac{1}{2}$, $\frac{1}{2}$ of 25, which has been added to 24. The latter is equal to the square and the roots. That is $36\frac{1}{2}$. There remains 9 which is the square and the root is 3. It is as if one says $\frac{1}{2}$ the square and 5 roots equal 28."

[18] $2x^2 + 10x = 48$,

$$\therefore x^2 + 5x = 24,$$

$$\therefore x = \sqrt{(2\tfrac{1}{2})^2 + 24} - 2\tfrac{1}{2} = 3.$$

Also, $x^2 = 12\frac{1}{2} + 24 - \sqrt{(12\frac{1}{2})^2 + 25 \cdot 24} = 9$.

[19] I.e., with a coefficient of 1. The text uses the words "roots" and "root" instead of "squares" and "square."

5 roots of the square to $\frac{1}{2}$ the square, it is 28.[20] It is necessary that one convert the square to a whole one. One doubles it and doubles the roots of it and it is a square plus 10 roots equal to 56. Already it has been shown what one does with them. As for the rule and arrangement i.e. that the square plus 10 roots are equal to 39: the obvious solution is the root when one lays out a surface of a square quadrilateral on it—*ABGD*:

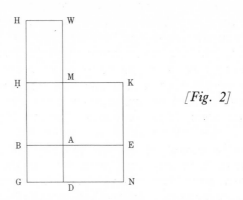

[Fig. 2]

One adds the roots to it which were originally associated with the square —it is 10—they are *ABWH*. One knows that line *BH* is 10 because the side *AB* of the surface *ABGD* multiplied by unity is a root of the surface *ABGD*. It is multiplied by 10; it is 10 roots of the surface *ABGD*. Thus it is line *BH* or 10. The entire surface *WHGD* is 39 because it was set up as the square and 10 of its roots; it is the product of line *HG* by line *GD*. But line *GD* is equal to line *GB*. Also, the product of line *HG* by line *GB* is 39. Line *HB* equals 10. Divide it in half by the point *Ḥ*. Add line *GB* to its length. And so, the surface is the result of the product of [*ḤG* by itself just as the surface is the result of the product] of *HG* by line *BG* added to the square quadrilateral, the product of *ḤB* by itself just as Euclid stated in the second part of his book.[21] But the product of line *HG* by line *GB* is set at 39. The product of line *ḤB* by itself is 25; the total is 64. Thus, the product of line *ḤG* by itself is 64; the root of 64 is 8. Then, the line *ḤG* is 8. One knows that line *ḤB* is 5 and line *BG* remains as 3. It is the root of the square; the square is 9. If one wishes that there be demonstrated what has been said, make a plane square quadrilateral on the line *ḤG*; it is surface *HKNG*. Extend

[20] $x^2/2 + 5x = 28$,
$\therefore x^2 + 10x = 56$.

[21] Euclid's Book II is concerned mainly with geometrical algebra. This geometrical representation of numbers began with the Pythagoreans.

ג״ד ותחבר אליו השרשים אשר הנחת היותם עם האלגו והיו עשרה והם (ששה [שטח] א״ב ו״ה וידוע כי קו ב״ה עשרה בעבור כי צלע א״ב משטח א׳ ב׳ ג׳ ד׳ מורבה באחד יהיה שורש שטח [folio 97a] א׳ ב׳ ג׳ ד׳ (וירובת באחד יהיה שורש שטח א׳ ב׳ ג׳ ד׳) והוא מרובה בעשרה יהיו עשרה שרשים משטח א׳ ב׳ ג׳ ד׳ הנה קו ב״ה עשרה. [*Fig. 2*] וכל שטח ו׳ ה׳ ג׳ ד׳ שלשים ותשע בעבור כי הנחנו האלגוש ועשרה שרשיו והוא מהכאת קו ה״ג בקו ג׳ ד׳. אבל קו ג״ד כמו (ח) קו [ג״ב] גם כן הנה הכאת קו ה״ג על קו ג״ב לט׳ וקו ה״ב עשרה ונחלק אותו לחציי על נקודת (ס) [ח׳] ונוסף באורנו קו ג״ב ולכן יהיה השטח העולה מהכאת [ח״ג על עצמו כמו השטח חעולה מהכאת] ה״ג בקו ב״ג עם מרובע השווה מהכאת ח״ב על עצמו כמו שאמר אקלידס במאמר שני בספרו. אבל הכאת הקו ה״ג בקו ג״ב הנחנוה שלשים ותשע. והכאת קו ח״ב על עצמו הוא עשרים וחמשה ומקובצים ששים וארבעה (וכן) [ולכן] יהיה הכאת קו ח׳ ג׳ על עצמו ס׳ ד׳, ושורש ששים וארבעה הוא שמונה ולכן קו ח׳ ג׳ שמונה וידוע שקו ח׳ ב׳ חמשה וישאר קו ב׳ ג׳ שלשה והוא שורש האלגוש והאלגוש תשעה. ואם תרצה (לעין שאראך) [שאראך לעין] מה שאמרתי עשה על קו ח׳ ג׳ שטח מרובע והוא שטח ח׳ כ׳ נ׳ ג׳ ותוציא קו א׳ ב׳ ביושר עד נקודת ע׳ הנה קו ח׳ ג׳ כמו קו נ׳ ג׳ וקו ב׳ג׳ כמו קו ד׳ ג׳ ישאר קו ב׳ ח׳ כמו קו [ד׳ נ׳] ושטח ח׳ א׳ כמו שטח א׳ נ׳. אבל

line *AB* straight to point *E*. Line *ḤG* is equal to line *NG*; line *BG* is equal to line *DG*. There remains line *BḤ* equal to line [*DN*]. Surface *ḤA* equals surface *AN*. But surface [*ḤA*] equals surface *MH*; surface *MH* equals surface *AN*. [Then *ḤA*, *DB*, and *AN* are all of the surfaces;] the 3 equal 39. But surface *AK* is 25 because it is equal to the product of *ḤB* by itself. The entire surface *KG* is 64; the line *ḤG* is its root or 8. Line *BḤ* is 5; line *GB* remains as 3. This is what it was desired to show.

The rule of the solution which yields the square is that one construct the square as the line *AB*:

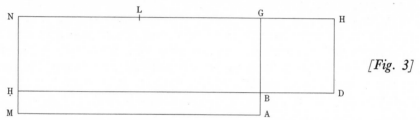

[*Fig.* 3]

Add 10 of its roots or line *BG*; or, line *AG* is 39. If one wishes to know how much *AB* is, construct a plane square quadrilateral on line *BG*. It is surface *DHBG*. It is 100 times line *AB* multiplied by one of its units because line *BG* is 10 roots of line *AB*. Ten roots of the thing (square) multiplied by itself is equal to the thing itself 100 times. We construct the line *AM* equal to 100 and accordingly *AG* is 39. Construct surface *AN*; it is 3,900 since line *AG* is 39 and line [*AM*] has a length of 100. Draw line *BḤ* parallel to the 100 line to give surface *AḤ* equal to the square *BH* for it is also 100 times as large as line *AB* multiplied by its unit. This is since the length of the line *AM* is 100. Because of this the surface *DN* also is 3,900; it is the product of line *GH* by line *HN* for *HG* is equal to *HD*. Line *GN* is 100 for it is equal to *AM*. Divide it in half by point L. Already one has added to line *NH*. In view of this, the surface is the product of *NH* by line *HG* plus the square quadrilateral on the line *GL* equal to the square quadrilateral on line *LH* just as Euclid said in the second chapter of his book.[22] But the surface *NḤ* by *HG* is 3,900 and the square quadrilateral on line *GL* is 2,500. We add them to obtain 6,400. It is the product of line *LH*, or 80, by itself; line *GH* is equal to *BG* or equal to lines *LG*, *BG*, or 80. And when you subtract *BG* and *GL* whose sum is 80 from lines *AG* and *GL* which are 89, there remains line *AB* which equals the square, 9. This is what it was desired to know.

[22] See note 21.

שטח (ה‘ א‘ כמו שטח) [ח‘ א‘] כמו שטח מ‘ ה‘ ולכן שטח מ‘ ה‘ כמו שטח א‘ נ‘ (ה‘ א‘ בשטחי אם א‘ נ‘ רב‘) [ולכן ח‘א‘ ד‘ב‘ וא‘נ‘ כל השטחים] השלשה שלשי‘ ותשעה. אבל שטח א‘ כ‘ עשרים וחמשה בעבור [folio 97b] כי הוא שוה להכאת ח‘ ב‘ על עצמו הנה שטח כ‘ ג‘ כלו ששים וארבע וקו ח‘ ג‘ שרשו והוא שמונה וקו ב‘ ח‘ היה חמשה וישאר קו ג‘ ב‘ שלשה ומשל. ומשפט האופן אשר יארך האלגו‘ הוא שתשים האלגוש קו א‘ ב‘ ותחבר עמו עשרה שרשיו והוא קו ב‘ ג‘ ויהיה קו א‘ ג‘ שלשים ותשעה. ואם תרצה לדעת כמו א‘ ב‘ עשה על קו ב‘ ג‘ שטח מרובע והוא שטח ד‘ ה‘ ב‘ ג‘ והוא מאה פעמים כמו קו א‘ ב‘ מוכה על אחד מאחדיו [ביאור]* בעבור כי קו ב‘ ג‘ עשרה שרשים מקו א‘ ב‘ ועשרה שרשי‘ מהדבר מוכה על עצמו הוא כמו אותו הדבר מאה פעמים ונשים קו א‘ מ‘ מאה מן אשר בם קו א‘ ג‘ שלשים ותשעה ונשלים שטח א‘ נ‘ והנה הוא שלשת אלפים תת״ק בעבור כי קו א‘ ג‘ שלשים ותשעה וקו [א‘מ‘] ארוך מאה ונמשך קו ב‘ ח‘ נכחי למאה ויהיה שטח (אחד) [א‘ח‘] שוה למרובע ב‘ ה‘ כי הוא גם כן מאה פעמים כמו קו א‘ ב‘ מוכה על אחד מאחדיו בעבור כי אורך קו (אמה) [א‘מ‘] מאה ויהיה מפני זה שטח ד‘ נ‘ גם כן שלשת אלפים תת״ק והוא מהכאת קו ג‘ ה‘ בקו ה‘ נ‘ כי ה‘ ג‘ כמו ה‘ ד‘. והנה קו ג‘ נ‘ מאה מפני שהוא שוה (לאמה) [לא‘מ‘] ונחלק אותה לחציים על נקודת ל‘ וכבר נוסף על קו נ‘ה‘ ויהיה מפני זה שטח הכאת נ‘ ה‘ על קו ה‘ ג‘ ומרובע קו ג‘ ל‘ יחד כמו מרובע קו ל‘ ה‘ כמו שאמר אקלידס במאמר שיני מספרו. אבל שטח נ‘ ה‘ על ה‘ ג‘ שלשת אלפים תת״ק ומרובע קו ג‘ ל‘ שני אלפי‘ ת״ק ונחברם יחד ויהיו ששת אלפים ות‘ והם הכאת קו ל‘ ה‘ על עצמו ולכן יהיה קו ל‘ ה‘ שמונים וקו ג‘ה‘ כמו קו ב‘ג‘ הנה כי קוי ל‘ג‘ ב‘ג‘ שמונים. [*Fig. 3*] וכאשר [folio 98a] נחסר קוי ב‘ג‘ ג‘ל‘ שהם שמונים

* A marginal gloss reads בי‘ מפני כי יחס המרובע אל המרובע כיחס הצלע אל הצלע שיניי ושורש א‘ ב‘ עשירי‘ ב‘ג‘ אם כן א‘ ב‘ המרובע הוא עשירית העשירית מן המרובע ההוא מן ב‘ב‘ והוא ב‘ ה‘ (אט) [אם] כן ב‘ה‘ מאה דימיוני קו א‘ב‘ מוכה באחד מהחדיו.

The square and numbers which are equal to the roots are as when one says, the square and 21 are [equal] to 10 roots.[23] When one adds 21 to the square, the sum is 10 roots of the square. In this case there are two methods; one gives the root of the square [and the other gives the square]. Each of them has two solutions, one by addition and one by subtraction. The rule which gives the root of the square is that one takes $\frac{1}{2}$ the roots, i.e. 5. Multiply it by itself; it is 25. Subtract 21 from it. There remains 4. You take its root; it is 2. Subtract it from $\frac{1}{2}$ the roots, 5, and 3 remains. It is the root of the square; the square is 9. If one likes, add 2 to $\frac{1}{2}$ the roots; it is 7. It is the root of the square; the square is 49. Know that when you halve the total of the roots, by this method, and multiply by itself and the total is then less than the number which is with the square, you change the procedure. At times, it is equal to the number itself. The root of the square, then, is equal to $\frac{1}{2}$ the roots with neither subtraction nor addition.

Further, all that was said will be explained in this section with geometric figures. The rule of the square[24] is that one multiply the 10 roots by itself; it is 100.[25] Multiply this 100 by 21; it is 2,100. Take $\frac{1}{2}$ the 100; it is 50. Multiply it by itself; it is 2,500. Subtract the 2,100 from it; there remains 400. Take the root; it is 20. Subtract it from 50; there remains 30. Subtract, further, the 21 from it. There remains 9; it is the square. If one wishes, add the 20 to the 50; it is 70. Subtract 21 from it; there remains 49. It is the square. And, so, in all cases which come to one's attention of 2 squares, more or less, convert them always to 1 square just as it was pointed out in the first procedure.

The rule shows that when the square has 21, the number placed with it, more or less, the square may only be equal to the number which is with the square, if the product of $\frac{1}{2}$ the roots by itself equals the number. It also equals the square.[26]

---

[23] $x^2 + 21 = 10x$. If the equation is of the form $x^2 + c = bx$,

$x = b/2 \pm \sqrt{(b/2)^2 - c} = 10/2 \pm \sqrt{(10/2)^2 - 21} = 3$ or 7, $(b/2)^2 > c$.

[24] $x^2 = b^2/2 - c \pm \sqrt{(b^2/2)^2 - b^2 c} = 10^2/2 - 21 \pm \sqrt{(10^2/2)^2 - 10^2 \cdot 21} = 9$ or 49.

[25] Arabic text (fol. 7a). "As to the direct evaluation for the square, one multiplies the 10 roots by itself [i.e. 10^2] to give 100; then multiply the latter by the 21 which is with the square to give 2,100. Then halve the 100 to give 50. We multiply it by itself. Subtract from it the 2,100. There remains 400. Take its root to give 20. Subtract it from the 50 that is obtained from $\frac{1}{2}$ the 100; there remains 30. Then subtract from it the 21 that is with the square; there remains 9 which is the square."

[26] In $x^2 + c = bx$, $(b/2)^2 = x^2 = c$.

מקוי א׳ג׳ ג׳ל׳ שהם שמונים ותשעה ישאר קו א׳ב׳ שהוא האלגוש תשעה ומשל.

והאלגוש והמספרים שישוו שרשים כאלו תאמר אלגוש ועשרים ואחד אדרהמ״יש [ישוו] עשרה שרשים רצוני כי כאשר תחבר עם האלגו׳ עשרי׳ ואח׳ יהיה המחובר כמו עשרה שרשים מהאלגוס. ובזאת החלוקה הוא שני אופנים האחד יראך שורש האלגוש [והאחר יראך האלגוש]. וכל אחד מהם יעשה בשני פנים האחד עם תוספות והאחד עם מגרעת, והאופן אשר יראך שורש האלגוש הוא שתקח חצי השרשים והם חמשה ותרבם על עצמם ויהיו עשרים וחמשה גרע מהם העשרים ואחד וישארו ארבע תקח שורשו והוא שנים וחסרם מחצי השרשים שהם חמשה וישארו שלש׳ והוא שורש האלגוש והאלגוש תשעה. ואם תרצה הוסיף השנים על חצי השרשים ויהיו שבעה והוא שורש האלגוש והאלגוש ארבעים ותשעה. ודע כי כאשר תחצה השרשים באופן הזה ותרבם על עצמם ויהיה המתקבץ ממנו פחות מהאדרהמ״יש אשר עם האלגוש שאז תשתנה החלוקה.* וכן פעמים יהיה כמו האדרהמי״ש בעצמם ויהיה שורש האלגו׳ כמו חצי השרשים מבלי מגרעת ומבלי תוספות. ועוד אבאר לך כל אשר אמרנו בזאת החלוקה עם תמונות גימטריאות. והאופן אשר אראך האלגו׳ הוא אשר נרבה העשרה שרשים על עצמם ויהיה מאה תרבה אלו המאה על עשרים ואחד ויהיו אלפים ומאה ותקח חצי מאה והוא חמישים ונרבם על עצמם ויהיו אלפיים ות״ק ותגרע מהם אלפים ומאה וישארו ארבע מאות וקח שרשים והוא עשרים ותגרעם מן החמשים וישארו שלשים תגרע עוד מהם העשרים ואחד יישארו תשעה והם האלגו׳. ואם תרצה תוסיף העשרים על החמישים ויהיו שבעים ותגרע מהם העשרים [folio 98b] ואחד וישאר ארבעים ותשעה והוא האלגו׳. וכן כל אשר יבא לידך משני אלגו׳ או יותר או פחות השיבם לעולם אל אלגו׳ אחד כמו שהראתיך באופן הראשון. והמשפט שיראך כיצד אלגו׳ וכ״א אדרה״ם אשר הנחת עמו או פחות מהם [או יותר] ולא יוכל להיות האלגו׳ כמו האדרהמ״יש אשר עם האלגו׳ כי אם בהיות הכאת חצי השרשים על עצמו כמו האדרהמ״יש ויהיה מהאלגוש.† ואבאר כל זה ואראהו ואניח האדרהמ״יש אשר שמת עם האלגו׳ שהם עשרים ואחד שיהיו יותר מהאלגו׳. ואניח האלגו׳ שטח מרובע עליו א׳ב׳ג׳ד׳ ונוסיף עליו העשרים ואחד והוא שטח א׳ב׳ה׳ל׳ וזה השטח הגדול משטח א׳ב׳ג׳ד׳ כי כן הנחנוהו וקו ב׳ל׳ מפני זה גדול מקו ב׳ד׳. ושטח ה׳ד׳ עשרה שרשים משטח א׳ב׳ג׳ד׳ אם כן קו ל׳ד׳ עשרה ושטח ה׳ב׳ כ׳א׳ והוא שוה להכאת ל׳ב׳ בב׳ד׳ כי ב׳ד׳ שוה לב׳א׳ ונחלק קו ל׳ד׳ לחציים בנקודת ח׳ וכבר נחלק גם כן לשני חלקים שלתי שוים על נקודת ב׳ ולכן הכאת ל׳ב׳

* A marginal gloss has מוטעה השאלה. The Arabic original, as extant in al-Khwārizmī's *Algebra*, p. 7, last line, reads: *fa-l-mas'alatu mustaḥīla*, "then the problem is impossible." But the word *mustaḥīla* also means "changed." The Latin translator apparently took it in the wrong sense which the Hebrew translator felt obliged to translate accordingly. In the gloss, he gives the correct explanation known to him from other mathematical sources. The Latin version, p. 47, has "questio est impossibilis vel contradicibilis." MS Paris Heb. 1029. 7, has כי אז תהיה השאלה בזבת.

† Perhaps כמו האלגוש. The whole sentence is corrupt.

All this will be explained and considered. Take the number which is together with the square, or 21, and which is more than the square. Construct the square as a square quadrilateral *ABGD*:

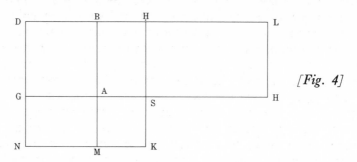

[Fig. 4]

Add the 21 to it; it is surface *ABHL*. This surface is larger than surface *ABGD* by construction. Line *BL*, because of this, is greater than *BD*. Surface *HD* is 10 roots of the surface *ABGD*. Then line *LD* is 10 and surface *HB* equals 21. It is equal to the product of *LB* by *BD* for *BD* is equal to 21. Divide *LD* in half by point *Ḥ*. Already, it is divided into two unequal parts by point B. Thus, the product of *LB* by *BD* added to the square on *ḤB* is equal to the square on *ḤD* as Euclid stated in the second part of his book.[27] But the product of line *ḤD* by itself is 25 since its length is 5. Line *LB* times *BD* is 21, as I have shown. The square on line *ḤB* is 4; its side is 2. But line *ḤD* is 5. Line *BD*, then, is 3. This is the root of the square; the square is 9. If one wishes that I demonstrate conclusively what I have said, I construct the square quadrilateral *KD* on line *ḤD*. Surface *KD* is 25 since the line *ḤD* is 5. Surface *ḤG* is equal to surface *ḤH* since line *LḤ* equals line *ḤD* and surface *AḤ* equals surface *AN*. Also, the 3 surfaces *AḤ*, *AD*, and *AN* are equal to the surface *HB* which is the product of *LB* by *BD*, or 21. Thus, surface KA remains as 4; it is a square quadrilateral since line *KN* equals line *KḤ* and line *ḤS* equals line *NM*. Line *KS* remains equal to *KM*. Line *MK* is 2; it is equal to line *ḤB*. Line *ḤB* is then 2. Line *BD* remains, then, as 3; it is the root of the square. The square is 9. This is what it was desired to show.

I shall explain this question. When one takes $\frac{1}{2}$ the roots, then when the result is multiplied by itself, it is greater than the number that goes with the square, here 21, but less than the square. I construct the square as the surface *ABGD*. To it, I add the 21; it is surface *ABHW*. Surface *AD* is greater than surface *AW*, according to its construction. Line *DB*

[27] II,5.

בב׳׳ד׳ עם מרובע ח׳ב׳ ישוו למרובע ח׳׳ד׳ כמו שאמר אקלידס בספרו במאמר
שיני. [*Fig. 4] אבל הכאת קו ח׳׳ד׳ על עצמו עשרים וחמשה בעבור כי אורכו
חמשה וקו ל׳ב׳ בב׳׳ד׳ עשרים ואחד כאמור וישאר מרובע קו ח׳ב׳ ארבעה
וצלעו שנים אבל קו ח׳׳ד׳ הוא חמשה וישאר קו ב׳׳ד׳ הוא שלשה והוא שורש האלגוש
והאלגוש תשעה. ואם תרצה שאראך לעין מה שאמרתי אשים על קו ח׳׳ד׳ מרובע
והוא שטח כ׳׳ד׳ ושטח כ׳ד׳ עשרים וחמשה כי קו ח׳׳ד׳ הוא חמשה ושטח ח׳ג׳
כמו שטח ח׳ה׳ בעבור כי קו ל׳ח׳ כמו קו ח׳׳ד׳ ושטח א׳ח׳ כמו שטח א׳נ׳ ולכן
שטחו א׳ח׳ א׳׳ד׳ א׳נ׳ השלשה ישוו לשטח ה׳ב׳ שהוא [folio 99a] מהכאת ל׳ב׳
בב׳׳ד׳ והוא עשרים ואחד ולכן ישאר שטח כ׳א׳ ארבע והוא מרובע בעבור כי
קו כ׳נ׳ כמו קו כ׳ח׳ וקו ח׳ס׳ כמו קו נ׳מ׳ וישאר קו כ׳ס׳ כמו קו כ׳מ׳ וקו מ׳כ׳
שנים והוא שוה לקו ח׳ב׳ אם כן קו ח׳ב׳ שנים וישאר קו ב׳׳ד׳ שלשה והוא שורש
האלגוש והאלגוש תשעה ומשל. ואבאר בזאת השאלה כאשר תקח חצי השרשים
ויהיה העולה מהכאתם על עצמם יותר מהאדרהמיש שהנחת עם האלגוש שהם
כ׳׳א ופחות מן האלגוש† ואשים האלגוש שטח מרובע עליו א׳ב׳ג׳ד׳ ואחבר עמו

---

* Erroneously, the MS has נ on the figure.
† A marginal gloss has ר׳׳ל שאדרהמיש פחות מהאלגו

is longer than line *BW*. Surface [*WG*][28] is 10 roots of surface *AD*. So, line *DW* is 10. The product of line [*WB*][29] by *BD* is 21.[30] Divide *WD* in half by point *Ḥ*. It had previously been divided into two unequal parts by *B*. Then, the product of *WB* by *BD* plus the product of *BḤ* by itself is equal to the product of *ḤD* by itself, according to Euclid in the second part of his book.[31] The product of *ḤD* by itself is 25, and since the product of *WB* by *BD* is 21, then the product of line *ḤB* by itself remains as 4. Line *ḤB* is the root of 4, or 2. Add it to line *ḤD* which is 5. Line *BD* is 7. It is the root of the square. The square is 49. Thus it is explained; when one sets the square less than the number, then one obtains it by subtraction; when one sets it more than the number, then one obtains it by addition.

If one wishes that I explain carefully all that I said, one draws a square quadrilateral *WN* on line *WḤ*:[32]

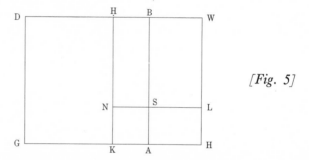

[Fig. 5]

Extend line *ḤN* straight to point *K*. Surface *BN* is [equal] to surface *NH* since line *LN* equals line *NḤ* and line [*KN*] equals line [*NS*][33] for surface *AN* is a square, as we explained. Surface *WN* is 25 and surface *AW* is 21. Surface *AN* remains as 4; it is a square quadrilateral since line *AB* equals line *AG* and *KG* equals line *BS* in view of the fact that *KG* equals *ḤD*, and *ḤD* equals *ḤW*, and *ḤW* equals *ḤN*, and *ḤN* equals *BS*. Thus line *BS* equals line *KG*. Line *AK* remains equal to line *AS*; surface *AN* is a square quadrilateral on line [*SN*]. But line *SN* equals line *BḤ*; line *BḤ* equals 2. Add it to line *ḤD* which is 5; it is line *BD*, 7. It is the root of the square; the square is 49. Further explanation of this question shows that when one multiplies [$\frac{1}{2}$] the roots by themselves, the result is more than the number next to the square, equal to the surface *AN*. This is what it was desired to show.

[28] Text incorrectly reads *ḤG*.
[29] Text incorrectly reads *BB*.
[30] Omitted in German translation by Weinberg.
[31] See note 21.

העשרים ואחד והוא שטח א׳ב׳ה׳ו׳ ושטח א׳ד׳ [*Fig. 5*] גדול משטח א׳ו׳ כי כן
הנחנו וקו ד׳ב׳ ארוך מקו ב׳ו׳ ושטח (ח׳ג׳) [ו׳ג׳] עשרה שרשים משטח א׳ד׳ ולכן
קו ד׳ו׳ עשרה והכאת קו (ובב) [ו׳ב׳] בב׳ד׳ הוא עשרים ואחד ותחלק קו ו׳ד׳
לחציים על נקודת ח׳ והנה הוא כבר נחלק לשני חלקים בלתי שוים על נקודת
ב׳ ולכן יהיה הכאת ו׳ב׳ בב׳ד׳ והכאת ב׳ח׳ על עצמו יחד כמו הכאת ח׳ד׳
על עצמו כמו שאמר אקלידס במאמר שיני בספרו והכאת ח׳ד׳ על עצמו הוא
עשרים וחמשה והכאת ו׳ב׳ בב׳ד׳ הוא עשרים ואחד וישאר הכאת קו ח׳ב׳ על
עצמו ארבעה וקו ח׳ב׳ הוא שורש ארבע והוא שנים ותחברם עם קו ח׳ ד׳ שהוא
חמשה ויהיה קו ב׳ד׳ שבעה והוא שורש האלגוש (האלגוש) [והאלגוש] ארבעים
ותשעה. הנה שביארנו לך כי כאשר הנחנו האלגוש פחות מהאדרהמ״יש שאז
נוציאהו עם מגרעת וכאשר נניחהו יותר מהאדרהמ״יש הנה אז נוציאהו עם התוספות.

[folio 99b] ואם תרצה שאבאר לך לעין כל מה שאמרונו תצייר על קו ו׳ח׳
שטח מרובע עליו ו׳נ׳ ותוציא קו ח׳נ׳ על יושר עד נקודת כ׳ ושטח (כנג) [ב׳נ׳]
[כמו] שטח נ׳ה׳ בעבור כי קו ל׳נ׳ שוה לקו נ׳ח׳ וקו (כ׳ח׳) [כ׳נ׳] שוה לקו (נ׳ב׳)
[נ׳ס׳] כי שטח א׳נ׳ מרובע כמו שנבאר. ושטח ו׳נ׳ הוא עשרי׳ וחמשה ושטח א׳ו׳
עשרי׳ ואחד וישאר שטח א׳נ׳ ארבעה והוא מרובע בעבור כי קו א׳ב׳ כמו קו
א׳ג׳ וכ׳ג׳ כמו קו ב׳ס׳ מפני שקו כ׳ג׳ כמו ח׳ד׳ וח׳ד׳ כמו ח׳ו׳ וח׳ו׳ כמו ח׳נ׳
וח׳נ׳ כמו ב׳ס׳ הנה שקו ב׳ס׳ כמו קו (קו) כ׳ג׳ וישאר קו א׳כ׳ כמו קו א׳ס׳
ושטח א׳נ׳ מרובע וקו (א׳נ׳) (ס׳נ׳) אבל קו ס׳נ׳ כמו קו ב׳ח׳ ויהיה קו ב׳ח׳
שנים ותחברם עם קו ח׳ד׳ שהוא חמשה ויהיה קו ב׳ד שבעה והוא שורש האלגו׳
והאלגוש ארבעים ותשעה. ונתבאר עוד בזאת השאלה כי כאשר הכינו [חצי]*
השרשים על עצמם היה העולה יותר מהאדרהמ״יש אשר שמת עם האלגו׳ כמו
(שנים) [שטח] א׳נ׳ וזה משל.

* A marginal gloss has בתופס היה בכאן חלק. In the original copy there was a blank space here.

---

[32] The figure in the Arabic text is turned counter-clockwise 90°. This is unusual since the figures in the Hebrew and Arabic texts usually agree even to the corresponding letters in their respective alphabets.

[33] Text incorrectly reads *NB*.

Further, we have explained that when the square was set less than the number which was with it, the unknown was found by subtraction, and if it was set more than the number, the unknown was found by addition.[34] Further, I explained that which is seen in my two figures, the figure of the lessening and the figure of the enlargement when the product of $\frac{1}{2}$ the roots by themselves is more than the number which is placed with the square. Also, I shall explain further that when the result of the product of $\frac{1}{2}$ the roots by themselves is equal to the number which is with the square, then the square is equal to the number. The root of the square equals $\frac{1}{2}$ the roots.

I shall give another example regarding this question. I shall set a number plus a square equal to 10 roots.[35] I construct the square as a square quadrilateral, *ABGD*:

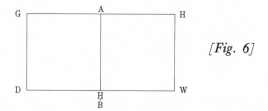

[Fig. 6]

---

[34] Arabic text (fols. 9b–10a). This particular explanation for $x^2 + 21 = 10x$ when the square is greater than the number and vice versa is mentioned by Finzi as not being in the Arabic text which he used. The translation given here is not literal but all the relevant mathematical facts are given after correction.

Abū Kāmil writes that one must construct a square as line *AB*. Then with 21 dirhams (The dirham simply indicates a number, i.e. not so many squares or roots.), it is equal to 10 roots which is line *AG*. Construct a square surface on this line to get *AGDH*. It is 100 times *AB* multiplied by one of the numbers of *AB* because *AG* is 10 roots. Construct a quadrilateral *AḤ* equal to square *AH*. Then *AM* equals *AB* multiplied by the unit 100 times. *AM* equals 100. *GN* equals 100 and *BG* equals 21:

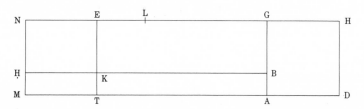

Surface *BN* equals surface *AE* equals *GE* multiplied by *EN*. *BN* is an unknown plus 100. Divide *GN* into two equal parts by point *L*. *GN* is also divided by *E*. Then *GE* times *EN* plus $(LE)^2$ equals $(LG)^2$. Then $(LG)^2$ equals unknown plus 500. *GE* times *EN* equals unknown plus 100. Then $(LE)^2 = 400$; $LE = 20$; $LN = 50$; $EN = 30$; $GB = 21$. Then $AB = 9$, equal to the square.

"We then understand the attribute of subtraction in this chapter. We shall then understand it by addition, if the exalted Allah wishes."

ועוד ביארנו כי כאשר הנחנו האלגו פחות מהאדרהמ״יש אשר עמו יצא המבוקש
עם מגרעת ואם הנחנו [יותר] מהדרהמ״יש יצא המבוקש עם תוספת וביארתי
עוד מה (שנאת) [שראית] בשתי צורות רצוני צודת הגרעון וצורת התוספת כאשר
היה הכאת [חצי] השרשים על עצמו יותר מן האדרהמ״יש אשר הנחנוהו עם
האלגוש. ואבאר עוד כאשר יהיה העולה מהכאת חצי השרשים על עצמן שוה
אל האדרהמ״יש אשר עם האלגוש יהיה האלגו׳ כמו האדרהמ״יש ממש ושורש
האלגוש [folio 100a] כמו חצי השרשים.* ואמשיל זה בשאלה אחרת ואניחנה
שכ״ה אדרהמ״יש ואלגוש ישוו עשרה שרשים. ואניח האלגוש שטח מרובע עליו
א׳ב׳ג׳ד׳† (ואבאר) [ואחבר] עמו כ״ה אדרהמ״יש והם שטח א׳ב׳ה׳ו׳ וכל שטח

---

* From a marginal gloss, the meaning of which is not quite clear, (א׳ח) [א׳מפ׳] כבר
׳תבאר זה ביותר בקל וזה כי כאשר יהיה הכאת השרשי׳ על עצמם כמו האדרהמיש יחוייב
שיהיה השרשים האמצעיי׳ הייחס בין האחד והאדרהמיש ואבאר שרשים המרובעי׳ אמצעיים גם כן
בין האחד והמרובע הנה האדרהמיש והמרובע שוים כי הדברים אשר יחסם שוה לדבר אחד הם
שוים.

† Figure 6 is missing in Hebrew MS. Added from Weinberg, p. 28.

Abū Kāmil requests that the square be constructed larger than the dirhams that go
with it. Then $GE \cdot EN + (EL)^2 = (LG)^2$. $(LG)^2$ = unknown + 500; $GE \cdot EN$ =
unknown + 100. Then $(EL)^2 = 400$; $EL = 20$; $LN = 50$; $NE = 70 = TE = AG$;
$BG = 21$. $AB = 49$, equal to the square. The figure is as follows:

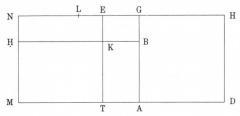

Another half page in the Arabic text (fol. 10b) relates the procedure in a very mechanica
fashion as to how to obtain the roots of $x^2 + 21 = 10x$ numerically. This is given many
times in the Hebrew text so that the translator, probably, did not consider this worthy
of repetition. It may be seen that this equation above is a special case where the coefficient
of the square term is 1, and so the numerical algorism is greatly simplified. See note 22
for the numerical procedure.

[35] $x^2 + 25 = 10x$.

I add to it, 25, the number; it is then surface *ABHW*. The entire surface *GW* is ten roots of the surface *ABGD*. Line *DW* is 10. When line *DW* is divided into two halves by point *Ḥ*, there are three possibilities: point *Ḥ* falls above point *B*, or below it, or on it. First we set it so that point *Ḥ* falls above. If one assumes this, then line *DW* is divided in half by point *Ḥ* and into two unequal parts by point *B*. Thus, the product of *DB* by *BW*, plus the square *ḤB* by itself is equal to the product of *ḤW* by itself as carried out in Euclid, II.[36] But the product of *WḤ* by itself is 25 since we placed it as half of *WD*, 10; then, the product of [*WB*] by *BD* plus the square *BḤ* is 25. But we said that the square of *ḤW* is *WB* times *BD*. Hence the square of *BḤ* equals 0 and *BḤ* equals 0, i.e. *Ḥ* lies upon *B*.

It seems to me that the operations are not adequate here.[37] Moreover, it must further be said that when point *Ḥ* lies on the portion above point *B*, then the number is greater than the square; when it falls below it, the square is greater than the number. All this is explained above. It remains that if it falls on it and comes out so, then they are necessarily equal. He continued his remarks but they are not very clear to me. In explanation of what I said, in the three cases, as for example when roots are equal to the square plus numbers, in this case, you take $\frac{1}{2}$ the result and multiply by itself. Then, it is equal to the product of the number by the result of the product of the roots by itself. And it is $\frac{1}{2}$ what comes out of the product of $\frac{1}{2}$ the roots by itself. Carry out the problem. Already all was explained that is in this method. It seems to me that the author of the book wished to explain the second method of this section i.e. the method which makes the square appear to us as described above. However, it is missing from the book which I have translated. I shall explain it later on in this book in Hebrew.

[36] See Book II, 2 and 3. Heath, *Greek Mathematics* 2, 377, calls attention to the fact that the proofs of the first ten propositions of Book II are practically independent of each other. Euclid never again uses proposition 1, nor are 2 and 3 used again in Book II.

[37] The Arabic text (fols. 9a–9b), although it explains further, does not give an adequate explanation (see Finzi discussion): "The product of *DB* by *BW* is surface *BH* because line *DB* equals line *BA*. Surface *BH* is 25. Multiply *DB* by *BW* to get 25. It is not possible to cut the line *WD* in half by its point *Ḥ*. Say that it is not possible that it be cut in half

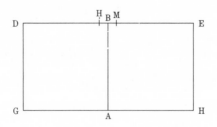

ג׳ו׳ עשרה שרשים משטח א׳ב׳ג׳ד׳ וקו ד׳ו׳ עשרה וכאשר נחלק קו ד׳ו׳ לשני חציים על נקודת ח׳ לא ימלט הדבר מאחד משלשה ענייני׳ אם שתפול נקודת ח׳ מלמעלה מנקודת ב׳ או למטה ממנה או בה. ונניח ראשונה שתפול נקודת ח׳ למעלה אם יתכן זה הנה קו ד׳ו׳ נחלק לחציים על נקודת ח׳ ושני חלקים בלתי שוים על נקודת ב׳ ולכן יהיה הכאת ד׳ב׳ (ב׳ס׳) [בב׳ו׳] ומרובע ח׳ב׳ על עצמו ישוו להכאת (ה׳ו׳) [ח׳ו] על עצמו כדמבואר בשני לאקלידס. אבל הכאת ו׳ח׳ על עצמו הוא עשרים וחמשה בעבור כי הנחנוהו חצי ו׳ד׳ שהוא עשרה לכן הכאת ו׳ב׳ בב׳ד׳ עם מרובע ב׳ח׳ עשרים וחמשה.* א׳מ׳פ׳[†] המעתיק (לה הם) [אלה הם] דברי הספר שהעתקתי ממנו באופן הזה ונר׳ לי שדבריו אינ׳ מספיקי׳ בזה אבל הראוי יותר שיאמר כי כאשר נפלה נקודת ח׳ החולקת למעלה מנקודת ב׳ אז האדרהמ״יש יותר מהאלגוש וכאשר תפול למטה ממנה יהיה האלגוש יותר מהאדרהמ״יש וזה כולו מבואר למעלה. ונשאר שאם תפול עליה ובה בהכרח יהיו אז שוים. עוד המשיך דבריו בדברים בלתי מתוקנים אצלי מהם[‡] אילו. וביארנו במה שאמרתי כי כאשר תרבה השרשים אשר ישוו האלגוש והמספרי׳ בחלק הזה משלשה חלקים על עצמם ותקח חצי העולה ותרבהו על עצמו [folio 100b] הנה יהיה כמו הכאת האדרהמ״יש על מה שעלה מהכאת השרשים על עצמם והיה מחצי אשר עלה הכאת חצי השרש׳ על עצמו ותצא השאלה. וכבר ביארנו כל אשר בזה האופן ע״כ. ונ״ל כי היה רצונו של בעל הספר לבאר בזה המקום האופן השני מזאת החלוקה רצוני האופן אשר יראה לנו האלגוס׳ כאשר ייער למעלה ומופתו. אבל נשמט מהספר אשר העתקתי ממנו[§] ואבארהו

* The demonstration stops here and is certainly defective. The author must have continued as follows: "But we just said that $(a/2)^2 = b$, hence the square of ו״ח is equal to ו״ב בב״ד and hence the square of ב״ח $= 0$ and ב״ח $= 0$, so that point ח falls upon ב."
At any rate, the demonstration for the rule giving the value of x^2 is missing here. This was noticed by Finzi. MS Paris has more text here.

† See Steinschneider, *Heb. Übersetzungen*, p. 587 .אמר מרדכי פינצי

‡ The gloss ends here. The two words אילו and ע״כ are quotation marks citing the following sentence of the text which is merely a defective fragment. Finzi subsequently correctly remarks that the text is defective and that the fragment belongs to a passage dealing with the method for the solution of x^2. It deals with the special case in which $x = a/2$, then is $(100/2)^2 = 25 \cdot 100 = 2{,}500$.

§ Here, Finzi realizes that the text is defective.

---

above *B*. Then if it is possible, let it be cut on point *M*. Then line *WD* is divided in half by *M*, and it is divided into parts by *B*. The product of *DB* by *BW* and *DM* multiplied by itself is 25 because it is equal to *MW* multiplied by itself. *MW* is 5 so that the product of *DB* by *BW* is 25. This is deficient and so it is not possible. It is known then that $\frac{1}{2}$ line *DW* is not cut in half above nor below *B*. If it is on point *B*, then line *DB* is 5 and it is the root of the square. The square is 25; it is the surface *AD*. That is what we wished to know."

It is obvious from the complete omission of this section in the Finzi text and his statement, that he used another copy of the Arabic text.

When roots and numbers are equal to a square, it is as one says 3 roots plus 4 numbers equal a square.[38] In this problem, there are two methods; one gives the root of the square, and one gives the square. Further, I shall explain them by means of geometric figures. The method which gives the root is where one halves the roots. This gives $1\frac{1}{2}$. Multiply it by itself to give $2\frac{1}{4}$. Add it to the 4; it gives $6\frac{1}{4}$. Take its root; it is $2\frac{1}{2}$. Add it to $\frac{1}{2}$ the roots; it comes out 4. It is the root of the square; the square is 16. The method which gives the square is that the 3 roots are multiplied by themselves to give 9. Multiply 9 by 4, the number which is placed with the roots; it comes to 36. Halve the 9; it is $4\frac{1}{2}$. Multiply it by itself; it is $20\frac{1}{4}$. Add it to the 36; it is $56\frac{1}{4}$. Take its root to give $7\frac{1}{2}$. Add it to the $4\frac{1}{2}$ which is $\frac{1}{2}$ of 9 and to the number, 4, which is with the roots; the total is 16. It is the square. When the square is set, more or less, always convert it to the unit square corresponding to the method in the first problem.

For the solution of this problem, which is 3 roots and 4 numbers equal to a square, by the method which gives the root, construct the square as a square quadrilateral, *ABGD*; it is 3 roots plus 4 numbers:

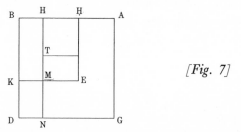

[Fig. 7]

Take from the surface *AD*, surface *AHGN* and set it as 3 roots of the surface *AD*. This is known from what was said that 3 roots plus 4 numbers are equal to a square. A surface, $\frac{1}{4}$, remains equal to 4 numbers. Halve line *AH* by point *Ḥ*. Thus line *AH* is divided in half by point *Ḥ*. Add to its length, line *BH*. Then the product of *AB* by *BH* plus the square *HḤ* is equal to the product of *BḤ* by itself as explained in Euclid, II.[39] The product of *AB* by *BH* is 4 since line *AB* is equal to line *BD* and the product of line *ḤH* by itself is $2\frac{1}{4}$. Their sum is $6\frac{1}{4}$; the root is $2\frac{1}{2}$. Thus line *ḤB* is $2\frac{1}{2}$ but line *ḤH* is $1\frac{1}{2}$. Therefore, line [*AB*] is 4.

---

[38] $3x + 4 = x^2$. If the equation is of the form $bx + c = x^2$,

$x = b/2 + \sqrt{(b/2)^2 + c} = 3/2 + \sqrt{(3/2)^2 + 4} = 4.$

$x^2 = \sqrt{(b^2/2)^2 + b^2 c} + b^2/2 + c = \sqrt{(3^2/2)^2 + 3^2 \cdot 4} + 3^2/2 + 4 = 16.$

[39] II,6.

בעברי עוד על זה הספר בע״ה. והשרשים והמספרים שישוו אלגוש כמו אם יאמר שלשה שרשים וארבעה מספרים ישוו אלגש. בזאת השאלה שני אופני׳ האחד יראך שורש האלגוש והאחד יראך האלגוש ועוד אבארם בתמונות גימטריאות. והאופן אשר יראך השורש הוא אשר תחצה השרשי׳ ויהיה אחד וחצי ותרבהו על עצמו ויהיה שנים ורביע ותחברם עם הארבע ויהיו ששה ורביע ותקח שרשם והוא שנים וחצי ותחברם עם חצי השרשים ויעלו ארבעה והוא שורש האלגו והאלגוש ששה עשר. והאופן אשר יראך האלגוש הוא שתרבה השלש׳ שרשים על עצמם ויהיה תשעה ותרבה אלו התשעה על הארבעה האדרהמ״יש אשר הנחת עם השרשי׳ ויעלו ל״ו ותחצ׳ התשעה ויהיו ארבעה וחצי ותרבם על עצמם ויהיו עשרי׳ ורביע ותחברם עם השלשי׳ וששה ויהיו חמישי׳ וששה ורביע וקח שרשם והוא ז׳ וחצי ותחברם עם הארבעה וחצי שהם חצי תשעה ועם הארבעה האדרהמ״יש שיהיו עם השרשים ויהיה בכל ששה עשר והוא האלגוש. וכאשר תניח מן האלגוש יותר או פחות השיבם תמיד אל אלגוש [folio 101a] אחד כאשר עשינו בשאילה הראשונה. והעלה בזאת השאילה שהיו שלשה שרשים וארבעה מספרי׳ שוים אל האלבוש הבה האופן אשר יראן השורש הוא שתשים האלגוש שטח מרובע עליו א׳ב׳ג׳ד׳ והוא שלשה שרשים וארבע מספרים ונקח משטח א׳ד׳ (והוא ידוע ממה שאמרנו שלשה שרשים וארבע מספרים שוים אל האלגוש הנה האופן אשר יראך השורש הוא שתשים האלגוש שטח מרובע עליו א׳ב׳ג׳ד׳ והוא שלשה שרשים וארבעה מספרים ונקח משטח א׳ד׳). שטח א׳ה׳ג׳נ׳ ונניחיהו שלשה שרשים משטח א׳ד׳ והוא ידוע ממה שאמרנו שלשה שרשים [וארבע מספרים שוים אל האלגוש] ושטח הרביעי נשאר ארבעה מספרים ותחצה קו א׳ה׳ על נקודת ח׳ והנה לך קו א׳ה׳ נחלק לחציים על נקודת ח׳ ונוסף באורכו קו ב׳ה׳ ולכן הכאת א׳ב׳ בב׳ה׳ עם מרובע ה׳ח׳ ישוו להכאת ח׳ב׳ על [*Fig. 7*] עצמו כמבואר בשני לאקלידס אבל הכאת א׳ב׳ בב׳ה׳ ארבעה בעבור כי קו א׳ב׳ שוה לקו ב׳ד׳ והכאת קו ה׳ח׳ על עצמו הוא שנים ורביע וחיבורם ששה ורביע והנה שרשו שנים וחצי ולכן קו ח׳ב׳ שנים וחצי אבל קו ח׳ה׳ אחד וחצי ומפני זה יהיה כל הקו [א׳ב׳] ארבעה והוא שורש האלגוש והאלגוש ששה עשרה. ולבאר הדבר יותר

This is the root of the square which is 16. For further clarification, we construct a square quadrilateral *ḤK* on line *ḤB*. Line *ME* equals line *KD* since line *AB* equals line *BD* and line *BḤ* equals line *BK*. Then *KD* remains equal to *AḤ* and equal to *ḤH* and *ḤH* equals *ME*. Thus *ME* equals *KD*. Construct line *MT* equal to line *ND*; then the surface *ET* equals surface *MD*. Construct surface *HK* contiguously. All of surface *HD* is equal to surfaces *ET* and *MB*, or 4. It is known that surface *ḤT* is a square since line *BḤ* equals line *MH* and line *MT* equals line *HB*. Line *ḤH* remains equal to line *HT* and line *ḤH* is $1\frac{1}{2}$. Thus surface *ḤT* is $2\frac{1}{4}$ and the entire surface *ḤK* equals $6\frac{1}{4}$. Line *BḤ* is $2\frac{1}{2}$ and line *AḤ* is $1\frac{1}{2}$. The entire line *AB* is 4; it is the root of the square which is 16.

Another method to solve this is to construct a square surface *ABGD* equal to 3 roots and 4 numbers:

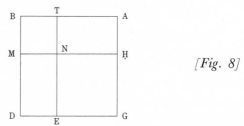

[Fig. 8]

Cut off line *AḤ* from line *GA* and make it $1\frac{1}{2}$ (i.e. *AḤ*), and draw line *ḤM* parallel to line *AB*. Surface *AM* is $1\frac{1}{2}$ roots. Make line *ED* $1\frac{1}{2}$, and draw *ET* parallel to *BD*. Surface *EB* is $1\frac{1}{2}$ roots. It is known that surfaces *AM*, *ND*, and *NB* together equal 3 roots. Surface *ḤE* is 4 numbers and also surface *NB* is $2\frac{1}{4}$. Thus surface *EḤ* is $6\frac{1}{4}$ and line *GḤ* is $2\frac{1}{2}$. Line *ḤA* is $1\frac{1}{2}$ and all of line *AG* is 4. This is the root of the square; the square is 16. This is what it was desired to show.

For the solution giving the square, put the square on line *AB* equal to 3 roots and 4 numbers. Line *GB* of it is 4 numbers and there remains *AG* as 3 roots from line *AB*. Construct a square quadrilateral *AGDH* on line *AG*. It is known that it is equal to 9 times line [*AG*] calculated by units:

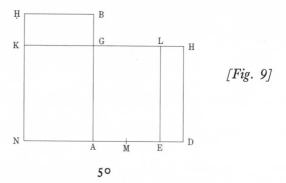

[Fig. 9]

נניח על קו ח‘ב‘ שטח מרובע עליו ח‘כ‘ והוא שקו מ‘ע‘ כמו קו כ‘ד‘, בעבוו כי קו א‘ב‘ כמו קו ב‘ד‘ וקו ב‘ח‘* [folio 101b] כמו קו ב‘כ‘ ונשאר כ‘ד‘ כמו א‘ח‘ כמו ח‘ה‘ וח‘ה‘ כמו מ‘ע‘ אם כן מ‘ ע‘ כמו כ‘ד‘. ונניח קו מ‘ט‘ כמו קו נ‘ד‘ ולכן יהיה שטח ע‘ט‘ כמו שטח מ‘ד‘ ונשים שטח ה‘כ משותף ויהיה שטח ה‘ד‘ כולו כמו (שטח) [שטחי] ע‘ט‘ מ‘ב‘ ארבעה והוא ידוע כי שטח ח‘ט‘ מרובע בעבור כי קו ב‘ח‘ כמו קו מ‘ה‘ וקו מ‘ט‘ כמו קו ה‘ב‘ וישאר קו ח‘ה‘ כמו קו ה‘ט‘ וקו ח‘ה‘ אחד וחצי ולכן שטח ח‘ט‘ שנים ורביע וכל שטח ח‘כ‘ ששה ורביע וקו ב‘ח‘ שנים וחצי וקו א‘ח‘ אחד וחצי וכל קו א‘ב‘ ארבעה והוא שורש האלגוש והאלגוש ששה עשר. ולזה האופן דרך אחרת והוא שנניח שטח מרובע עליו א‘ב‘ג‘ד‘ יהיה שלשה שרשים וארבע‘ מספרי‘ ונבדיל מקו ג‘א‘ קו (אחד) [א‘ח‘] ונניחיהו אחד וחצי ונוציא קו ח‘מ‘ על נכחות הקו א‘ב‘ ושטח א‘מ‘ הוא שורש וחצי ונניח קו ע‘ד‘ אחד וחצי ונוציא ע‘ט‘ על נכחות ב‘ד‘ ושטח ע‘ב‘ הוא שורש וחצי וידוע כי שטח א‘מ‘ ושטח (נ‘ד‘) [ע‘ב‘] שלשה שרשים וישאר שטח (מ‘ע‘) [ח‘ע‘] ארבעה מספרי‘ וכמו [*Fig. 8*] שטח נ‘ב‘ ושטח נ‘ב‘ שנים ורביע ולכן יהיה שטח ע‘ח‘ ששה ורביע וקו (ג‘ז‘) [ג‘ח‘] שנים וחצי וקו ח‘א‘ אחד וחצי וקו א‘ג‘ כולו ארבעה והוא שורש האלגו והאלגו ששה עשר ומשל. ועלת האופן אשר יארך האלגוש הוא שנשים (צלע) האלגו‘ קו א‘ב‘ והוא (צלע) שלשה שרשים וארבעה מספרים ויהיה קו ג‘ב‘ ממנו ארבע מספרים וישאר קו א‘ג‘, שלשה שרשים מקו א‘ב‘ ונעשה על קו א‘ג‘ שטח מרובע [folio 102a] עליו א‘ג‘ד‘ה‘ וידוע כי הוא כמו תשעה פעמים קו (אם כן) [א‘ג‘] מונה על אחד ונשים קו א‘נ‘ תשעה מאחורי קו א‘ב‘ ונשלים שטח א‘ח‘ ויהיה מפני זה שטח א‘ח‘ שוה למרובע א‘ה‘† ונמשיך קו ג‘כ‘ נכחי

* A marginal gloss at bottom has וזה כי שטח א‘נ‘ שלשה שרשי‘ ולכן שטח א‘נ‘ כמו העולה מהכאת א‘ג‘ (משלשה) [בשלשה] מספרי (ומהמא) [וא‘ה‘] שלשה וה‘ח‘ אחד וחצי.

† A marginal gloss has להיות יחס מרובע אל מרובע יחס צלע אל צלעו שיני

א‘ח‘ is $9x^2$ since א‘ב‘ $= x^2$ and א‘נ‘ $= 9$.

Draw line *AN* equal to 9 away from line *AB* and complete the surface *AḤ*. Then surface *AḤ* equals the square *AH*. Draw line *GK* parallel to line *BḤ* and take off line *AE* which is equal to line *AN* from line *AD*. Draw line *EL* parallel to *DH*. Then, surface *EG* is equal to surface *AK* and so surface *EH* equals surface *KB*. But surface *KB* is 36 since line *GB* is 4 and line *GK* is equal to line *AN*, 9. Halve line *AE* by point *M* thus dividing *EA* into two equal parts by M. Add to its length line *ED*. Then the product of line *AD* by line *DE* plus the product of *EM* by itself will equal the product of *DM* by itself according to the second part of Euclid.[40] But the product of *AD* by *DE* is equal to the surface *EH* since line *AD* equals *DH*. Surface *EH* is 36 or the product of *AD* by *DE* which is 36. The product of *EM* by itself is $20\frac{1}{4}$. You add them to get $56\frac{1}{4}$. Then line *MD* is $7\frac{1}{2}$, and line *AM* is $4\frac{1}{2}$, and all of *AD* is 12 and equal to [*AG*]. Line *GB* is 4; line *AB* is 16, the square. This is what it was desired to prove.

These are the six cases which are related in this book.[41] Their solutions are explained and also their results. Three of them are simple: a square is equal to roots, a square is equal to numbers, and roots are equal to numbers. The three of them which are compound are: a square and roots are equal to numbers; a square and numbers are equal to roots; and roots and numbers are equal to a square. Many arithmeticians and algebraists cannot help teaching some of them. For every case of the six, there are problems which are taught by algebraists.

I shall begin first with the multiplication of things, one by one; things and numbers by themselves; and with things alone or numbers alone except that which we have described and in such manner that whoever wishes to read this book will not remain without knowing about it.

I shall explain in which fashion things, which are the roots, are multiplied one by one when they are simple or when they are together with numbers, [whether] they are subtracted from numbers or the numbers are subtracted from them, and on whichever side they are added one to another or subtracted one from another.

When the roots are added to numbers or subtracted from them, on whichever side they are arranged, then the fourth part is added.[42] The fourth part, then, is the product of the roots, one by the other, or the product of the numbers, one by the other, since two sets of two numbers

[40] II,6

[41] Arabic text (fol. 12a). "There are six cases which I relate and explain in this book in regard to their solutions and results. Three of them are simple: squares are equal to roots, squares are equal to a number, and roots are equal to a number. Three of them are compound: squares and roots are equal to a number, squares and a number equal roots,

לקו ב׳ח׳ ונבדיל מקו א׳ד׳ קו א׳ע׳ שוה לקו א׳נ׳ ונוציא קו (על) [ע׳ל׳] נכחי
לקו ד׳ה׳ והנה שטח ע׳ג׳ שוה לשטח א׳כ׳ ושאר שטח ע׳ה׳ שוה לשטח כ׳ב׳.
אבל שטח כ׳ב׳ הוא שלשים ושש מפני כי קו ג׳ב׳ ארבעה וקו ג׳כ׳ השוה לקו
א׳נ׳ תשעה (בעבור כי הוא שוה לקו א׳נ׳) ותחצי קו (א׳נ׳) [א׳ע׳] על נקודת מ׳
והנה כי קו ע׳א׳ נחלק לחציים על נקודת מ׳ ונוסף בארכו קו ע׳ד׳ ולכן יהיה
הבאת קו א׳ד׳ בקו ד׳ע׳ והכאת ע׳מ׳ על עצמו שוים להכאת (ד׳א׳) [ד׳מ׳] על
עצמו כמבו׳ באקלידס במאמר שיני. אבל הכאת א׳ד׳ בד׳ע׳ הוא כמו שטח ע׳ה׳
בעבור כי קו א׳ד׳ כמו קו ד׳ה׳ ושטח ע׳ה׳ הוא שלשים ושש הנה הכאת א׳ד׳
בד׳ע׳ הוא שלשים וששה. והכא׳ (ע׳א׳) [ע׳מ׳] על עצמו הוא עשרים ורביע
ותחברם יחד ויהיו חמישי׳ ושש ורביע. ולכן יהיה קו מ׳ד׳ שבעה וחצי וקו א׳מ׳
ארבעה וחצי אם כן קו א׳ד׳ כולו שנים עשר והוא שוה לקו [א׳ג׳] וקו ג׳ב׳ הוא
ארבעה הנה כי קו א׳ב׳ ששה עשר והוא האלגו׳ והוא משל. ואלו הששה חלקים
אשר [*Fig. 9*] הגדנו בזה הספר וביארנו (אלא) מלאכתם ועלותיהם הנה השלשה
מהם נפרדים והם אלגוש ישוו שרשים והאלגו ישוו מספרי׳ ושרשים ישוו מספרי׳.
ושלשה מחוברים מהם אלגוש ושרשים [folio 102b] ישוו מספרים ואלגוש ומספרים
ישוו שרשים ושרשים ומספרים ישוו אלגוש. והרבה מסופרי האלגב״ר ואלמקבל״א
לא יוכל להיות שלא יורוך קצת מהם ולכל חלק מאילו הששה חלקים שאלות
אשר יורוך אותם בעלי המספר מהקובראמיינטו ומהקונפרונטאטמינטו.* ואתחיל
ראשונה מהכאת הדברי׳ האחד באחד והדברים והמספרים על עצמם ועל הדבריב
ועל המספרים מלבד אילו אשר אמרנו ובעינין אחר אשד לא יתכן בלעדי ידיעתו
מי שירצה לקרות בספר הזה. ואבאר לך באיזה צד יתרבו הדברי׳ והם השרשים
האחד באחד כאשד יהיו נפרדי׳ או כאשר יהיו עם מספרים בין שיהיו נגרעי׳
מהמספרי׳ בין שיהיו המספרי׳ נגרעי׳ מהם ובאיזה צד יתחברו אלו עם אלו
וכיצד יגרע האחד מן האחר. וכאשר יהיו הדברי׳ נוספי׳ על המספרים [או]
נגרעים מהם ובאיזה צד יתחברו יהיה חלק רביעי† נוסף והחלק רביעי אז הוא

* A marginal gloss has מהאסיפ׳ ומהכיוון
† A marginal gloss has (כ׳ח׳) (כמו) שיתבאר ב״ה מזה

roots and a number equal a square. If it appears otherwise, then the algebraist carries it out as one of these. For every one of these six types, there are problems solved by algebraists. One begins with the multiplication of things, one by another, then things with numbers by itself, then things by numbers and by other than these."

[42] $(a \pm x)(b \pm x)$; 4th part $= +x^2$.

are multiplied four times. For every one of the first two terms will be multiplied by every one of the latter two terms, or four times. When the roots are subtracted from numbers, the fourth part is added; it is the product of the roots, one by the other. When one is added and the other subtracted, then the fourth part is subtracted;[43] it is the product of the roots, one by the other.

When numbers are subtracted from roots, the fourth part is added;[44] the fourth part then is the product of one of the numbers by the other. When one of the two numbers is added to the roots and the other subtracted from the roots, then the fourth part is subtracted;[45] it is the product of one of the two numbers by the other. When roots are added to numbers and one number is subtracted from roots, then the fourth part is subtracted;[46] it is the product of the added roots by the subtracted number. Thus, we have related, in regard to the fourth part, its meaning as I have seen it according to mathematicians beginning with it and in multiplication.

Perhaps, the fourth part, apart from what has been written, is only a practical rule in that the product, when the two [terms] are [subtracted], is added; the subtracted times the added is subtracted; the added times the added is added. Know that things times things equal squares; things times numbers equal things. Things are roots and roots are things; they are two names with but one meaning.

If one should ask how much 1 thing multiplied by 10 is, then one says 10 things.[47] In explanation, set up the thing in the figure as the unit. Multiply the 1 by 10 to give 10; it is 10 things. If one asks how much 2 things multiplied by 10 is, then one says 20 things.[48] In explanation, set up the 2 things in a figure to count 2. Multiply 2 by 10 to give 20 things. Thus, whatever amount one wishes of things, always set it up in a figure equivalent to the number [of things]. Multiply the number of the things by the plain number. The result is in things since for every one of the numbers which one multiplies by another type, the result will be that type in the figure. If it is 1 thing, make it [1]; if it is 2, set it up as 2. So it is if it is a square or a thing, whichever one wants; multiply it by the numbers and the result is that particular type [order]. I shall set up a figure to explain what I have said.

If [one asks] how much is 1 thing multiplied by 1 thing, say a square. The explanation is that one puts the thing in a figure as 1 and multiplies

[43] $(a + x)(b - x)$ or $(a - x)(b + x)$; 4th part $= -x^2$.
[44] $(x - a)(x - b)$; 4th part $= +ab$.
[45] $(x - a)(x + b)$ or $(x + a)(x - b)$; 4th part $= -ab$.
[46] $(a + x)(x - b)$; 4th part $= -bx$.
[47] $x \cdot 10 = 10x$.   [48] $2x \cdot 10 = 20x$.

THE ALGEBRA OF ABŪ KĀMIL

הכאת הדברים זה עם זה והכאת המספרים האחד עם האחר בעבור כי כל שני מספרי׳ שיוכו בשני מספרים אחרים לא יתכן מבלעדי שיתרבו ארבע פעמים והוא שיוכו שני המספרי׳ הראשוני׳ בכל אחד מן השני׳ המספרי׳ האחרי׳ ותהיה ההכאה ארבע פעמי׳. וכאשר יהיו הדברים נגרעי׳ מהמספרי׳ יהיה החלק הרביעי׳* נוסף והוא הכאת הדברי׳ אחד (באחד) [באחר]. וכאשר היו האחד נוסף (והאחד) [האחר] נגרע יהיה החלק הרביעי נגרע והוא הכאת הדברים אחד (באחד) [באחר] וכאשר הוי המספרים נגרעי׳ מהדברי׳ יהיה החלק הרביעי נוסף והחלק הרביעי אז הוא הכאת אחד המספרים (באחד) [באחר]. וכאשר היו אחד משני המספרי׳ נוסף על הדברי׳ (והאחד) [והאחר] [folio 103a] נגרע מהדברים יהיה חלק הרביעי נגרע והוא הכאת אחד משני המספרים באחר. וכאשר היו הדברי׳ נוספי׳ על המספרי׳ ויהיה מספר אחד נגרע מהדברי׳ יהיה החלק הרביעי נגרע והוא הכאת הדברים נוספי׳ במספר הנגרע. וכבר הגדנו עם החלק רביעי מה הוא הראוי כפי מה שראיתי לבעלי המספר מתחילין עמו ובכפל ואפשר שיהיה החלק הרביעי מבלעדי אשר ספרנו אלא כי כלל הדבר שהכאת השני׳ [נגרעים] האחד (באחד) [באחר] תוספת (והנשנה) [והנגרע] בנוסף נגרע והנוסף בנוסף נוסף. ודע שהדברי׳ בדברי׳ אלגוש והדברי׳ במספרי׳ דברי׳ ושרשים בעבור כי הדבר הוא השורש והשורש הוא הדבר והם שני שמות נופלים על עינין אחד. ואם יאמרו לך כמה יהיו דבר אחד בעשרה אדרהמ״יש תאמר עשרה דברים וביאור זה שתשים הדבר בדמיון האחד ותכה האחד בעשרה ויהיו עשרה והם עשרה דברים. ואם יאמרו לך כמה יהיו שני דברי׳ על עשרה אדרהמי״ש תאמר עשרים [דברים]. וביאור זה שתשים השני דברי׳ בדמיון שנים ממספר ותכה שנים בעשרה ויהיו עשרים דברים וכן כמה שתרצה מהדברי׳ תשי׳ לעולם (על) [כל] דבר בדמיון (האחר) [האחד] ותכה כל מספרי הדבר (בדבר) במספר אדרהמ״יש והעולה יהיו דברים בעבור כי כל מספר מהמספרים שיוכה במין (אחר) [אחד] מהמינים יהיה כל אחד מהמיני׳ בדימיון האחר. אם היה הדבר [אחד] תשים אחד ואם היו שנים תשי׳ שנים וכן אם היה אלגוש או דבר (אחד) [אחר] איזה דבר שתרצה ותכהו על המספרים והעולה הוא מאותו המין. ואשים לך על זה תמונה לבאר לך לעין אשר אמרתי. ואם [יאמרו] [folio 103b] לך כמה יהיה דבר על דבר תאמר אלגוש ואופנו שתשים הדבר בדמיון (האחר ותכהו על אחר) [האחד ותכהו על אחד] ויהיה אחד והוא אלגוש. ואם יאמרו כמה יהיו שני דברים על שני דברים תאמר ארבעה אלגוש כמו שבארתי לך וכן שלשה דברים בשני דברי׳ תכה שלשה [על שנים] ויהיו ששה אלגו׳. וכן חצי דבר מחצי דבר יהיה רביע מאלגוש וכן כמה שתוסיף מהדברי׳ או תגרע תשים כל דבר בדמיון האחר ותכה אילו האחדים עם האחדי׳

* A marginal gloss has כמו שיתבאר בו מזה

it by 1. The answer is 1; it is a square. If one asks how much is 2 things by 2 things, say 4 squares just as I showed.[49] And so 3 things by 2 things; multiply 3 [by 2] to give 6 squares. So, $\frac{1}{2}$ a thing by $\frac{1}{2}$ a thing is $\frac{1}{4}$ a square. So, whatever one does, increase or decrease the things; set up everything in a figure of the unit. Multiply the units by the others; the result is a square. I shall, by this example, set it up so that one understands the rule of the square and the thing. I shall set up the example of this in the multiplication of 2 things by 2 things. Make line *AG* equal to 2 things and line *HG* equal to 2 things:

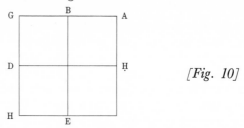

[Fig. 10]

Multiply line *AG* by line *GH*; it is surface *AH*. Say that surface *AH* is 4 squares. The proof of this is that line *AG* is divided by the number which represents the amount of the things; its parts are *AB*, *BG*. Divide line *GH* by the number which represents the amount of the things; its divisions are *GD*, *DH*. Draw a line parallel to line *GH* from point *B* to *E*; draw a line parallel to line *AG* from point [*D*], or line *DḤ*. Because of this, there arise 4 equal quadrilaterals in the surface *AH*; these are quadrilateral *ḤB*, quadrilateral *BD*, and *DE*, and *ḤE*. Every one of these quadrilaterals is a square, and every one of the lines *AB*, *BG*, *GD*, and *DH* multiplied by 1 is a thing. This is the rule of the square and the thing. Surface *AH* is 4 squares. This is what it was desired to show.

If one asks how much is 3 things by 6 numbers,[50] place the 3 things

[49] $2x \cdot 2x = 4x^2$; $3x \cdot 2x = 6x^2$; $\frac{1}{2}x \cdot \frac{1}{2}x = \frac{1}{4}x^2$.

[50] Arabic text (fol. 13b). "If one says how much is 3 things by 6 dirhams, then put the 3 things in a place as 3 dirhams. Then multiply 3 by 6 to get 18 things. Concretely, put *AB* as 6 [the Arabic figure is like that in the Hebrew text (fol. 104a)] numbers and line *BD* as 3 things. We multiply line *AB* by line *BD* to give surface *AD*. Say that the surface is then 18 things. The proof of that is that we divide line *AB* which is 6 by what is in it of units, then it comes out to 6 parts, or *AG*, *GH*, *HW*, *WZ*, *ZḤ*, and *ḤB*. We divide line *BD* by the number of the things that are in it; its parts are *BT*, *TK*, and *KD*. Then draw from points *G* and *H* [*W*, *Z*, and *Ḥ*] lines parallel to *BD* to give *ḤL*, *ZM*, *WN*, *HP*, and *GE*. Draw two lines parallel to line *AB* giving *TḲ* and *KS*. In the surface *AD*, there are 18 equal surfaces according to what one sees in the figure. Every surface is equal to surface *ḤT*. Surface *ḤT* is a product of a thing that is line *BT* by 1 which is line *ḤB*. Surface *ḤT* is a thing. Surface *AD* is all or 18 things. This is the rule for the product of a number by a thing. That is what we wished to show."

האחרים והעולה מהם יהיה אלגוש. ואשים לך על זה עניין אשר בו תבין משפט האלגוש והדבר ואשים עניין זה בהכאת שני דברי׳ בשני דברי׳. נניח קו א׳ג׳ שני דברי׳ וקו ה׳ג׳ שני דברי׳ והכינו קו א׳ג׳ בקו ג׳ה׳ והיה שטח א׳ה׳ ונאמר ששטח א׳ה׳ הוא ארבעה אלגוש. ומופת זה שנחלק קו א׳ג׳ על מספר מה שבו מן הדברי׳ ויהיו חלקיו א׳ב׳ ב׳ג׳ ותחלק קו ג׳ה׳ על מספר מה שבו מן הדברי׳ ויהיו חלקיו ג׳ד׳ ד׳ה׳. ותוציא מנקודת ב׳ קו (אחר) [אחד] עד ע׳ על נכחות קו ג׳ה׳ ותוציא מנקודת (ד׳ה׳) [ד׳] קו נכחי לקו א׳ג׳ והוא קו ד׳ח׳ ונתחדשו מפני זה בשטח א׳ה׳ ד׳ מרובעים שוים והם מרובע [*Fig. 10*] ח׳ב׳ ומרובע ב׳ד׳ וד׳ע׳ וח׳ע׳ וכל אחד מאילו המרובעי׳ אלגו׳ וכל אחד (מקו) [מקוי] א׳ב׳ ב׳ג׳ ג׳ד׳ ד׳ה׳ מוכה (באחר) [באחד] הוא דבר. וזה הוא משפט האלגוש והדבר ושטח א׳ה׳ ארבעה אלגוש ומשל. ואם יאמרו כמה יהיו שלשה דברי׳ בששה אדרהמי״ש תשים השלשה

in a figure as 3; multiply the 3 by 6 to give 18, or 18 things. The figure for this is:

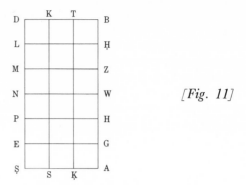

[Fig. 11]

Line *AB* is 6 numbers; line *BD* is 3 things. Multiply *AB* by *BD*; it is surface *AD*. Surface *AD* is 18 things.[51] The proof of this is that line *AB*, which is 6, is divided by the number of units associated with it, or 6 parts. These are *AG*, *GH*, *HW*, *WZ*, *ZḤ*, *ḤB*. Divide line *DB* by the number associated with the things; its parts are *BT*, *TK*, *KD*. Draw lines parallel [to *BD*] from points *G*, *H*, *W*, *Z*, *Ḥ*; [these are *GE*, *HP*, *WN*, *ZM*, *ḤL*. Further, draw lines parallel] to *AB* [from points *T*, *K*, *D*]; these are lines *TḲ*, *KS* and [*DṢ*]. In the surface, there are 18 equal surfaces as shown in the figure. Every one of the surfaces is equal to surface *ḤT*. Surface *ḤT* is a product of the thing which is *BT* by 1 which is in line *BḤ*. Surface *ḤT* is a thing; all of surface *AD* is 18 things. This is the rule of the product of numbers by things which I wished to explain.

If one says how much is 10 numbers and a thing by 1 thing, say that it is 10 things and a square.[52] Its solution is that a thing multiplied by 10 numbers is 10 things. Multiply a thing by a thing; it is a square. Add them; it is 10 things and 1 square. I shall explain it by this figure:

[Fig. 12]

Make line *AB* equal to 10 numbers and line *BG* as 1 thing. Multiply line *AG* by line *BG* to get surface *AD*. Say that surface *AD* is 10 things and 1 square. The proof of this is that line *BH* equals line *GD* and line *GD* equals line *BG* which is a thing times line *GD*, and equal

[51] $3x \cdot 6 = 18x.$ [52] $(10 + x)x = 10x + x^2.$

דברים בדימיון שלשה ותכה שלשה בששה ויהיו שמונה עשרה והם שמנה עשר
דברי׳. ודמיון זה שנשרו [folio 104a] קו א׳ב׳ ששה מהמספרי׳ וקו ב׳ד׳ שלשה
דברי׳ ותכה קו א׳ב׳ בב׳ד׳ ויהיה שטח א׳ד׳ ונאמר ששטח א׳ד׳ שמונה עשר
דברים* ומופת זה שנחלק קו א׳ב׳ שהוא ששה על מה שבו מן האחדים ויצא ששה
חלקי׳ והם א׳ג׳ ג׳ה׳ ה׳ו׳ ו׳ז׳ ז׳ח׳ ח׳ב׳ ותחלק קו ד׳ב׳ אל מספר מה שבו
מהדברים ויהיה חלקיו ב׳ט׳ ט׳כ׳ כ׳ד׳. ותוציא מנקודת ג׳ה׳ ו׳ז׳ח׳ קוים נכחיים
[לקו ב׳ד׳ והם קוי ג׳ע׳ ה׳פ׳ ו׳נ׳ ז׳ח׳ ח׳ל׳. ועוד תוציא מנקודות ט׳כ׳ד׳ קוים
נכחיים] לקו א׳ב׳ והם קוי ט׳ק׳ כ׳ס׳ [ד׳צ׳] ויהיה בשטח שמונה עשר שטחי׳
[*Fig. 11*] שוים כמו שנגלה בתמונה כל שטח מהם שוה לשטח ח׳ט׳ ושטח ח׳ט׳
הוא מהכאת הדבר שהוא ב׳ט׳ באחד שהוא בקו ב׳ח׳ ושטח ח׳ט׳ דבר ושטח
א׳ד׳ כולו יהיה שמונה עשר דברי׳ וזהו משפט הכאת המספרי׳ בדברי׳ וזהו מה
(שאבו בבי׳) [שאבוא בביאורו]. ואם יאמרו לך כמה עשרה אדרהמי״ש ודבר
בדבר אחד תאמר שהם עשרה דברי׳ ואלגו׳. ואופן מעשהו שתכה דבר בעשרה
אדרהמי״ש ויהיו עשרה דברים ותכה דבר בדבר ויהיה אלגו׳ ותקבצם ויהיו עשרה
דברי׳ ואלגוש אחד. ואבארהו לך בזאת התמונה והוא שנניח קו א׳ב׳ עשרה דרהמי״ש
וקו ב׳ג׳ דבר אחד ותכה קו א׳ג׳ בקו ב׳ג׳ ויצא שטח א׳ד׳ ונאמר ששטח א׳ד׳
עשרה דברי׳ ואלגוש אחד. ומופת זה שקו ב׳ה׳ כמו קו ג׳ד׳ וקו ג׳ד׳ כמו קו

* A marginal gloss here reads (כ״ו) (נ״ל = נראה לי?) כי לא היה צריך לעשות קו ב׳ט׳ ט׳כ׳ (י׳ב׳) (כ׳ד׳) שוים לקוי ב׳ח׳ ח׳ז׳ (וכ׳ו׳) (וז׳ו׳) בזה המופת (כ׳ו׳) (כי) לא התנה שיהיו דימיוני (ה׳ט׳) (ב׳ט׳) רק דברי׳ לא אלגוש שהם מרובעים. Finzi correctly remarks that the figure wrongly identifies x with x^2 : $6 \cdot 3x = 18x$ is presented in this figure as identical with $18x^2$, and $x = 1$. The same error runs through all the examples until fol. 110b.

to it. So, there remains surface *AD* as 10 things and a square. This is what it was desired to show.

If one says how much is 10 numbers and a thing multiplied by 10 numbers and a thing, say 100 numbers and a square, and 20 things.[53] Its solution is that 10 multiplied by 10 is 100. Further, multiply 10 by a thing; it is 10 things. [Repeat and multiply 10 by a thing; it is 10 things.] Go back and multiply a thing by a thing; it is a square. Add them for a total of 100 and a square and 20 things. I shall explain this by this figure:

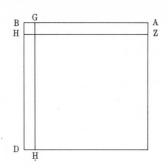

[Fig. 13]

Line *AB* is 10 and 1 thing; *AG* of it is 10 and *GB* is a thing. Make *BD* 10 and a thing; *BH* of it is a thing and *HD* is 10. Multiply line *AB* by line *BD* to give surface *AD*. Surface *AD* is 100 and a square and 20 things. To prove this, draw a line parallel to line *BD* from point *G*; it is line *GḤ*. Draw a line parallel to line *AB* from point *H* [so that $BG = BH$]; it is line *HZ*. Surface *GH* is a square quadrilateral and *ZḤ* is a square quadrilateral as Euclid showed.[54] Surface *GZ* equals surface *HḤ* but surface *ZḤ* is 100 for it is the product of *AG* which is 10 by line *HD* which is also 10. Surface *ZG* is 10 things for it is a product of *BH* which is a thing by line *AG* which is 10. Surface *ḤH* is 10 things since it is the product of *BH* which is a thing by line *HD* which is 10. Surface *GH* is a square quadrilateral; it is a square since it is the product of line *GB* which is a thing by line *BH* which is also a thing. Add the 4 surfaces and it is equal to surface *AD* which equals 100 and a square and 20 things. This is what it was desired to prove.

If I say how much is 10 less a thing multiplied by 10 less a thing, say 100 and a square less 20 things.[55] Its method is that 10 is multiplied by 10 to give 100. Multiply a subtracted thing by 10; it gives 10 things subtracted. Further, return to the multiplication of 10 by a subtracted

[53] $(10 + x)(10 + x) = 100 + x^2 + 20x$.
[54] See Euclid II, 4, and I, 43.
[55] $(10 - x)(10 - x) = 100 + x^2 - 20x$.

ב׳ג׳ [folio 104b] שהוא דבר בקו ג׳ד׳ השוה אליו ולכן ישאר שטח א׳ה׳* עשרה דברים (פחות) [ואלגוש] אלגוש ומשל. [*Fig. 12*] ואם יאמרו לך כמה יהיו עשרה אדרהמי״ש ודבר בעשרה אדרהמי״ש ודבר תאמר מאה אדרהמי״ש ואלגו׳ (ועשרה) [ועשרים] דברי׳. ומעשיהו הוא שתכה עשרה על עשרה ויהיו מאה אדרהמי״ש. עוד תכה עשרה על דבר ויהיו עשרה דברי׳ [ותשוב ותכה עשרה על דבר ויהיו עשרה דברים], (וחזור) [ותחזור] ותכה דבר על דבר ויהיה אלגוש ותקבצם ויהיה כלו מאה אדרהמ״יש ואלגוש ועשרים דברים.

ואבאר זה בזאת התמונה שהוא שנשים קו א׳ ב׳ עשרה אדרהמי״ש ודבר וא׳ג׳ ממנו עשרה וג׳ב׳ דבר וכן תשים קו ב׳ד׳ עשרה דרהמי״ש ודבר ב׳ה׳ ממנו דבר וה׳ד׳ עשרה ותכה קו א׳ב׳ בקו ב׳ד׳ ויצא שטח א׳ד׳ ונאמר כי שטח א׳ד׳ מאה אדרהמי״ש ואלגוש ועשרי׳ דברים. ומופת זה שנוציא מנקודת ג׳ קו נכחי לקו ב׳ד׳ והוא קו ג׳ח׳ ונוציא מנקודת ה׳ קו נכחי לקו א׳ב׳ והוא קו ה׳ז׳ הנה שטח ג׳ה׳ מרובע וז׳ח׳ מרובע כמו שביאר זה אקלידס ושטח (גו) [ג׳ז׳] כמו שטח (ג׳ח׳) [ה׳ח׳] אבל שטח (מ׳ח׳) [ז׳ ח׳] מאה כי הוא הווה מהכאת א׳ג׳ שהוא עשרה בקו ה׳ד׳ שהוא ג׳כ׳ עשרה ושטח ז׳ג׳ עשרה דברים כי הנה הוא מהכאת ב׳ה׳ שהוא דבר בקו א׳ג׳ שהוא עשרה. ושטח ח׳ה׳ עשרה דברים בעבור כי הוא הוה מהכאת ב׳ה׳ שהוא דבר בקו ה׳ד׳ שהוא עשרה ושטח ג׳ה׳ המרובע [*Fig. 13*] הוא אלגו׳ בעבור כי הוא מהכאת קו ג׳ב׳ שהוא דבר בקו ב׳ה׳ שהוא (כם) [גם] כן דבר ותקבץ הארבע שטחים ויהיו כמו שטח א׳ד׳ והוא מאה אדרהמי״ש ואלגוש ועשרי׳ דברי׳. ומשל. ואם יאמרו לך כמ׳ יהיה עשרה אדרהמי״ש פחות דבר בעשרה [folio 105a] אדרהמיש פחות דבר. תאמר מאה אדרהמי״ש ואלגוש פחות עשרי׳ דברי׳. (ואופן מעשיהו שתרבה עשרה אדרהמי״ש ואלגו׳ פחות עשרי׳ דברי׳) ואופן מעשיהו שתרבה עשרה אדרהמי״ש על עשרה אדרהמי״ש ויהיו מאה תכה דבר נגרע בעשרה אדרהמי״ש ויהיו עשרה דברים נגרעים. עוד תשוב להכות

* On the margin, there is a similar figure to the larger figure אה given above.

thing; it is 10 subtracted things. Multiply a subtracted thing by a subtracted thing; it is a square added. Total all this and it is 100 and a square less 20 things. I shall explain by this figure:

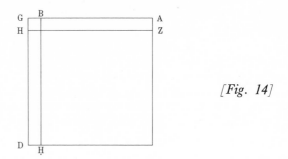

[Fig. 14]

Make line *AG* 10 and *BG* of it is a thing. One finds line *AB* is 10 less a thing which is *BG*. Make line *GD* 10 and *GH* of it a thing. Multiply line *AB* which is 10 minus a thing by line *HD* which is also 10 [minus a thing]; it is a square quadrilateral *ZḤ*. Say that the square quadrilateral *ZḤ* is 100 and a square less 20 things. To prove this, complete the square *AD* and draw a line parallel to line *GD* from point [*B*]; it is line *BḤ*. Draw a line parallel to line *AG* from point *H*; it is line *HZ*. Surface *AD* is 100 since line *AG* is 10 [and line *GD* is 10. Surface *AH* is 10 things since line *AG* is 10] and *GH* is a thing. Then, surface *BD* is 10 things since line *GD* is 10 and *GB* is a thing. The surface, a square quadrilateral, *BH* is a square since it is the product of *BG* which is a thing by *GH* which is also a thing. *HḤ* remains as 10 things less a square. Surface *AH* is 10 things, and surface *GZ* and surface *HḤ* are 20 things less a square. Surface *AD* is 100; surface *ZḤ*, then, is 100 and a square less 20 things. This is what it was desired to prove.

If one says [how much is] 10 and a thing multiplied by 10 less a thing, then say 100 less a square.[56] Its solution is that 10 multiplied by 10 is 100. Multiply the added thing by 10; it is 10 things to be added. Multiply the subtracted thing by 10; it is 10 things to be subtracted. Cancel out what is to be added by what is to be subtracted. There remains 100. Multiply the added thing by the subtracted thing; it is a square to be subtracted. Subtract from 100; there remains 100 minus a square. I shall explain this by this figure:

[56] $(10 + x)(10 - x) = 100 - x^2$.

עשרה אדרהמיש בדבר נגרע ויהיו עשרה דברים נגרעים ותרבה דבר נגרע בדבר נגרע ויהיה אלגוש נוסף ותקבץ כל זה ויהיה מאה ואלגוס פחות (עשירית) [עשרים] דבר. ואבארהו לך בזאת התמונה והוא שתשים קו [א׳ג׳ עשרה וב׳ג׳ ממנו דבר ונמצא קו] א׳ ב׳ עשרה אדרהמיש פחות דבר שהוא ב׳ג׳ ונשים קו ג׳ד׳ עשרה וג׳ה׳ ממנו דבר ותכה קו א׳ב׳ שהוא עשרה אדרהמי״ש [פחות דבר] על קו ה״ד שהוא גם כן עשרה אדרהמי״ש פחות דבר (ויהיה) ויהיה מרובע ז׳ח׳ ונאמר שמרובע ז׳ח׳ מאה אדרהמיש ואלגו׳ פחות עשרים דברי׳. ומופת זה שנשלם שטח א׳ד׳ ונוציא מנקודת [ב׳] קו ישר נכחי לקו ג׳ד׳ והוא קו ב׳ח׳ ונוציא מנקודת ה׳ קו נכחי לקו א׳ג׳ והוא קו ה׳ז׳ ושטח א׳ד׳ מאה בעבור כי קו א׳ג׳ עשרה [וקו ג׳ד׳ עשרה ושטח א׳ה׳ עשרה דברים בעבור כי קו א׳ג׳ עשרה]* וג׳ה׳ דבר. וכו שטח ב׳ד׳ עשרה דברים בעבור כי קו ג׳ד׳ עשרה וג׳ב׳ דבר. ושטח מרובע ב׳ה׳ הוא אלגוש בעבור כי הוא מהכאת ב׳ג׳ שהוא דבר בג׳ה׳ שהוא גם כן דבר וישאר ה׳ח׳ עשרה [*Fig. 14*] דברים פחות אלגוס ושטח א׳ה׳ עשרה דברים ושטח ג׳ז׳ ושטח ה׳ח׳ יחד עשרים דברים פחות אלגוס ושטח א׳ד׳ הוא מאה וישאר שטח ז׳ח׳ מאה אדרהמיש ואלגו פחות עשרים דברי׳.† והוא משל. ואם יאמרו לך [כמה] עשרה אדרהמיש ודבר על עשרה אדרהמיש פחות דבר תאמר מאה [folio 105b] אדרהמיש פחות אלגוש. ואופן מעשיהו שתכה עשרה על עשרה ויהיה מאה אדרהמיש ותכה הדבר הנוסף על עשרה ויהיה עשרה דברים נוספים ותכה הדבר הגורע על עשרה ויהיה עשרה דברי׳ נגרעים ותחסר הנוספים כנגד הנגרעי׳. וישארו מאה אדרהמיש ותכה הדבר הנוסף בדבר תגורע ויהיה אלגו גורע ותגרע מהמאה אדרהמיש וישארו מאה פחות אלגוש. ואבאר זה בזאת התמונה.

* This portion was evidently omitted on account of the homoioteleuton in the text.

† For it is $100 - (20x - x^2) = 100 + x^2 - 20x$. A marginal gloss reads א׳ג׳ עשרה וזה כי נניח אלגו׳ ב׳ה׳ משותף יהיה (א׳ב׳) [א״כ] מרובע ז׳ח׳ כמו מרובע א׳ד׳ עם מרובע (ב׳ח) [ב״ה]׳ פחות כפל שטח א״ה.

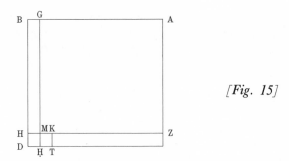

[Fig. 15]

Make line *AB* 10 and a thing, *AG* is 10, and *GB* is a thing. Make line *BH* 10 less a thing. Line *BD* is 10 and line *HD* is a thing. Multiply line *AB* which is 10 and a thing by line *BH* which is 10 minus a thing; it is surface *AH*. Surface *AH* is 100 less a square.

To prove this, complete surface *AD*; surface *AD* is 100 and 10 things since surface *AḤ* is 100, as it is the product of *AG* which is 10 by *GḤ* which is also 10. It is equal to *BD* which is 10. Surface *GD* is 10 things since it is the product of *GB* which is a thing by *BD* which is 10. The entire surface *AD* is 100 plus 10 things. Surface *ZḤ* equals surface *ḤB*. Separate from this surface [i.e. *ḤB*], one equal to *MD*, the square quadrilateral; it is surface *KḤ*. Surface *KD* is 2 squares. There remains surface *ZT* equal to *MB*. Surfaces *AM* and *ZT* equal 100 less a square since surface *KḤ* is a square. Then, surface *AH* is 100 less a square.

If one says how much is 10 and a thing multiplied by a thing less 10, say a square less 100.[57] Its solution is that the thing is multiplied by itself to give a square. Multiply the 10 added by a thing to give 10 things added. Multiply the thing by 10 subtracted to give 10 things subtracted.[58] You cancel the 10 things added and the 10 [things subtracted. You multiply 10 by the subtracted 10 to give 100] subtracted. You subtract it from the square; there remains the square less [100]. I shall explain this by this figure:

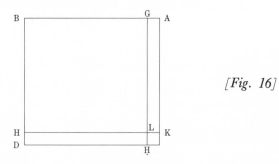

[Fig. 16]

והוא שנשים קו א׳ב׳ עשרה ודבר, א׳ג׳ עשרה וג׳ב׳ דבר, ונשים קו ב׳ה׳ עשרה דרהמיש פחות דבר, קו [*Fig. 15*] ב׳ד׳ עשרה וקו ה׳ד׳ דבר. ונכה קו א׳ב׳ שהוא עשרה אדרהמיש ודבר בקו ב׳ ה׳ שהוא עשרה פחות דבר ויהיה שטח א׳ה׳, ונאמר ששטח א׳ה׳ הוא מאה אדרהמיש פחות אלגוש ומופת זה שנשלם שטח א׳ד׳ והנה שטח א׳ד׳ מאה אדרהמיש ועשרה דברים בעבור כי שטח א׳ח׳ מאה כי הוא מהכאת א׳ג׳ שהוא עשרה בג׳ח׳ שהוא ג׳כ׳ עשרה (בג׳ח׳ שהוא ג״כ עשרי׳) כי הוא שוה לב׳ד׳ שהוא עשרה. ושטח ג׳ד׳ עשרה דברים בעבור כי הוא מהכאת ג׳ב׳ שהוא דבר בב׳ד׳ שהוא עשרה ויהיה כל שטח א׳ד׳ מאה אדרהמיש ועשרה דברי׳ ושטח ז׳ח׳ כמו שטח ח׳ב׳ ותבדיל משטח זה כמו שטח מ׳ד׳ המרובע והוא שטח כ׳ח׳ ויהיה מפני זה שטח כ׳ד׳ שנים מרובעים (ושנים אלגוש) וישאר שטח ז׳ט׳ כמו שטח מ׳ב׳ ויהיה שטח א׳מ׳ ושטח ז׳ט׳ מאה אדרהמיש פחות אלגוש בעבור כי שטח כ׳ח׳ אלגוש ולכן שטח א׳ה׳ יהיה מאה אדרהמיש פחות אלגוש.

[folio 106a] ואם יאמרו לך כמה יהיה עשרה אדרהמיש ודבר על דבר פחות עשרה אדרהמיש תאמר אלגוש פחות מאה אדרהמיש, ואופן מעשיהו שתכה הדבר (פחות עשרה אדרהמיש) על עצמו ויהיה אלגוש ותכה עשרה אדרהמיש נוספים על דבר ויהיה עשרה (ודברי׳) [דברים] נוספים ותכה הדבר על העשרה אדרהמיש נגרעים ויהיה עשרה דברים נגרעים ותשליך העשרה דברים הנוספים׳ בעשרה [דברים הנגרעים, ותכה עשרה אדרהמיש על פחות עשרה אדרהמיש ויהיה מאה] אדרהמיש נגרעים ותגרעם מהאלגו׳ וישאר אלגו׳ פחות [מאה] אדרהמיש. ואבאר זה בזאת התמונה. והוא שתשים קו א׳ב׳ עשרה אדרהמיש ודבר, א׳ג׳ עשרה וג׳ב׳ דבר, ונניח קו ב׳ה׳ דבר פחות עשרה, ב׳ד׳ הוא הדבר וד׳ה׳ עשרה; ותכה קו א׳ב׳ שהוא עשרה אדרהמיש ודבר על קו ב׳ה׳ שהוא דבר פחות עשרה [*Fig. 16*]

---

[57] $(10 + x)(x - 10) = x^2 - 100$.

[58] A way of saying $+10x$ and $-10x$.

Construct line *AB* equal to 10 and a thing; *AG* is 10; *GB* is a thing. Line *BH* is a thing minus 10; *BD* is a thing and *DH* is 10. Multiply line *AB* which is 10 and a thing by line *BH* which is a thing less 10; it is surface *AH*. Surface *AH* is a square minus 100.

To prove this, complete surface *AD*; surface *AD* is 10 things and a square since line *AB* is 10 and a thing, and line *BD* is a thing. Draw line *GḤ* parallel to line *BD*. Surface *GD* will be a square quadrilateral; it is a square since it is the product of *GB* which is a thing by *BD* which is also a thing. Surface *AḤ* is equal to *ḤH* since line *ḤG* is equal to line *ḤD*. Line *AG* is equal to line *HD*. Then, surface *AḤ* and surface *GH* equal a square. But surface *KḤ* is 100 since *AG* equals *KL* and *AG* is 10; *KL* is 10. *LḤ* is equal to *HD*: *HD* is 10 and so *LḤ* is 10. Then surface *KḤ* is 100; surface *AH* remains as a square minus 100. This is what it was desired to show.

If one asked how much is 10 and $\frac{2}{3}$ a thing multiplied by 3 less 6 things,[59] say 30 less 4 squares and less 58 things.[60] Its solution is that 10 multiplied by 3 is 30. Multiply $\frac{2}{3}$ a thing by 3; it is 2 positive things. Multiply 6 negative things by 10; it is 60 negative things. Cancel the 2 positive things with the 2 negative things; there is left 30 less 58 things. Multiply the 6 negative things by the $\frac{2}{3}$ the positive thing; it is 4 negative squares. Subtract it from 30 [less 58 things; there remains 30] less 4 squares less 58 things. With what I have explained and elaborated upon in the multiplication of things and numbers, one by the other, one may perform the necessary operation.

When one wishes to double the root of a known number or an unknown root, then one wants to take 2 of its roots. When one desires 2 roots of the known number or of the unknown, take 2 roots as 2 and multiply the 2 by 2. Multiply the result by the unknown number or by the unknown root. Should one desire 3 roots, multiply 3 by 3, then the result by the unknown root or by the known number. The root of the result is 3 roots of the known number or of the unknown root.[61] If one wishes to halve the root, multiply $\frac{1}{2}$ by $\frac{1}{2}$ to get $\frac{1}{4}$. Multiply $\frac{1}{4}$ by the known or unknown root. This is the root of the result of the multiplication; it is $\frac{1}{2}$ the root of the known numbers or of the unknown root.[62] Thus one does according to what was said in regard to increasing or decreasing the roots.

[59] Arabic text (fols. 16b–17a). "If one says to you how much is 10 dirhams and $\frac{2}{3}$ a thing by 3 dirhams less 6 things, then it is 30 dirhams less 4 squares and less 58 things. It is explained in that we multiply 10 dirhams by 3 dirhams to give 30 dirhams. We multiply $\frac{2}{3}$ a thing by 3 dirhams to give 2 positive things. We multiply 6 subtracted things [*nāqaṣa* = "negative"; *zāyadīn* = "positive"] by 10 dirhams to give 60 subtracted things. 'Subtract' the 2 positive [things] from the 2 negative things. There remain 30 dirhams less

ויהיה השטח א׳ה׳. ונאמר ששטח א׳ה׳ אלגו פחות מאה אדרהמיש. ומופת זה
שנשלם שטח א׳ד׳ ויהיה שטח א׳ד׳ עשרה דברים ואלגוס בעבור כי קו א׳ב׳ עשרה
אדרהמי׳ ודבר וקו ב׳ד׳ דבר, ונוציא קו ג׳ח׳ נכחי לקו ב׳ד׳ ויהיה שטח ג׳ד׳
מרובע והוא אלגו׳ בעבור כי הוא מהכאת ג׳ב׳ שהוא דבר בב׳ד׳ שהוא גם כן
דבר ויהיה שטח א׳ח׳ כמו שטח ח׳ה׳, בעבור כי קו ח׳ג׳ הוא [כמו] קו ח׳ד׳ וקו
א׳ג׳ כמו קו ה׳ד׳, ומפני זה יהיה שטח א׳ח׳ ושטח ג׳ה׳ יחד אלגוס אבל שטח כ׳ח׳
מאה בעבור כי א׳ג׳ כמו כ׳ל׳ וא׳ג׳ עשרה לכן כ׳ל׳ עשרה. ול׳ח׳ כמו ה׳ד׳ וה׳ד׳
עשרה ולכן ל׳ח׳ עשרה ולכן שטח כ׳ח׳ מאה וישאר שטח א׳ה׳ אלגו פחות מאה
אדרהמיש ומשל. ואם יאמרו לך כמה יהיה עשרה אדרהמיש ושני שלישי דבר
על שלשה אדרהמיש פחות ששה דברים תאמר (שלישית) [שלשים] אדרהמיש
פחות ארבעה אלגוש ופחות חמישים ושמנה דברים. ואופן מעשיהו [folio 106b]
שתכה עשרה אדרהמיש על שלשה אדרהמיש ויהיו שלשים אדרהמיש ותכה שני
שלישי דבר על שלשה אדרהמיש ויהיו שני דברי׳ נוספים ותכה ששה דברים
נגרעים על (שלשה) [עשרה] אדרהמיש ויהיו שישים דברים נגרעים. ותשליך שני
הדברים הנוספים כנגד (השני) [הששים] דברים מן הנגרעים וישארו שלשים
אדרהמיש פחות חמישים ושמנה דברי׳ ותכה השש׳ דברים נגרעים על שני שלישי
דבר הנוספי׳ ויהיו ארבעה אלגוש נגרעים ותגרעם משלשים אדרהמיש [פחות נ׳ח׳
דברים וישארו שלשים אדרהמיש] פחות ארבעה אלגו׳ ופחות נ׳ח׳ דברי׳. ואשר
ביארתי והוספתי ביאור מכפל הדברים והמספרים האחד באחר הוא אשר ממנו
תוכל לעשות כל אשר יפול (מירך) [בידך] מזה השער. וכאשר תרצה לכפול
שורש ממספר ידוע או מאלגוש* בלתי ידוע ורצוני בהכפלה הנה לקיחת שני
שרשיו. וכאשר תרצה שיהיו שני שרשי המספר הידוע או מהאלגוש הבלתי ידוע
שורש מספר אחר או מאלגו׳ אחר תניח השני שרשים בדמיון שנים ותכה שנים על
שנים והעולה תכהו על המספר הידוע או על האלגו׳ בלתי ידוע. וכאשר תרצה
שלשה שרשים תכה שלשה על שלשה (ועל) [והעולה על] האלגוש הבלתי ידוע
או על המספר הידוע ויהיה שורש העולה שלשה שרשים מהמספר הידוע או
מהאלגוש הבלתי ידוע. וכאשר תרצה לחצות בשורש תכה חצי על חצי ויהיה
רביע ותכה רביע על האלגו׳ הידוע או על הבלתי ידוע ויהיה שורש העולה
מההכאה הוא חצי שורש המספר הידוע או (מהבלתי) [מהאלגוש הבלתי] ידוע
וכן כל מה שתוסיף או תגרע מהשרשים שאמרנו. ודמיון זה כאשר רצינו לכפול

* אלגוש here = *māl* = x.

---

58 things. Then multiply the 6 negative things by the positive $\frac{2}{3}$ a thing to give 4 negative squares. Subtract it from 30 dirhams less 58 roots. Then there remain 30 dirhams less 4 squares less 58 roots."

60 $(10 + 2x/3)(3 - 6x) = 30 - 4x^2 - 58x$.

61 $3\sqrt{x^2} = \sqrt{9x^2}$.

62 $\frac{1}{2}\sqrt{x^2} = \sqrt{\frac{1}{4}x^2}$.

An example of this is when it is desired to double the root of 16; then multiply 2 by 2 toget [4]. Multiply the 4 by 16; it is 64. Its root is 8; it is double the root of 16.[63] I shall explain this by this figure:

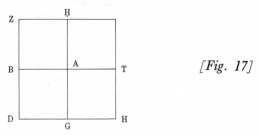

[Fig. 17]

Set down the 16 as a square surface *ABGD*; line *GD* is the root of the square *AD*. When it is desired to double this surface, extend line *GD* straight to *H* and set *GH* equal to *GD*; line *HD* is 2 roots of surface *AD*. When it is desired to know the root of a number, draw a square surface *HZ* on line *HD*. Surface *HZ* is 4 times the surface *GB*.

To prove this, extend line *GA* to point *Ḥ* and line *AB* to point *T*. Then, in surface *HZ*, there are 4 equal squares, *GB*, *BḤ*, *ḤT* and *TG*. The explanation is that the square *HZ* is 4 times the square *GB*. Since square *GB* is 16, then square *HZ* is 64. Then, line *HD* is the root of 64 or 8. This is what it was desired to prove.

When it is desired to take $\frac{1}{2}$ the root of 9, multiply $\frac{1}{2}$ by $\frac{1}{2}$; it is $\frac{1}{4}$. Multiply it by 9; it is $2\frac{1}{4}$. Take its root; it is $1\frac{1}{2}$. This is $\frac{1}{2}$ the root of 9.[64]

When it is desired to take $\frac{2}{3}$ the root of 9, multiply $\frac{2}{3}$ by $\frac{2}{3}$; it is $\frac{4}{9}$. Multiply it by 9; it is 4. Its root is 2 and it is $\frac{2}{3}$ the root of 9.[65] I shall explain this by this figure:

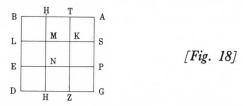

[Fig. 18]

Set up the 9 as a square surface *ABGD*. Line *GD* is the root of 9 and is the root of surface *AD*. When it is desired to know for the root of any

[63] $2\sqrt{16} = \sqrt{64} = 8$.

[64] $\frac{1}{2}\sqrt{9} = \sqrt{2\frac{1}{4}} = 1\frac{1}{2}$.

[65] $\frac{2}{3}\sqrt{9} = \sqrt{4} = 2$.

שורש ששה עשר תכה שנים על שנים ויהיו (ארבעים) [ארבעה] ותכה הארבעה בששה עשר ויהיו ששים וארבע [folio 107a] ושורשו הוא שמנה ושם שני שרשי ששה עשר. ואבאר זה בזאת התמונה והוא שניח הששה עשר שטח מרובע עליו א'ב'ג'ד' וקו ג'ד' הנה הוא שורש מרובע א'ד'. וכאשר נרצה לכפול זה השטח נוציא קו ג'ד' על יושר עד ה' ונשים ג'ה' שוה לג'ד' ויהיה קו ה'ד' שני שרשים משטח א'ד'. וכאשר נרצה לדעת (זה השטח נוציא קו ג'ד' על יושר עד ה' ונשים ג'ה' שוה לג'ד' ויהיה קו ה'ד' שני שרשים משטח א'ד', וכאשר נרצה לדעת) שורש איזה מספר הוא נשים על קו ה'ד' שטח מרובע עליו ה'ז' ונאמר ששטח ה'ז' ארבעה דמיוני שטח ג'ב'. ומופת זה שנוציא קו ג'א' על יושר עד נקודת ח' וקו א'ב' על יושר עד נקודת ט' ויהיה בשטה ה'ז' ארבעה מרובעים *[Fig. 17]* שוים והם מרובעים ג'ב' ב'ח' ח'ט' ט'ג' והוא מבואר שמרובע ה'ז' ארבעה דמיוני מרובע ג'ב' ומרובע ג'ב' שש עשרה ולכן יהיה מרובע ה'ז' ששים וארבע ויהיה קו ה'ד' שורש ששים וארבע והוא שמונה, ומשל.

וכאשר תרצה לקחת חצי שורש תשעה תכה חצי על חצי ויהיה רביע ותכהו על תשע' ויהיה שנים ורביע וקח שורשו והוא אחד וחצי והוא יהיה חצי שורש תשעה. וכאשר תרצה לקחת שני שלישי שורש תשעה תכה שני שלישי' על שני שלישי' והם ארבע תשיעי' ותכם על תשעה ויהיו ארבעה ושורשו שנים והם שני שלישי שורש תשעה. ואבאר לך בזאת התמונה והוא שנשים התשעה שטח מרובע עליו א'ב'ג'ד' ויהיה קו ג'ד' שורש תשעה והוא שורש שטח מרובע א'ד'. וכאשר נרצה לדעת שורש איזה מספר הוא [שני שלישיו] נעשה על קו ז'ד' [folio 107b] שטח מרובע עליו כ'ז'ל'ד' ארבע תשיעיות שטח ג'ב' והם ארבעה ממספר. ומופת זה שנוציא קו ז'כ' על יושר עד נקודת ט' ותוציא *[Fig. 18]* מנקודת ה'

number, its [$\frac{2}{3}$], set up on line *ZD* a square surface *KZLD*, $\frac{4}{9}$ surface *GB*; it is equal to 4.

To prove this, extend line *ZK* to point *T* and draw line *HḤ* from point *H* and parallel to line *BD*. Draw lines *LS* and *EP* parallel to line *AB*. Then, in surface *GB*, there are 9 equal surfaces, *HE*, *EM*, *MB*, *MT*, *TS*, *KN*, *KP*, *PZ*, and *ZN*. Surface *ZL* is 4 of these surfaces; this surface is $\frac{4}{9}$ surface *GB*. Surface *GB* is 9 and surface *ZL* is $\frac{4}{9}$ surface *GB* or 4. Line *ZK* is the root of 4. This is what it was desired to show.

If it is desired to multiply the root of 9 by the root of 4, multiply 4 by 9 to get 36. Take its root; it is 6. This is the product of the root of 9 by the root of 4.[66] I shall explain this by this figure:

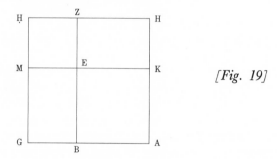

[Fig. 19]

Set up line *AB* as the root of 9 and line *BG* as the root of 4. When it is desired to multiply line *AB* by line *BG*, draw a square surface *AḤ* on line *AG*. Draw line *BZ*, from point *B* on line *BG*, parallel to lines *AH* and *GḤ*. Each of the lines, *AH* and *GḤ*, is the root of 9 plus the root of 4. Set line *MG* as the root of 9; line *MḤ* then remains as the root of 4. Draw line *MK* from point *M* and parallel to lines *AG* and *HḤ*; it is surface *EA*, 9. Line *BE* is the root of 9. Surface *EḤ* is 4 and line *ZE* is the root of 4 since *ZE* is equal to *EM* and line *EM* equals line *BG*, and *EB* equals *EK*, and *ME* is related to *EK* as *ZE* is to *EK*, and *ME* is to *EB* as surface [*ZM*] is to surface *ZK*. *ZE* is to *EK* as [surface] *ZK* is to surface *EA*. Thus, the product of the numbers in surface [*ZM*] by the numbers in surface *EA* equals the product of the numbers in surface *ZK* multiplied by themselves. Euclid[67] explained this by stating that when 3 numbers are in a proportion, the product of the first number by the third equals the product of the second by itself. But the product of the surface *EḤ*, considered on the basis of units as 4, and surface *EA*,

[66] $\sqrt{9} \cdot \sqrt{4} = \sqrt{36} = 6$.

[67] $a/b = b/c$, $a \cdot c = b \cdot b$. (VII, 19.)

קו ה'ח' נכחי לקו ב'ד' ותוציא קו (א'ע') [ל'ס'] ע'פ' נכחי לקו א'ב' וכזה יעשו בשטח ג'ב' תשעה שטחים שוים והם ה'ע' ע'מ' מ'ב' מ'ט' ט'ס' כ'ו' כ'פ' פ'ז' ז'נ' ויהיה שטח ז'ל' (ארבעה) ארבעה מאלו השטחי' וזה השטח יהיה ארבעה תשיעיות משטח ג'ב' ושטח ג'ב' תשעה ויהיה שטח ז'ל' ארבעה תשיעיות משטח ג'ב' (ושטה ג'ב' תשעה) וקו ז'ד' שורש ארבעה ומשל. ואם תרצה להכות שורש תשעה על שורש ארבעה תכה ארבעה על תשעה ויהיו שלשים ושש תקח שורשו והוא ששה והוא הכאת שורש תשעה על שורש ארבעה. ואבאר זה בזאת התמונה והוא שתשים קו א'ב' שורש תשעה וקו ב'ג' שורש ארבעה וכאשר תרצה להכות קו א'ב' על קו ב'ג' תשים על קו א'ג' שטח מרובע עליו א'ח' ותוציא מנקודת ב' על קו ב'ג' (תשים על קו א'ג' שטח מרובע עליו א'ח') קו נכחי לקוי א'ה' ג'ח' והוא ב'ז' וכל אחד מקוי א'ה' ג'ח' שורש תשעה ושורש ארבעה ונשים קו מ'ג' שורש תשעה וישאר קו מ'ח' שורש ארבעה [*Fig. 19*] ונוציא מנקודת מ' קו ישר נכחי לקוי א'ג' ה'ח' והוא קו מ'כ' ויהיה שטח ע'א' תשעה וקו ב'ע' שורש תשעה ושטח ע'ח' ארבעה וקו ז'ע' שורש ארבעה כי ז'ע' שוה לע'מ' [folio 108a] וקו ע'מ' כמו קו ב'ג' וע'ב' כמו ע'כ' ויחס מ'ע' אל ע'כ' כיחס ז'ע' אל ע'כ' ויחס מ'ע' אל ע'ב' כיחס שטח (ז'א') [ז'מ'] אל שטח ז'כ'. ויחס ז'ע' אל ע'כ' כיחס (שנים) [שטח] ז'כ' אל שטח ע'א'. ולכן יהיה הכאת המספרים אשר בשטח (ז'א') [ז'מ'] אל המספרים אשר בשטח ע'א' כמו הכאת המספרים אשר בשטח ז'כ' על עצמם, וכבר ביאר זה אקלידס ואמר כי כאשר היו שלשה מספרים מתייחסי' יהיה הכאת המספר הראשון בשלישי כמו הכאת השני על עצמו אבל הכאת מה (שבשנים) [שבשטח] ע'ח' מהאחדים שהם ארבעה על אחד ושטח ע'א' שהם תשעה יהיה שלשים ושש והכאת מה שבשטח ז'כ' מהאחדים על עצמם יהיה כמו שלשים ושש ושטח ז'כ' שורש שלשים ושש והוא ששה (והוא) והוא מהכאת שורש תשעה (וע'ח') [על] שורש ארבעה ומשל. ואם יאמרו לך כמה יהיה הכאת שני שרשי

9, is equal to 36. The product of *ZK* by itself is 36. Surface *ZK* is the root of 36, or 6. It is the product of the root of 9 by the root of 4. This is what it was desired to show.[68]

If one asks you how much is the product of 2 roots of 10 by $\frac{1}{2}$ the root of 5, reason out the 2 roots of 10 as the root of a certain number by the method I have demonstrated.[69] It is 40. Search out the root equivalent to $\frac{1}{2}$ the root of 5; it is the root of $1\frac{1}{4}$. For the product of the root of 40 by the root of $1\frac{1}{4}$, multiply 40 by $1\frac{1}{4}$; it is 50. The root of 50 is the product of the 2 roots of 10 by $\frac{1}{2}$ the root of 5.

For this, I shall set up a general rule. When a number is multiplied by a number, take the root of the result; it is equal to the product of the root of one number by the root of the other number. An example of this is that *B* and *A* are taken as two numbers, and the root of *B* is *G*, and the root of *A* is *D*. Multiply *B* by *A*; it is *Z*. Multiply *G* by *D* to get *Ḥ*. *Ḥ* equals *H* which is the root of *Z*.

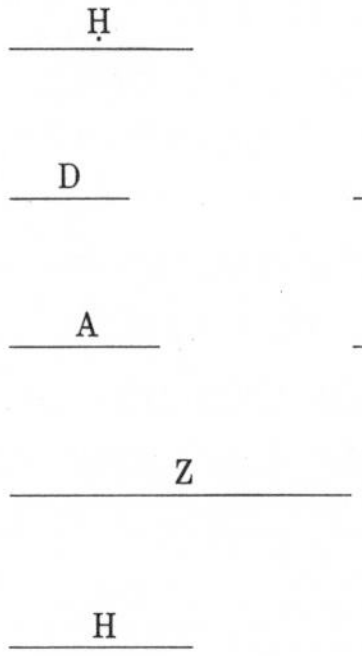

[Fig. 20]

The proof of this[70] is that the product of *G* by itself is *B* and the product of *D* by itself is *A*. Then *G* is to *D* as *B* is to *Ḥ* and so *B* is to *Ḥ* as *Ḥ* is to *A*. The product of *B* by *A* equals the product of *Ḥ* by itself. But the product of *B* by *A* is *Z* and the product of *Ḥ* by itself equals the product of *H* by itself. Then *Ḥ* equals *H*. This is what it was desired to show. In what I have added and explained of this, it is complete.

---

[68] Arabic text (fol. 18b). The following problem is omitted in the Hebrew text probably because it is over simple at this point of development in the text.

"And if one says to you how much is the root of 10 times the root of 3, multiply 10 by 3 to give the 30. Then take the root of 30."

The text then goes on similarly to the Hebrew manuscript:

"How much is 2 roots of 10 times $\frac{1}{2}$ the root of 5. Understand the 2 roots of 10 as the 2 roots of a number in the manner which I have demonstrated. Then take the root of 40. Then obtain $\frac{1}{2}$ the root of 5 as the root of a [certain] number. You obtain it so that the root comes out to you as $1[\frac{1}{4}]$. Then one says, how much is the root of 40 times the root of

THE ALGEBRA OF ABŪ KĀMIL

עשרה על חצי שורש חמשה תסתכל שני שרשי עשרה שורש של איזה מספר הם
על הדרך שהראיתך ותמצא שהם לארבעים ותחפש לאיזה המספר הוא שורש
חצי שורש חמשה ותמצא שהוא שורש לאחד ורביע ויהיה כאלו שאלו כמה יהיה
הכאת שורש ארבעים על שורש אחד ורביע ותכה ארבעים על אחד ורביע ויהיו
חמישים ותאמר שורש חמישים הוא הכאת שני שרשי עשרה על חצי שורש חמשה.
ואניח לך על זה המעשה תמונה כוללת. כל מספר (שמכה) [שיוכה] על מספר
ונקח שורש העולה יהיה כמו הכאת שורש מספר אחר מהם לשרש מספר האחר.
משל זה שנשים ב'א' שני מספרים ושורש ב' ג' ושורש א' ד' ונכה ב' על א' ויהיה
ז' ונכה ג' על ד' ויהיה ח' ונאמר שח' כמו ה' שהוא שורש ז' ומופת זה שג' מוכה
על [folio 108b] עצמו היה ב' ומוכה על ד' היה [א] (ח') (ויהיה יחס ג' אל ד'
כיחס ח' אל א') [*Fig. 20*] ויהיה יחס ג' אל ד' כיחס ב' אל ח'* ולכן יהיה יחס
ב' אל ח' כיחס ח' אל א' והכאת ב' על א' יהיה כמו הכאת ח' על עצמו. אבל
הכאת ב' על א' הוא ז' והכאת ח' על עצמו יהיה כמו הכאת ה' על עצמו וח'
כמו ה', ומשל. וכמה [ובמה] שהוספתי וביארתי מזה המין בו השלמה. גם דע כי

* A gloss addition reads וגם כן הנה ד' מוכה על עצמו היה א' ומוכה על ג' היה ח' ויהיה יחס ג' אל ד' (כיחס ח' אל א'). The sentence cancelled, shown in parentheses in the text, is a fragment of this one.

$1\frac{1}{4}$? Then multiply 40 by $1\frac{1}{4}$ to get 50. Then we say it is the root of 50 which is the [2] roots of 10 by $\frac{1}{2}$ the root of 5."

[69] $2\sqrt{10} \cdot \frac{1}{2}\sqrt{5} = \sqrt{40} \cdot \sqrt{1\frac{1}{4}} = \sqrt{50}.$

[70] Given $\sqrt{B} = G$, $\sqrt{A} = D$, $B \cdot A = Z$, $G \cdot D = Ḥ$,
$G^2 = B$, $D^2 = A$, then $G : D = B : Ḥ$; $B : Ḥ = Ḥ : A$;
$B \cdot A = Ḥ^2$. But $B \cdot A = Z$ and $Ḥ^2 = H^2$, then $Ḥ = H$.

Also know that when the divisor [is multiplied] by the quotient, the dividend is obtained. An example of this is in the division of 10 by 2 to give 5. Multiply 5 by 2 to get 10, the dividend. I shall put this in a general rule. For every number divided by another number, the product of the result and the divisor equals the dividend. An example of this is that when A is the dividend and B the divisor, and A is divided by B, and the result is G, then B times G is A.[71]

The proof of this is that A was divided by B and it came out to G.

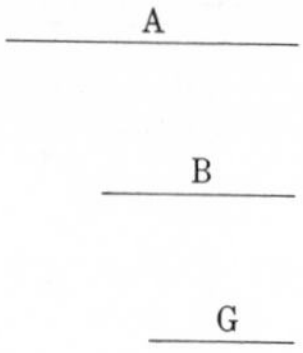

$$\underline{\qquad\qquad \overset{\text{A}}{} \qquad\qquad}$$

$$\underline{\qquad \overset{\text{B}}{} \qquad} \qquad\qquad \textit{[Fig. 21]}$$

$$\underline{\quad \overset{\text{G}}{} \quad}$$

So, G is in A as many times as B. Therefore, G is related to A as 1 is to B.[72] The product of 1 by A is equal to the product of G by B. But the product of 1 by A is A; then the product of B by G is also A. This is what we wished to prove.

If one asks to divide the root of 9 by the root of 4, divide 9 by 4; it comes to $2\frac{1}{4}$. Take its root; it is $1\frac{1}{2}$, or the root of 9 divided by the root of 4.[73]

If one asks to divide the root of [10] by the root of 2, divide 10 by 2; the quotient is 5. Take its root.[74] If one asks to divide 2 roots of 20 by 3 roots of 6,[75] determine the roots equivalent to the 2 roots of 20. It is known from what was explained that the root is 80. Determine the [root] equal to the 3 roots of 6. It is the root of 54. Divide 80 by 54; it comes to 1 and $\frac{4}{9}$ and $\frac{1}{3}$ of $\frac{1}{9}$. The root of this is the quotient when 2 roots of 20 is divided by 3 roots of 6. Use this method for any problem of this type.

I shall exemplify this type in a general rule. It is this: For two numbers divided one by the other, the root of the result of the division is equal to the result of the division of the root of the dividend when divided by the

[71] $A/B = G$, then $B \cdot G = A$.
[72] $G/A = 1/B$, or $1 \cdot A = B \cdot G$.

[73] $\sqrt{9}/\sqrt{4} = \sqrt{2\frac{1}{4}} = 1\frac{1}{2}$.

[74] $\sqrt{10}/\sqrt{2} = \sqrt{10/2} = \sqrt{5}$.

[75] $2\sqrt{20}/3\sqrt{6} = \sqrt{80}/\sqrt{54} = \sqrt{80/54} = \sqrt{1 + 4/9 + 1/27}$.

כאשר [תכה] המחלק על העולה לחלק ישוב המספר שחלקת׳. משל זה כאשר חלקתם עשרה על שנים ויצא לכל חלק חמשה ותכה חמשה על שנים ויהיו עשרה והוא המספר הנחלק. ואשים לזה המעשה תמונה כללית. כל מספר שיהיה נחלק על מספר אחר יהיה הכאת העולה לכל חלק על המספר המחלק כמו מספר הנחלק. ומשל זה שא׳ המספר הנחלק וב׳ הוא המחלק וחלקנו א׳ על ב׳ ועלה לכל חלק [*Fig. 21*] ג׳ ואומר שהכאת ב׳ על ג׳ הוא א׳. ומופת זה כי כבר נחלק א׳ על ב׳ (ועל הג׳) [ועלה ג׳] ולכן יהיה ג׳ בא׳ כל כך פעמים כמו שהוא בב׳ מן האחדי׳ ויהיה מפני זה יחס ג׳ אל א׳ כיחס האחד (על) [אל] ב׳. והכאת (האחר) [חאחד] על א׳ כהכאת ג׳ על ב׳ אבל הכאת האח׳ על א׳ הוא א׳ אם כן הכאת ב׳ על ג׳ הוא גם כן (אחד) [א׳] ומשל. ואם יאמרו תחלק שורש תשעה על שורש ארבעה תחלק תשעה על ארבעה ויגיע לכל חלק שנים ורביע תקח שורשו והוא אחד וחצי והוא שורש תשעה מחולק על שורש ארבעה. ואם יאמרו תחלק שורש (ארבעה) [עשרה] על שורש שנים תחלק עשר׳ על שנים ויעלה אל החלק חמשה וקח שורשו. ואם יאמרו [folio 109a] לך תחלק שנים שרשים מעשרים על שלשה שרשי׳ משׁשה. תחפש שנים שרשים מעשרים לאיזה מספר הם שורש וידענו ממה שביארנו שהם שורש לשמונים ותחפש כמו כן שלשה שרשים משׁשה לאיזה מספר הם [שורש] ותמצא שהם שורש לחמישי׳ וארבע ותחלק שמנים לחמישי׳ וארבע ויעלה על החלק אחד וארבע תשיעיות ושלישית התשיעית (ושורש זה מה שיעלה אל החלק אחד וארבע תשיעיות ושלישית התשיעית) ושורש זה הוא מה שיעלה אל החלק מחלוקת שנים שרשים מעשרים על שלושה שרשי׳ משׁשה. וכן כל אשר יפול בידך מזה המין עשה כן כמעשה הזה. ואמשיל לך מזה המין בתמונת כוללת והוא זה. כל שני מספרים שיחלק האחד על האחר יהיה שורש העולה אל החלק כמו העולה מחלוקת שורש המספר הנחלק על שורש המספר המחלק. משל זה

root of the divisor. An example of this is when A is divided by B to get G. The root of A is $Ḥ$ and the root of B is D. Divide $Ḥ$ by D to get E.

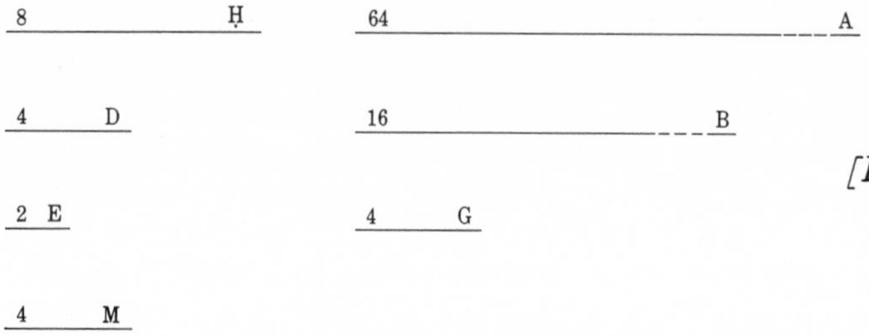

8 _____ Ḥ		64 _____ A	
4 ___ D		16 _____ B	
2 E		4 ___ G	
4 ___ M			

[Fig. 22]

E is the root of G. The proof of this is[76] that A divided by B is G. This is because B is counted as many times in A as there are G units; similarly with D into $Ḥ$ to get E. $Ḥ$ multiplied by itself is A, and D multiplied by itself is B. E multiplied by itself is G. G is similar to M but the number A divided by B is similar to G or similar to M. G is equal to M. E is the root of M for E is the root of G. This is what it was desired to show.

Addition of roots, one to another

When one wishes to add the root of a number to the root of another number so that they add up to the root of a square, then it is not possible for all numbers. It is possible when the two numbers are squares, i.e. the numbers which have a root; or in two numbers which, when divided one by the other, have a quotient which is a root, and when one is multiplied by the other, then their product is a square which has a root. It is not possible with any other numbers that one may add two of their roots to obtain a root. So it is in subtraction of one from another.

There are many examples of these.[77] If there are two numbers which are squares, as 9 and 4, when it is desired to add the root of 9 and the root of 4 so that the result is the root of a number, add 9 and 4 to get 13.[78]

---

[76] $A/B = Ḥ^2/D^2 = E^2 = G = M.$

[77] $\sqrt{a + b + 2\sqrt{ab}} = \sqrt{a} + \sqrt{b}.$

[78] Arabic text (fol. 20a). "If we wish to add the root of 9 and the root of 4 until it becomes the root of one number, then add the 9 and the 4 to give 13. We retain this. Then we multiply 9 by 4 to give 36. Take 2 roots of it to give 12. Add this to the 13 which was retained to give 25. This is the root of 25 or the root of 9 plus the root of 4."

$$\sqrt{a} + \sqrt{b} = \sqrt{a + b + 2\sqrt{ab}},$$

$$\therefore \sqrt{9} + \sqrt{4} = \sqrt{9 + 4 + 2\sqrt{9 \cdot 4}} = \sqrt{25} = 5.$$

שמספר א׳ נחלק על מספר ב׳ ועלה מספר ג׳ ושורש מספר א׳ הוא ח׳ ושורש
מספר ב׳ הוא ד׳ וחלקנו ח׳ על ד׳ ועלה ע׳ ונאמר שע׳ הוא שורש ג׳. ומופת
זה שא׳ נחלק על ב׳ ועלה ג׳ ויהיה מפני זה ג׳ ימנה [א׳] במספר [*Fig. 22*] מה
שבב׳ מן האחדים וכן יהיה אחדים במספר [ג׳] דימיוני ע׳ בח׳ (ואחד מוכה על
אחד הוא אחד) [וח׳ מוכה על ח׳ הוא א׳] וד׳ מוכה על עצמו הוא ב׳ וע׳ מוכה
אל עצמו הוא ג׳ ומספר (אחרי ב׳) [אחדי ג׳] יהיה כמו דימיוני מ׳ אבל מספר
ע׳ (ב׳) [בב׳] יהיה כמספר דימיוני ג׳ (בא׳ הנה כה מספר דימיוני ג׳ במ׳ יהיה
כמספר דימיוני ג׳ (בא׳) הנה כי מִספר דימיוני ג׳ (בא׳) יהיה כמספר דימיוני מ׳
(בא׳)* וג׳ ישוה למ׳ וע׳ הוא שורש מ׳ הנה כי ע׳ שורש ג׳ ומשל.

בחבור השרשים אחד עם אחד

וכאשר תרצה לחבר שורש מספר מהמספרי׳ אל שורש מספר [folio 109b] אחר
עד שיחובר שורש איזה אלגוש. הנה זה לא יתכן בכל מספר אבל יתכן בשני מספרי׳
מרובעים רצוני במספרים המרובעים שיחזיקו שורש או בשני מספרים שכאשר
נחלק האחד על האחר עלה אל החלק [מספר מרובע אשר יחזיק] שורש וכאשר
תכה האחד על האחר היה המקובץ [מספר מרובע אשר יחזיק] שורש ובמספרי׳
אחרים מבלעדי אלו לא יתכן שתחבר שני שרשיהם עד שתשיבנה שורש אחד וכן
בגירוע (האחר) [האחד] מן האחר. ואלו יהיה הרבה מבוארים, ואם השני מספרים
מרובעי׳ תשעה וארבעה וכאשר תרצה לחבר שורש תשעה ושורש ארבעה עד
שהיו שורש למספר אחד תחבר תשעה וארבעה ויהיו י״ג ותכה תשעה על ארבעה
ויהיו שלושי׳ וששה וקח שני שרשיו והם שנים עשר תחברם עם שלש עשרה ויהיו
עשרים וחמשה ושרשו חמשה והם שורש תשעה ושורש ארבעה מקובצי׳. ואבאר
זה בזאת התמונה וזה שנניח קו א׳ב׳ שורש תשעה וקו א׳ג׳ שורש ארבעה. וכאשר

* A marginal gloss has [בח׳] (בד׳) ע׳ דימיוני מספר ד׳ [שאחדי] (שאחרי) התבאר כבר כי
א״כ יחס האחד אל ד׳ כ יחס ע על ח׳. וכאשר היה זה כן המרובעי׳ ההוי׳ מהם מתיחסים כמו
שהתבאר באקלידס אם כן יחס האחד מוכה על (אחר) [אחד] והוא אחד אל מרובע ד׳ והוא ב׳ כיחס
מרובע ע׳ והוא מ׳ אל מרובע ח׳ והוא א׳ אם כן אחד (ב׳) (בב׳) הם כמו דימיוני מ׳ בא׳ [אבל
אחד בב׳ הם ג״כ כמו דימי וג, ג׳ בא׳ וג׳ שוה למ׳].

Multiply 9 by 4; it is 36. Take 2 of its roots; it is 12. Add this to the 13; it is 25 and its root is 5. It is the root of 9 added to the root of 4. I shall explain this by this figure:

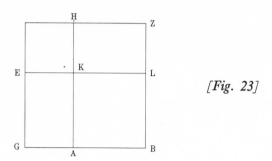

[Fig. 23]

Make line *AB* as the root of 9 and line *AG* as the root of 4. When it is desired to know line *GB* which is the root of some number, construct *GZ*, a square surface on line *GB*. Line *GB* is the root of *GZ*. Construct a square surface *ABKL* on line *AB*. Extend *AK* to point *Ḥ* and line *LK* to point *E*. Surface *KB* is 9 since line *AB* is the root of 9. Surface *EḤ* is 4 since *AG* is the root of 4. *AG* is equal to *EK*. Surface *AE* is 6 for it is the product of the root of 9, which is line *AB*, by the root of 4, which is line *AG*. Surface *KZ* is also 6. Surface *GZ* is 25 and line *GB* is its root or 5. This is what is was desired to show.

Concerning subtraction of the roots of one from another

When it is desired to subtract the root of 4 from the root of 9 so that what remains of the root of 9 is the root of a number less other numbers, add 9 to 4.[79] It is 1[3].[80] Multiply 9 by 4; it is 3[6].[81] Take 2 of its roots; it

[79] Arabic text (fol. 20b). "If you wish to subtract the root of 4 from the root of 9 until what remains of the root of 9 is a root of one number, then you add 9 and 4 to give 13. Retain it. Then multiply 9 by 4 to give 36. Take 2 of its roots to give 12. Subtract it from the 13 that was retained. One remains. The root is 1. It is the root of 9 less the root of 4. It is 1.

$$\sqrt{a} - \sqrt{b} = \sqrt{a + b - 2\sqrt{ab}},$$

$$\therefore \sqrt{9} - \sqrt{4} = \sqrt{9 + 4 - 2\sqrt{9 \cdot 4}} = \sqrt{1} = 1.$$

[80] Text incorrectly reads 16.
[81] Text incorrectly reads 32.

נרצה לדעת קו ג׳ב׳ שורש איזה מספר הוא נעשה על קו ג׳ב׳ שטח מרובע עלֹיו ג׳ז׳ ויהיה קו ג׳ב׳ שורש ג׳ז׳ ונעשה על קו (על קו) א׳ב׳ שטח [*Fig. 23*] מרובע עליו א׳ב׳כ׳ל׳ ונוציא א׳כ׳ על יושר עד נקודת ח׳. וקו ל׳כ׳ על יושר עד נקודת ע׳ ויהיה שטח כ׳ב׳ תשעה בעבור כי קו א׳ב׳ שורש תשעה ושטח ע׳ח׳ ארבעה בעבור כי א׳ג׳ הוא שורש ארבעה וא׳ג׳ כמו ע׳כ׳ ושטח א׳ע׳ ששה כי הוא מהכאת שורש תשעה שהוא קו א׳ב׳ על שורש ארבעה שהוא קו א׳ג׳ [ושטח כ׳ז׳ הוא ג״כ ששה]. ושטח ג׳ז׳ עשרים וחמשה וקו ג׳ב׳ הוא שורשו והוא חמשה ומשל.

בגרעון השרשים (האחר) [האחד] מן האחר

[folio 110a] וכאשר תרצה לגרוע [שורש] ארבעה משורש תשעה עד שיהיה מה שישאר משורש תשעה שורש מספר (אחר) [אחד] פחות (שורש) מהמספ׳ האחר תחבר התשעה עם הארבעה ויהיו (ששה) [שלשה] עשר ותכה תשעה על ארבעה

is 12. Subtract this from 13; there remains 1. The root is 1; it is the remainder from the root of 9 after subtraction of the root of 4. It is 1. I shall explain it by this figure:

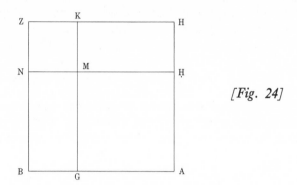

[Fig. 24]

Construct line *AB* as the root of 9 and [line] *AG*[82] as the root of 4. When line *AG* is subtracted from line *AB*, line *GB* remains. When it is desired to know the value of line *GB*, i.e. the root of whatever number it is, construct a square surface *AM* on line [*AG*]; it is surface [*AM*][83] or 4. Extend line *ḤM* to *N* and line *GM* to *K*. It is known that square *MZ* is the product of line *GB* by itself. Surface *ḤK* is 2 since all of surface *AK* is 6 since it is the product of line *AG* which is the root of 4 by *AH* which is the root of 9 and surface *AM* is 4; there remains surface *ḤK* as 2. Surface *MB* is also 2. There remains square *MZ* as 1 and line *MN* is its root. It is 1. Then line *MN* equals line *GB*. This is what it is desired to show.

When it is desired to add the root of 18 to the root of 8 so that they become the root of one number,[84] it is possible to add them. When 18 is divided by 8 it is $2\frac{1}{4}$. One may obtain its root as $1\frac{1}{2}$. If 8 is divided by 18, it is $\frac{4}{9}$; its root is $\frac{2}{3}$. If you multiply 18 by 8, it is 144; its root is 12. For every number where its root is added to the root of another number, the rule is that their 2 roots are added until the root of one number is obtained. When one rule of these given rules applies, it is one of the determined rules. When it is desired to know the root of a particular number, do as was stated. Add 8 to 18; it is 26. Remember it. Multiply 8 by 18; it is 144. Take 2 of its roots; it is 24. Add them to the 26 remembered. It is 50. Its root is the root of 8 added to the root of 18.

---

[82] Text incorrectly reads *AB*.
[83] Text incorrectly reads *AḤ*.

[84] $\sqrt{8} + \sqrt{18} = \sqrt{8 + 18 + 2\sqrt{8 \cdot 18}} = \sqrt{50}.$

ויהיו שלשים (ושנים) [וששה] קח שני שרשיו והם שני’ עשר ותחסרם מן השלשה
עשר וישאר אחד ושורש האחד הוא יהיה הנשאר משורש תשעה בחסרך ממנו
שורש הארבע והוא אחד. ואבארהו לך בזאת התמונה. והוא שנניח קו א’ב’ שורש
תשעה (ושורש) [וקו] א’ג’ שורש ארבעה וכאשר נגרע קו א’ג’ מקו א’ב’ ישאר קו
ג’ב’. וכאשר נרצה לדעת מספר קו ג’ב’ שורש איזה מספר הוא, נשים על קו
(א’ב’) [א’ג’] שטח מרובע עליו א’מ’ ויהיה שטח א’מ’ ארבעה ותוציא קו ח’מ’
על יושר עד נ’ וקו ג’מ’ על יושר עד כ’ והוא ידוע כי מרובע מ’ז’ הוא מהכאת
קו ג’ב’ על עצמו ושטח ח’כ’ שנים בעבור כי כל שטח א’כ’ [*Fig. 24*] ששה כי
הוא מהכאת קו א’ג’ שהוא שורש ארבעה בא’ה’ שהוא שורש תשעה. ושטח (א’ח’)
[א’מ’] ארבעה וישאר שטח ח’כ’ שנים ולזה יהיה שטח מ’ב’ שנים וישאר מרובע
מ’ז’ אחר וקו מ’נ’ הוא שורשו והוא אחד וכבר היה קו מ’נ’ כמו קו ג’ב’ ומשל.
וכאשר תרצה לחבר שרש שמנה עשר ושרש שמנה עד שיהיו שרש המספר האחד
(פחות שרש המספר האחר) זה המספר יתכן לחברו בעבור כי כאשר תחלק
שמנה עשר על שמנה יגיע לחלק שנים ורביע ומחזיק שורש ושורשו הוא אחד וחצי.
ואם תחלק שמנה על שמנה [עשר] יגיע לחלק ארבע תשיעיות ומחזיק שורש ושורשו
הוא שני שלישים. ואם תכה י’ח’ על ח’ יהיה (קו מ’ד’) [ק’מ’ד’] ומחזיק שורש
ושורשו י’ב’ וכל מספר שתחבר (שתחבר) שורשו אל שורש מספר אחר ויהיה
משפטו זה המשפט יהיו שני שרשיהם [folio 110b] מחוברים עד שיהיו שרש מספר
(אחר) [אחד]. וכאשר יהיה ספק* אחר [אחד] מאלו הספקות אשר אמרנו אשר
ימצאו במספרים יהיו השלשה ספיקות נמצאים. וכאשר תרצה לדעת שורש איזה
מספר הוא תעשה כאשר אמרנו והוא שתחבר ח’ עם י’ח’ ויהיו כ״ו ותשמרם.
ותכה ח’ (עליהם) [על י״ח] ויהיו ק’מ’ד’ ותקח שני שרשיו והוא כ״ד ותחברם
על הכ״ו ששמרת ויהיו נ’ ושורשו הוא שורש ח’ ושורש י״ח מקובצים. ואם רצונך
לגרוע שורש ח’ משורש י״ח תגרע הכ״ד מהם, מהכ״ו, וישארו שנים ושורש שנים
הוא שרש י״ח פחות שרש ח’. ואם באת לחבר שורש עשרה עם שורש שנים זה לא

* Read, perhaps משפטים and משפט. MS Paris has סגולה for ספק, סגולות for ספוקות

If one wishes to subtract the root of 8 from the root of 18,[85] subtract the 24 from them—from the 26. There remains 2. The root of 2 equals the root of 18 less the root of 8.

If the root of 10 is added to the root of 2,[86] you cannot add them to obtain the root of one number since when you divide 10 by 2, it comes to 5. The 5 does not give a root. When 2 is divided by 10, it gives $\frac{1}{5}$ which does not give a root. If 2 is multiplied by 10, it gives 20 for which there is no root.[87] If they are added as I have shown, it is 2 roots of 20 added to 12. Its root is the root of 10 plus the root of 2.

If it is desired to subtract the one from the other,[88] do as I said. It comes to 12 less 2 roots of 20. The root of the remainder is the root of 10 minus the root of 2. The example here is more correct than the previous one. See that when one asks which order it is of the two kinds, go back to the example where the orders are the same. When one says the root of 10 and the root of 2, then it is better than to say 12 added to 2 roots of 20 and to take its root. It is better to say in subtracting one from the other, the root of 10 less the root of 2, than one say the root of 12 less two roots of 20. The remainder is the root of 10 less the root of 2. Two roots of 20 is the root of 80. It is what I explained in this chapter.

I shall explain six questions.[89] For each of the six, I shall work on a question already demonstrated by algebraists.

[No. 1] The first question of the six is when one says that 10 be divided into two parts. Multiply one by the other. Multiply the larger part by itself. The part multiplied by itself equals the product of the one part by the other plus its $\frac{1}{2}$.[90] The method for this is that we let the larger part be the thing; the other part is then 10 minus a thing. Multiply the thing by 10 minus a thing; it is 10 things minus a square. Multiply the larger part, a thing, by itself, to get a square. This square is equal to 10 things minus a square plus $\frac{1}{2}$ this. Multiply 10 things minus a square by $1\frac{1}{2}$; it comes to 15 things minus a square and a $\frac{1}{2}$ square. This latter is equal to a square. Put the 15 things with the $1\frac{1}{2}$ squares. Then, it is 15 things; add the $1\frac{1}{2}$ squares to the square to get $2\frac{1}{2}$ squares. This is equal to 15

[85] $\sqrt{18} - \sqrt{8} = \sqrt{8 + 18 - 2\sqrt{8 \cdot 18}} = \sqrt{2}.$

[86] $\sqrt{2} + \sqrt{10} = \sqrt{2\sqrt{20} + 12}.$

[87] I.e. no rational root.

[88] $\sqrt{10} - \sqrt{2} = \sqrt{12 - 2\sqrt{20}}.$

[89] Arabic text (fols. 21b–22a). "There are the six problem types which I shall teach to you. Every one of the six is carried out by algebraists. The first of the six is if one says to you that 10 is divided into two parts. One of the two parts is multiplied by the other. Then multiply the larger part by itself. Then the product, the square, is equal to the one of the two parts times the other plus its $\frac{1}{2}$. The procedure is that we put the part [stipulated

יתכן לחברו ולא יתכן היותו שורש למספר אחר [אחד] בעבור כי כאשר תחלק עשרה על שנים יגיע לחלק חמש' והחמשה אינם מחזיקים שורש. וכאשר תחלק שנים על עשרה יגיע לחלק חומש ואין שורש לחומש ואם תכה שנים על עשרה יהיו עשרי' ואין שורש (עשרים) [לעשרים]. ואם תחברם כאשר הראתיך יהיו שנים שרשים מעשרים מחוברים עם שני' עשר ושורשו הוא שורש עשרה ושורש שנים. ואם בקשת לחסר האחד מן האחד תעשה כאשר אמרתי ויצא שנים עשר פחות שני שרשים מעשרים ושורש הנשאר הוא שורש עשרה פחות שורש שנים. והשאלה בזה יותר נכונה מהתשובה וראוי לך כאשר ישאלו ממך איזה דבר מזה הזוג שתהיה תשובתך עליה על דמיון אשר יוציאו עליך לפניך בשוה כי כאשר תאמר שורש עשרה ושורש שנים יותר נכון מלאמר שנים עשר ושנים שרשים מעשרים ולקוח שרשו ויותר נכון לאמר (כגרעון) [בגרעון] האחד מן האחר שורש עשרה פחות שורש שנים מלאמר שנים עשר פחות שני שרשים מעשרי' [folio 111a] ולקוח שורש הנשאר שיהיה שורש עשרה פחות שורש שנים. ושנים שרשים מעשרים יהיה שרש שמנים. ועם אשר ביארתי מזה השלמה. ואלו הששה בקשות אשר הראיתך הנני עושה לכל חלק מהששה חלקים שאלה אשר כבר יורוך אותם חכמי האלגב״ר.

[No. 1] והשאלה הראשונה מן הששה היא אם יאמרו לך תחלק עשרה לשנים חלקים ותכה הא׳ח׳ על האחר ותכה חלק הגדול על עצמו ויהיה החלק המוכה על עצמו כמו הכאת החלק (האחר) [האחד] על האחר וכמו חציו. והמעשה בזה שניח חלק הגדול דבר והחלק האחר עשרה פחות דבר ותכה דבר על עשרה פחות דבר ויהיו עשרה דברים פחות אלגו' ותכה החלק הגדול על עצמו והוא דבר ויהיה אלגו' וזה האלגו' יהיה כמו עשרה דברים פחות אלגו' וכמו חצי זה ותכה עשרה דברים פחות אלגוס על אחד וחצי ויעלו חמשה עשר דברים פחות אלגו' וחצי ואלו ישוו אלגוש ותניח* החמשה עשר (דברים) עם האלגוש וחצי עד

* A marginal gloss reads איקובריאש כלומ' ותאסוף. Hence, the copyist corrects the term ותניח rightly by the better one ותאסוף and איקובריאש. Thus, the copyist corrects the translator.

---

as the larger part in a gloss] as a thing and the other as 10 less a thing. We multiply the thing [i.e. the unknown] by 10 less a thing to give 10 things less a square. Then multiply the larger part by itself, which is a thing, to get a square. It is equal to 10 things minus a square plus $\frac{1}{2}$ of it. Then multiply 10 things less a square by $1\frac{1}{2}$ to give 15 things less a square and its $\frac{1}{2}$ [square]. It is equal to a square. Put the 15 [things] with the square and a $\frac{1}{2}$ [square] so that it is 15 things. Then add the square and a $\frac{1}{2}$ [square] to the square to get $2\frac{1}{2}$ squares. It equals 15 things. The square is equal to 6 things and the thing is equal to 6; this is the larger part. The smaller part is 4 or the remainder from 10 which has come out to you."

[90] $$x^2 = x(10 - x) + \tfrac{1}{2}x(10 - x) = 10x - x^2 + \tfrac{1}{2}(10x - x^2) = 1\tfrac{1}{2}(10x - x^2) = 15x - 1\tfrac{1}{2}x^2,$$

$\therefore\ 2\frac{1}{2}x^2 = 15x,$

$\therefore\ x^2 = 6x,$

$\therefore\ x = 6$ and $(10 - x) = 4.$

things. So, the square is equal to 6 things; the thing equals 6. This is the larger part; the other part is 4 and is the remainder from 10. This is the question I showed as the first of six parts; it is the square equal to roots. I shall explain this question by the next figure:

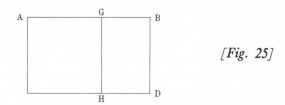

[Fig. 25]

Make line AB equal to 10. AG is the larger part and GB is the smaller part. Multiply line AG by line GB; it gives surface GD since line GH was made equal to line AG. Multiply AG by itself to get the square surface AH. But surface AH equals surface GD plus $\frac{1}{2}$ it. Then line GA equals line GB plus $\frac{1}{2}$ it. All of line AB equals $2\frac{1}{2}$ times line GB. But line AB is 10, line BG is 4, and line AG is 6. This is what it was desired to show.

[No. 2] The second question is that 10 is divided into two parts.[91] Multiply one of them by itself. Multiply 10 by itself; [it is] equal to the result of the multiplication of one of its parts by itself multiplied by $6\frac{1}{4}$.[92] The method here is that one makes the one part a thing. Multiply it by itself; it is a square. Multiply 10 by itself; it is 100. This 100 is equal to $6\frac{1}{4}$ times the square. Multiply the square by $6\frac{1}{4}$; it gives $6\frac{1}{4}$ squares equal to 100. Reduce it to 1 square; it is 4 parts of 25 or $\frac{4}{5}$ of $\frac{1}{5}$. Take $\frac{4}{5}$ of $\frac{1}{5}$ of 100; it is 16. This 16 is equal to a square. Its root is 4; it is the sought for part. I have shown this question as the second one of six which is that the square is equal to numbers. I shall explain it by this figure:

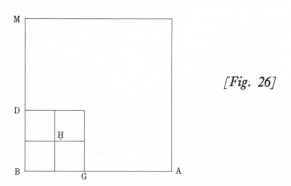

[Fig. 26]

[91] Arabic text (fols. 22a–22b). "The second question is 10 is divided into two parts. Multiply one of the two parts by itself. Then multiply the 10 by itself. The product of

שיהיו ט׳ו׳ דברים ותחבר האלגו׳ וחצי עם האלגו׳ ויהיה אז שני אלגוס וחצי ישוו חמשה עשר דברי׳ ולכן האלגוס ישוה ששה דברי׳ והדבר ישוה ששה והוא החלק הגדול והחלק האחר יהיה ארבעה והוא הנשאר מעשרה. וזאת השאלה אראך לחלק הראשון מהששה חלקים והוא אלגוש ישוו שרשים. ואבאר זאת הי׳אלה בתמונה מהתמונות. והוא שנניח קו א׳ב׳ עשרה א׳ג׳ החלק הגדול וג׳ב׳ החלק הקטן ונכה קו א׳ג׳ על קו ג׳ב׳ ויהיה שטח ג׳ד׳ בעבור שהנחנו קו ג׳ה׳ כמו קו א׳ג׳ [*Fig. 25*] ונכה קו א׳ג׳ על עצמו ויהיה שטח מרובע א׳ה׳ אבל שטח א׳ה׳ כמו שטח ג׳ד׳ וכמו חציו ולכן (שט׳) [folio 111b] קו ג׳א׳ יהיה כמו קו ג׳ב׳ וכמו חציו. וקו א׳ב׳ כולו יהיה כמו קו ג׳ב׳ שני פעמי׳ וחצי אבל קו א׳ב׳ עשרה יהיה קו ב׳ג׳ ארבעה וקו א׳ג׳ ששה ומשל.

[No. 2] והשאלה השנית עשרה תחליקיהו לשני חלקי׳ ותכה אחד מהם על עצמו ותכה העשרה על עצמו [ויהיה] כמו העולה מהכאת אחד החלקים על עצמו ששה פעמים ורביע. והמעשה בזה שתשים החלק (האחר) [האחד] דבר ותכהו על עצמו והוא אלגו׳ ותכה העשרה על עצמו ויהיה מאה ואלו המאה יהיה כמו האלגו׳ ששה פעמים ורביע ותכה האלגו׳ על ששה ורביע ויהיה ששה אלגוש ורביע ישוו מאה והשיבם אל אלגו׳ אחד והוא ארבע חלקי׳ מעשרים וחמשה והם ארבעה חומשים מהחומש. וקח מהמאה ארבע חומשי׳ מהחומש ויהיו י״ו ואלו הששה עשר ישוו אלגו׳ ושורשו ארבע והוא החלק המבוקש. וזאת השאלה הראתיך לחלק שיני מהששה חלקים שהוא אלגוש ישוו מספרים ואבאר לך בזאת התמונה והוא שנניח קו א׳ב׳ עשרה וג׳ב׳ המספר המבוקש. ואכה קו א׳ב׳ שהוא עשרה על עצמו ויהיה מאה והוא שטח (אמה) [א׳מ׳] ואכה קו ג׳ב׳ שהוא החלק המבוקש על עצמו ויהיה מרובע ג׳ד׳ ושטח (אמה) [א׳מ׳] שהוא מאה (שהוא) [הוא] שש׳ [*Fig. 26*] פעמים ורביע מרובע ג׳ד׳ ותחלק מרובע ג׳ד׳ לארבע

---

the 10 by itself is equal to the square of the other of the two parts times $6\frac{1}{4}$. The procedure is that one puts one of the two divisions as a thing. It is multiplied by itself to become a square. Then multiply the 10 by itself to get 100. This 100 is equal to the square times $6\frac{1}{4}$. Multiply the square by $6\frac{1}{4}$ to get 6 squares and a $\frac{1}{4}$ square. It is equal to 100. Return it to 1 square [i.e. solve for the square]. It is 4 parts of 25 which is $\frac{4}{5}$ of $\frac{1}{5}$. Take of 100, $\frac{4}{5}$ of $\frac{1}{5}$. It is 16 which is equal to a square. Its root, then, is 4. It is the sought for part."

92 $100 = 6\frac{1}{4}x^2 = \frac{2}{4}x^2$,
$\therefore \frac{4}{25} \cdot 100 = 16 = x^2$,
$\therefore x = 4$.

Construct line *AB* as 10 and *GB* is the sought for number. Multiply line *AB* by itself, or 10 by itself is 100. It is surface *AM*. Multiply the sought for part, line *GB*, by itself; it is square *GD*. Surface [*AM*] which is 100 is $6\frac{1}{4}$ times square *GD*. Divide square *GD* into four equal parts—equal to surface *BḤ*. Surface [*AM*] is 25 times as much as surface *ḤB*. Surface *AM* is 100, surface *BḤ* is 4; *GD* is 16; line *GB* is 4. This is the sought for number. This is what it was desired to show.

[No. 3] The third question is that 10 is divided into two parts.[93] Divide the larger by the smaller part; it is equal to 4.[94] In this method, let the smaller part equal the thing, and the larger, 10 minus a thing. Divide the 10 minus a thing by a thing; it comes to 4. I have already shown that when the quotient is multiplied by the divisor it comes out to the dividend. Thus, the thing is multiplied by 4 to give 4 things which is equal to 10 minus a thing. Complete the 10 by adding a thing until it is 10; add the thing to the 4 things; 10 is equal to 5 things; the thing is equal to 2. This is the third question of the six; it is things are equal to numbers. I shall explain it by this figure:

B
G
A

[Fig. 27]

Make line *AB* equal to 10. *GB* is the smaller part; line *AG* is the larger. When line *AG* is divided by line *GB*, the quotient is 4; *AG* is 4 times *GB*. *AB* is 5 times *GB*. *GB* is $\frac{1}{5}$ of *AB* but *AB* is 10 and *GB* is then 2. This is what it was desired to show.

[No. 4] The fourth question is that 10 is divided into two parts,[95] the smaller part multiplied by 9 and the larger by itself. They are then equal.[96] In this method, let the larger part be a thing and the smaller

[93] Arabic text (fols. 22b–23a). "The third question is 10 is divided into two parts. Divide the larger part by the smaller to get 4. The procedure is that the smaller part is made equal to a thing and the larger as 10 less a thing. Divide the 10 less a thing by a thing to get 4. I have already demonstrated to you that when the quotient is multiplied by the divisor, it comes out to the dividend. We multiply the thing by 4 to give 4 things which equals 10 less a thing. Reduce the 10 plus a thing and add it to 4 things [Here, the Arabic has a lacuna. See Hebrew.] to give 5 things equal to 10 dirhams. Then the thing is equal to 2.

[94] $$\frac{10 - x}{x} = 4,$$
$$\therefore 4x = 10 - x,$$
$$\therefore 4x + x = 10,$$
$$\therefore 5x = 10,$$
$$\therefore x = 2.$$

[95] Arabic text (fol. 23a). The fourth problem is 10 is divided into two parts. Multiply the smaller part by 9 and the larger by itself so that, then, they are both equal. Put the

חלקים שוים כל אחד מהם שטח ב׳ח׳ ויהיה שטח (אמה) [א׳מ׳] כ״ה פעמים כמו שטח ח׳ב׳ ושטח א׳מ׳ מאה ושטח ב׳ח׳ ארבעה וג׳ד׳ שש עשרה וקו ג׳ב׳ ארבעה והוא החלק המבוקש, ומשל.

[No. 3] והשאלה השלישית תחלק עשרה לשני חלקים ותחלק [folio 112a] החלק הגדול על החלק הקטן ויגיע לחלק ארבעה. והמעשה בזה שנשים החלק הקטן דבר והגדול עשרה פחות דבר ותחלק עשרה פחות דבר על דבר ויגיע לחלק ארבעה. כבר הראתיך כי כאשר תכה המגיע לחלק על המחלק שיעלה המספר המחולק אחרי כן תכה דבר על ארבעה ויהיו ארבעה דברי׳ ישוו עשרה פחות דבר. ותכלול* העשרה עם הדבר עד שיהיו עשרה אדרהמיש. ותחבר דבר עם הארבע דברים ויהיו עשרה ישוו חמשה דברי׳ והדבר ישווה שני אדרהמיש. (ותחבר דבר עם הארבע דברי׳ ויהיו עשרה ישוו חמשה דברי׳ והדבר ישווה שני אדרהמיש). וזאת השאלה הוצאתיה לחלק שלישי מהשש׳ חלקי׳ והוא הדברי׳ ישוו מספרים. ואבארהו בזאת התמונה והוא שנניח קו א׳ב׳ עשרה וג׳ב׳ החלק הקטן וקו א׳ג׳ החלק הגדול וכאשר נחלק קו א׳ג׳ על קו ג׳ב׳ יעלה לחלק ארבעה וא׳ג׳ יהיה ארבעה כפלי ג׳ב׳ וא׳ב׳ יהיה [*Fig. 27*] חמשה כפלי ג׳ב׳ וג׳ב׳ חמישי א׳ב׳ אבל א׳ב׳ עשרה וג׳ב׳ שנים ומשל.

[No. 4] והשאלה הרביעית חלקנו עשרה לשני חלקיו והרבנו החלק הקטן על תשעה והגדול על עצמו והיו שוים. והמעשה בזה שנשים החלק הגדול דבר וקטן עשרה פחות דבר ותכה דבר על עצמו והוא אלגוש ותכם עשרה פחות דבר על תשעה ויהיו תשעים אדרהמיש פחות תשעה דברי׳ ישוו אלגוש ותצ״יעם† עם

* A marginal gloss has איקוברא.

† A marginal gloss reads איקובראיש ותאספם.

---

larger part down as a thing and the smaller as 10 less a thing. Multiply the thing by itself to give a square. Multiply 10 less a thing by 9 to give 90 dirhams less 9 things equal to a square. Reduce it by 9 things and add it to the square and get a square plus 9 things equal to 90 dirhams. The explanation of how it comes out for you is that the things are halved to give $4\frac{1}{2}$. Then multiply it by itself to give $10\frac{1}{4}$. Add it to 90 to give $110\frac{1}{4}$ dirhams. Take its root; it is $10\frac{1}{2}$. Subtract from it half of the roots which is $4\frac{1}{2}$. There remains 6 which is the thing or larger part."

[96] $9(10 - x) = x^2$,

$\therefore 90 - 9x = x^2$,

$\therefore x^2 + 9x = 90$,

$$\therefore x = \sqrt{(4\tfrac{1}{2})^2 + 90} - 4\tfrac{1}{2} = 6.$$

Also, $x^2 = 9^2/2 + 90 - \sqrt{(9^2/2)^2 + 9^2 \cdot 90} = 36$.

10 minus a thing. Multiply a thing by itself; it is a square. Multiply 10 minus a thing by 9; it is 90 minus 9 things. This is equal to a square. Complete, and add the 9 things to the square to get a square plus 9 things equal to 90. The manner in which the thing is obtained is that the things are halved, or $4\frac{1}{2}$, and multiplied by itself to get $20\frac{1}{4}$. Add it to 90; it is $110\frac{1}{4}$. Its root is $10\frac{1}{2}$. From it, subtract $\frac{1}{2}$ the roots which is $4\frac{1}{2}$; there remains 6 as the thing or the larger part. For the method in which the square comes out, multiply 9 things by itself; it is 81. Multiply by 90 to get 7,290. Take $\frac{1}{2}$ of 81 to get $40\frac{1}{2}$. Multiply it by itself to get $1,640\frac{1}{4}$. Increase it by 7,290;[97] it is $8,930\frac{1}{4}$. Take its root; it is $94\frac{1}{2}$. Subtract from it $40\frac{1}{2}$, which is $\frac{1}{2}$ of 81. And from 90, which is equal to the square whose sum is $130\frac{1}{2}$, there remains 36; it is the square. This is the fourth question of the six; it is that the square and roots are equal to numbers. I shall explain it by this figure:

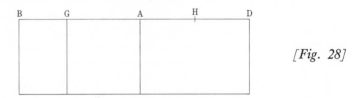

[Fig. 28]

Construct line BA equal to 10 and line AG as the larger part and GB as the smaller. The sum of AG times 9 plus GB times 9 is equal to 90. Make AD, 9. AG times itself equals GB multiplied by 9. DG times GA equals 90. Line DA is 9; divide it in half by point H. Add line AG to its length and it is the product of DG by AG or 90. The product of AH by itself is $20\frac{1}{4}$. Add it to 90 to give $110\frac{1}{4}$. Thus, it is the product of line HG by itself or $110\frac{1}{4}$. Its root is $10\frac{1}{2}$. Then line HG is $10\frac{1}{2}$. But HA is $4\frac{1}{2}$; AG remains as 6 and is the larger part. GB is the smaller part and is 4. This is what it was desired to show.

[No. 5] The fifth question is that 10 is divided into two parts.[98] Multiply one by the other to get 21.[99] In the method for this, make one

---

[97] See note in transcription.

[98] Arabic text (fol. 23b). "The fifth problem is 10 is divided into two parts. Multiply one of them by the other to get 21. To solve, set one of the two parts as a thing, and the other as 10 less a thing. Multiply the thing by 10 less a thing to give 10 things less a square. It is equal to 21 dirhams. Reduce the 10 things minus the square [text reads, 'with the square'] and add it to the 21 to give a square plus 21 dirhams equal to 10 roots. The explanation is that one halves the things to give 5. Then multiply it by itself to give 25. Subtract from it the 21. There remains 4 and its root is 2. Take it from 5 which is $\frac{1}{2}$ the roots and there remains 3. It is one of the two parts [of 10]."

[99] $x(10 - x) = 21,$
$\therefore 10x - x^2 = 21,$

התשעה דברים ותוסיפם על האלגוש ויהיו אלגוש ותשעה דברי' ישוו תשעים אדרהמיש. והאופן אשר נוציא לך הדבר הוא שתקח חצי הדברים ויהיו ארבעה וחצי ותכם על עצמם ויהיו עשרים (ורביעם) [ורביע] ותוסיפם על התשעים ויהיו מאה ועשר [folio 112b] ורביע ושורשו הוא עשרה וחצי תגרע מהם מחצית השרשים שהוא ארבע וחצי וישאר ששה והוא הדבר והוא החלק הגדול. והאופן אשר יוציא לך האלגוש הוא שתכה התשעה דברים על עצמם ויהיו שמנים ואחד. ותכם על התשעים ויהיה שבע' אלפים ומאתים ותשעים. וקח (מחציים) [מחצית] שמנים ואחד ויהיה ארבעים וחצי ותכם על עצמם ויהיה אלף תר״ם ורביע ותרבם עם גטבז* ויהיו שמנת אלפים ותשע מאות ושלשים ורביע ותקח שורשו והוא תשעים וארבע (וחצי יגרעם) [ותגרעם] מן הארבעים וחצי שהוא מחצית פ״א ומן התשעים שישוו האלגוש (והשורש) [והשרשים] והם ק״ל וחצי וישאר ל״ו והם אלגוש. וזאת הוצאתי לך לחלק הרביעי מהשלשה חלקי' והוא האומר אלגוש ושרשים ישוו מספרים. ואבארה לך בתמונה† זו והוא שנשים קו ב׳א׳ עשרה וקו א׳ג׳ החלק הגדול וג׳ב׳ החלק הקטן (והיה א׳ג׳ על עצמו כמו ג׳ב׳ על תשעה) וא׳ג׳ על תשעה וג׳ב׳ על תשעה יחד הם תעשים ונניח א׳ד׳ תשעה וא׳ג׳ על עצמו (ועל [כמו ג׳ב׳ על תשעה] (א׳ד׳) והוא כמו ד׳ג׳ על ג׳א׳. וד׳ג׳ על ג׳א׳ יהיה תשעים‡ וקו ד׳א׳ תשעה ונחלק לחציים על נקודת ה׳ ונוסף לאורכו קו א׳ג׳ והיה הכאת ד׳ג׳ על א׳ג׳ תשעים והכאת א׳ה׳ על עצמו יהיה עשרים ורביע ותקבצם עם תשעים ויהיו מאה ועשר ורביע ולכן יהיה הכאת קו ה׳ג׳ על עצמו הוא ק״י ורביע ושרשו עשרה [וחצי] אם כן קו ה׳ג׳ עשרה וחצי. אבל ה׳א׳ ארבע וחצי וישאר א׳ג׳ ששה והוא החלק הגדול וג׳ב׳ ארבעה והוא החלק הקטן ומשל.

[No. 5] והשאלה [folio 113a] החמישית חלקנו עשרה לשני חלקים והכינו האחד על האחר והיה עשרים ואחד. והמעשה בזה שנשים החלק האחד דבר

* Weinberg has the ingenious note that these are for the Hindu numerals 7290: see his translation pp. 8-9. But he does not explain the ג at the beginning. This is, doubtless, the initial of גלגל = zero.

† Figure 28 is missing in Hebrew MS. Added from Weinberg.

‡ A marginal gloss reads להיות א׳ג׳ על עצמו כמו ג׳ב׳ על תשעה

$\therefore x^2 + 21 = 10x,$

$\therefore x = 5 \pm \sqrt{5^2 - 21} = 3 \text{ or } 7,$

$\therefore (10 - x) = 7 \text{ or } 3$ respec.

Abū Kāmil thus states expressly that the two values 3 and 7 correspond to the unequal parts x and $(10 - x)$. Al-Khwārizmī—see L. C. Karpinski, *Robert of Chester's Latin Translation of the Algebra of Al-Khowarizmi* (New York, 1915), p. 75—does not differentiate these results very well.

$x^2 = 10^2/2 - 21 \pm \sqrt{(10^2/2)^2 - 10^2 \cdot 21} = 9 \text{ or } 49.$

part the thing. The other is 10 minus a thing. Multiply the thing by 10 minus a thing to get 10 things minus a square. It is equal to 21. Complete the 10 [things] minus a square by means of a square; add it to the 21. It gives a square plus 21 equal to 10 roots. The method by which the thing is obtained is that one takes $\frac{1}{2}$ the things which is 5 and multiplies it by itself; it is 25. Subtract 21 from it and there remains 4. Take its root; it is 2. Subtract it from 5 and 3 remains. It is the smaller part. The larger part is the remainder from 10 or 7. If one likes, add 2 to 5 to get the larger part or 7; the smaller part is the remainder from 10, or 3. The method which yields the square is that the 10 roots is multiplied by itself to get 100. Multiply it by 21, which is with the square, to get 2,100. Take $\frac{1}{2}$ the 100, or 50, and multiply it by itself to get 2,500. Subtract from it the 2,100; there remains 400. Take its root; it is 20. Subtract it from 50, which is $\frac{1}{2}$ the 100, to get 30. Subtract 21 from it; there remains 9, the square. The operation with addition is that 20 is added to 50 to get 70. Subtract 21 from it; 49 remains. It is the square. This is the question on the fifth part of the six; or a square plus numbers is equal to roots. I shall explain this by this figure:

[Fig. 29]

We make line AG times line $[BG]$ equal to 21. Divide line AB into two halves by H. The product of AG by BG plus HG multiplied by itself equals HB multiplied by itself. The product of HB by itself is 25. AG times GB is 21. HG by itself is 4. HG is 2 and HB is 5. GB is 3. AG is 7. This is what it was desired to prove.

[No. 6] In the sixth question, add 8 to a root and multiply the sum by 4.[100] It equals the square multiplied by itself.[101] For this, the procedure is that one lets the root be a thing. Add the 8 to it; it is a thing plus 8. Multiply by 4 to get 4 things plus 32. Multiply the root, a thing, by itself to get a square. It is equal to 32 and 4 things. The method to solve for the thing is that one takes $\frac{1}{2}$ the things; it is 2. Multiply it by itself to get 4. Add it to the 32 to give 36. Take its root; it is 6. Add it to $\frac{1}{2}$ the roots, or 2; it gives 8 or the root since we made the root as the thing.

[100] Arabic text (fol. 24b). "The sixth problem. One adds 8 dirhams to a root [text has 'square']. Then one multiplies the sum by 4 dirhams to give the square of the root [text has 'square.' Mathematically, it is not incorrect but the use of this terminology is a distinct departure from that used in the preceding five problems]. The solution is that you put the 'square' as a thing and add 8 dirhams to give a thing and 8 dirhams. Multiply it by 4 to give 4 things and 32 dirhams. Then multiply the 'square,' which is a thing, by itself to give a square equal to 32 dirhams and 4 things. The explanation is that in order to obtain the thing one halves the things to obtain 2. Multiply it by itself to give 4. Then

והאחר עשרה פחות דבר ונכה (עשרה) דבר על עשרה פחות דבר ויהיה עשרה דברים פחות אלגו וישוו עשרים ואחד אדרהמיש ותכלול העשרה [דברים] פחות אלגו' עם האלגו' והוסיף אותו על העשרים ואחד ויהיה אלגו ועשרים ואחד ישוו עשרה שרשים. והאופן אשר נוציא לך הדבר הוא שתקח חצי הדברים ויהיו חמשה ותכם על עצמם ויהיו עשרים וחמשה תגרע מהם העשרים ואחד וישארו ארבעה תקח שרשו והוא שנים ותגרעם מן החמשה וישארו שלשה והם החלק הקטן והחלק הגדול הוא הנשאר מעשרה והם שבעה. ואם תרצה תוסיף השנים על החמשה ויהיו שבעי והוא החלק הגדול והחלק הקטן הוא הנשאר מעשרה והוא שלשה. והאופן אשר יוציא לך האלגוש הוא שתכה העשרה שרשים על עצמן ויהיו מאה ותכם על (הכאה) [הכ״א] אשר עם אלגוש ויהיה אלפים ומאה וקח חצי המאה והם חמשים ותכם על עצמם והם אלפים וחמש מאות תגרע מהם האלפיים ומאה וישארו ארבע מאות וקח שרשם והוא עשרים תגרעם מן החמישים שהם חצי מאה וישארו שלשים ותגרע מהם העשרים ואחד וישאר תשעה ויהיה אלגו'. והמעשה עם תוספות הוא שתוסיף העשרי' על החמישים ויהיו שבעי' תגרע מהם העשרים ואחד ישארו ארבעים ותשע והם האלגוש. וזאת השאלה (הוציאך) [תוציאך] אל החלק החמישי מהששה חלקים שהוא אלגוש ומספרים ישוו שרשים. ואבאר זה בתמונה זו והוא שניח קו א'ג' על קו (ב'ה') [ב'ג'] עשרים ואחד ותחלק קו א'ב' לשני חציים על ה' ויהיה הכאת א'ג' בג'ב' וה'ג' על עצמו כמו הכאת [folio 113b] ה'ב' על עצמו והכאת ה'ב' על עצמו עשרים וחמשה וא'ג' על ג'ב' [*Fig. 29*] הוא עשרים ואחד וישאר ה'ג' על עצמו ארבעה וה'ג' יהיה שנים וה'ב' היה חמשה וישאר ג'ב' שלשה ויהיה א'ג' שבעה ומשל.

[No. 6] והשאלה הששית אלגוש תוסיף עליו שמנה אדרהמיש ותכה המקובץ על ארבעה אדרהמיש והיה כמו האלגוש על עצמו. והמעשה בזה שנשים האלגוש דבר ותחבר עמו שמנה אדרהם ויהיה דבר ושמנה אדרהמיש ותכם על ארבעה ויהיה ארבע' דברים ול״ב דרהמיש והכה האלגוש והוא דבר על עצמו ויהיה אלגוש וישוה ל״ב דרהם וארבע דברי'. והאופן אשר נוציא לך הדבר הוא שתקח מחצית הדברים ויהיה שנים ותכם על עצמם ויהיו ארבע' ותוסיפם על הל״ב ויהיו ל״ו תקח שרשו והוא ששה תוסיפם על מחצית השרשים וזהו שנים ויהיו שמנה והוא האלגו' בעבור שהנחנו האלגוש דבר. והאופן אשר יוציא האלגוש הוא שתכה

---

add it to 32 to give 36. Take its root to get 6. Then add to it $\frac{1}{2}$ the roots which is 2 to give 8 which is the root [text has 'square']."

The text then goes on with another solution to obtain the square directly.

[101] $4(x + 8) = x^2$,

$\therefore 4x + 32 = x^2$,

$$\therefore x = 2 + \sqrt{2^2 + 32} = 8.$$

Also, $x^2 = 4^2/2 + 32 + \sqrt{(4^2/2)^2 + 4^2 \cdot 32} = 64$.

The method to yield the square is that the 4 roots are multiplied by themselves to give 16. Multiply it by the number, 32, to give 512. Take $\frac{1}{2}$ the s[quare], 8, and multiply it by itself to get 64. Add it to the 512 to give 576. Take its root; it is 24. Add it to the 8 which is $\frac{1}{2}$ the 16 and to the 32 to get 64. It is the square which is equal to the roots and numbers. Take its root; it is 8, the sought for number. This is the sixth question of the six, i.e. numbers plus roots are equal to a square. I shall explain this by this figure:

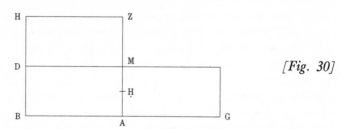

[Fig. 30]

Make the root as line *AB* and *AG* is 8. Make line *BD* as 4. Multiply line *GB* by line *BD* to give surface *GD*. Multiply the root *AB* by itself to give the square *AH*. Surface *GD* equals surface *AH*. Subtract surface *AD*; surface *MH*, which remains, is equal to surface *GM*. Surface *GM* is 32 since *AG* is 8 and *AM* is 4. Then, surface *MH* is 32 and surface *MH* is the product of *AZ* by *ZM*. The product of *AZ* by *ZM* is 32 and *AM* is 4. Divide it into two halves by *Ḥ*. The product of *AZ* by *ZM* plus *MḤ* by itself, is equal to *ḤZ* by itself. But *MḤ* by itself is 4 and the product of *ḤZ* by itself is 36. *ḤZ* is 6, and *AḤ* is 2, and *AZ* is 8. It is equal to *AB* which is 8, the root. This is what it was desired to show.

[No. 7] If one should ask that 10 be divided into two parts, multiply every part by itself and subtract the product of the smaller part from the product of the larger; there remains 80.[102] The procedure for this is that one lets the smaller part be a thing, and the larger, 10 minus a thing. Multiply 10 minus a thing by itself to get 100 and a square minus 20 things. There remains 100 minus 20 things equal to 80. Complete the 100 by adding 20 things to the 80; it gives 20 things plus 80 equal to 100. Subtract 80 from 100 to give 20 equal to 20 things. The thing is equal to 1, the smaller part. The larger, 9, is the remainder from 10.

[102] $(10 - x)^2 - x^2 = 80,$
$\therefore\ 100 - 20x = 80,$
$\therefore\ 20x + 80 = 100,$
$\therefore\ 20x = 20,$
$\therefore\ x = 1,$
$\therefore\ (10 - x) = 9.$

הארבע שרשים על עצמם ויהיו ששה עשר ותכם על האדרהמיש שהם ל״ב ויהיו תקי״ב וקח מחצית הא׳ [האלגוש] ויהיו ח׳ ותכם על עצמם ויהיו ס״ד ותוסיפ׳ על התקי״ב ויהיו תקע״ו וקח שרשו והוא כ״ד ותחברם עם השמנה שהם מחצית הששה עשר ועם הל״ב ויהיו ס״ד והוא האלגוש שישוה השרשי׳ והמספרי׳ וקח שרשו והוא שמנה והוא המספר המבוקש. וזאת השאלה (הוצאתיך) [הוציאתך] אל החלק מהחלקים הששה והוא האומר מספרי׳ ושרשי׳ ישוו אלגוש. ואבאר זה בתמונה זו והוא שנשים האלגוש קו א׳ב׳ והשמנה אדרה״ם קו א׳ג׳ ונשים קו ב׳ד׳ ארבע ונכה קו ג׳ב׳ בקו ב׳ד׳ ויהיה שטח ג׳ד׳ ותכה האלגוש הוא קו א׳ב׳ על עצמו ויהיה מרובע א׳ה׳ ושטח ג׳ד׳ כמו שטח א׳ה׳ ותגרע שטח א׳ד׳ וישאר שטח מ׳ה׳ כמו שטח ג׳מ׳ ושטח ג׳מ׳ שלשים ושנים בעבור כי א׳ג׳ שמונה *[*Fig. 30*] [folio 114a] וא׳מ׳ ארבעה ולכן שטח מ׳ה׳ שלשים ושנים ושטח מ׳ה׳ הוא מהכאת א׳ז׳ על ז׳מ׳ אם כן הכאת א׳ז׳ על ז׳מ׳ הוא שלשים ושנים וא׳מ׳ הוא ארבעה וחלקהו לשני חציים על ח׳ והכאת א׳ז׳ על (ז׳א׳) [ז׳מ׳] ומ׳ח׳ על עצמו יהיה כמו ח׳ז׳ על עצמו אבל מ׳ח׳ על עצמו ארבעה והכאת ח׳ז׳ על עצמו יהיה שלשים ושש וח׳ז׳ יהיה ששה וא׳ח׳, שנים וא׳ז׳ שמנה. והוא כמו א׳ב׳ וא׳ב׳ שמנה והוא האלגוש ומשל.†

[No. 7] שאלה ואם יאמרו לך תחלק עשרה לשני חלקי׳ ותכה כל חלק על עצמו ותגרע הכאת החלק הקטן מהכאת החלק הגדול וישאר שמנים. המעשה בזה שתשים החלק הקטן דבר והגדול עשרה פחות דבר ותכה עשרה פחות דבר על עצמו ויהיה מאה דרהמיש ואלגוש פחות עשרים דברים וישאר מאה דרהמיש פחות עשרים דברים יהיו שמנים אדרהמיש. ותכלול המאה דרהמיש (ועם) [עם] העשרי׳ הדבריח ותוסיפם על השמונים ויהיו עשרים דברי׳ ושמנים דרהמיש ישוו

---

or $x^2 - (10 - x)^2 = 80$,
$\therefore 20x - 100 = 80$,
$\therefore 180 = 20x$,
$\therefore x = 9$,
$\therefore (10 - x) = 1$.
Here, abū Kāmil recommends also a second method, which is the Diophantine solution. He states that the latter procedure may be used in the majority of the problems.

If it is desired, the larger part is taken as the thing, and the smaller, 10 minus a thing. Subtract 100 and a square minus 20 things from a square. There remains 20 things minus 100. Complete the 20 things with 100 and add it to 80 to give 180. It is equal to 20 things. The thing, the larger part, is equal to 9. The remainder of the 10 is the smaller part, or 1.

If it is desired, divide the 10 into two parts, divided according as arithmeticians divide the 10.[103] Briefly, the procedure is that you differentiate simply the larger part from the smaller part, regarding questions that arise. This is as $\frac{1}{2}$ the roots; make one part as a thing plus 5, and the other part as 5 minus a [thing]. Multiply each one by itself and subtract the result of the smaller part from the result of the larger; 20 things remains equal to 80. A thing is equal to 4. Add the 4 to the 5 to give 9 for the larger part. Subtract 4 from 5 to give 1 as the smaller part.

[No. 8] If one says that 10 be divided into two parts, divide one by the other and the fractions come to 4 and $\frac{1}{4}$.[104] The procedure in this is that one part is made a thing, and the other is 10 minus a thing. Multiply the thing by itself; it is a square. Multiply 10 minus a thing by itself to get 100 and a square minus 20 things. Add them to get 100, and 2 squares minus 20 things. Keep this in mind. Multiply one part by the other or a thing by 10 minus a thing to give 10 things less a square. Multiply the result by the fractions, or $4\frac{1}{4}$; it gives $42\frac{1}{2}$ things minus $4\frac{1}{4}$ squares— equal to 100, 2 squares, and minus 20 roots. When there are two numbers, the sum of each divided by the other in turn, then the sum of each multiplied by itself is equal to the product of one by the other times the sum of every one of them divided by the other.[105] Further, I shall explain this rule after I have completed calculation of the example. Complete the 100 and 2 squares by adding 20 things. You add it to the $42\frac{1}{2}$ things minus $4\frac{1}{4}$ squares. There remains $62\frac{1}{2}$ things minus $4\frac{1}{4}$ squares equal to 100 plus 2 squares. Complete the $62\frac{1}{2}$ things by adding $4\frac{1}{4}$

---

[103] This section is merely a fragment. However, it appears to carry out this old Babylonian procedure:

$(x + 5)^2 - (5 - x)^2 = 80$,

$\therefore 20x = 80$,

$\therefore x = 4$,

$\therefore x + 5 = 9$ and $(5 - x) = 1$.

[104] $\dfrac{x}{(10 - x)} = 1/4$, $\dfrac{(10 - x)}{x} = 4$,

$\therefore \dfrac{x}{(10 - x)} + \dfrac{(10 - x)}{x} = 4\frac{1}{4}$,

$\therefore x^2 + 100 + x^2 - 20x = 4\frac{1}{4}(10x - x^2)$,

$\therefore 42\frac{1}{2}x - 4\frac{1}{4}x^2 = 100 + 2x^2 - 20x$,

$\therefore 62\frac{1}{2}x - 4\frac{1}{4}x^2 = 100 + 2x$,

מאה אדרהמיש. תגרע שמנים ממאה וישאר עשרים אדרהמיש ישוו עשרי' דברי' והדב' ישווה אחד והוא החלק הקטן והגדול תשעה והוא שנשאר מן העשר'. ואם נרצה נעשה החלק הגדול (עשרה) דבר והקטן עשרה פחות דבר תגרע מאה ואלגוש פחות עשרים דברים מאלגו' וישאר עשרי' דברים פחות מאה אדרהמיש (ותוסיפם על השמנים ויהיה מאה ושמנים אדרהמיש) ותכלול העשרים דברי' עם המאה אדרהמיש ותוסיפם על השמנים ויהיה מאה ושמנים אדרהמיש ישווה עשרים דברי' והדבר ישווה תשעה והוא החלק הגדול והנשאר מהעשרה יהיה החלק הקטן והוא אחד. ואם תרצה תחלק העשרה לשני חלקי' (החלוקה) [בחלוקה] הנבדלת מהחלוקה (הנוהגם) [הנוהגים] אותה בעלי המספר לחלוק בה העשרה (ותאמר) [ותקצר] בה המעשה ותדע החלק הגדול (מהקטן וחלק) [מהחלק הקטן] ברוב מה שיפלו לפניך [folio 114b] מהשאלות בקצרה וזה כחצית השרשים והוא שנניח החלק האחד דבר וחמשה והחלק האחר חמשה פחות [דבר] ותכה כל אחד מהם על עצמו ותגרע העולה מהחלק הקטן מהעולה מהחלק הגדול וישאר עשרים דברים ישוו שמנים אדרהמיש והדבר ישווה ארבע ותוסיף הארבע על החמשה והוא תשעה והוא החלק הגדול ותגרע הארבע מן החמשה וישאר אחד והוא החלק (הגדול) [הקטן].

[No. 8] ואם יאמרו לך עשרה תחלק אותו לשני חלקי' ותחלק כל אחד מהם על האחר ויגיעו החלקי' ארבע ורביע. והמעשה בזה שתשים החלק האחד דבר והאחר עשרה פחות דבר ותכה דבר על עצמו ויהיה אלגוש ותכה עשרה פחות דבר על עצמו ויהיה מאה ואלגוש פחו' עשרים דברים ותחברם ויהיו מאה ושני אלגוש פחות עשרים דברי' ותשמרם ותכה החלק האחד על האחר והוא דבר על עשרה פחות דבר ויהיה עשרה דברי' פחות אלגוש ותכה על העולה אל החלקים והוא ארבע ורביע יהיה מ'ב' דברים וחצי דבר פחות ארבע אלגוש ורביע אלגוש ישוו מאה אדרהמיש ושני אלגוש פחות עשרים שרשים בעבור כי כל שני מספרים שיחלקו כל אחד מהם על האחר יהיה הכאת כל אחד מהם על עצמן מחוברי' כמו הכאת (האחר) [האחד] על האחר וההווה על החלק העולה מהחלוקה כל אחד מהם על האחר. ועוד אבאר לך סבת זה אחר שאשלים חשבון השאלה. ותכלול המאה אדרהמיש ושני אלגוש עם העשרים דברי' ותוסיפם על הארבעי' ושנים דברי' וחצי דבר פחות ארבעה אלגוש ורביע [וישארו ס״ב דברי' וחצי

$\therefore 100 + 6\frac{1}{4}x^2 = 62\frac{1}{2}x,$
$\therefore x^2 + 16 = 10x,$

$$\therefore x = 5 - \sqrt{5^2 - 16} = 2,$$

$\therefore (10 - x) = 8.$
$(5 + x)^2 + (5 - x)^2 = 4\frac{1}{4}(5 + x)(5 - x),$
$\therefore 50 + 2x^2 = 4\frac{1}{4}(25 - x^2),$
$\therefore 106\frac{1}{4} - 4\frac{1}{4}x^2 = 50 + 2x^2,$
$\therefore 56\frac{1}{4} = 6\frac{1}{4}x^2,$
$\therefore x^2 = 9,$
$\therefore x = 3,$
$\therefore (5 - x) = 2$ and $(5 + x) = 8.$

[105] $x^2 + y^2 = (x/y + y/x)xy$. This rule was given by al-Khwārizmī—see pp. 31, 32 Ar. in F. Rosen, *The Algebra of Mohammed ben Musa* (London, 1831).

squares. Add it to 100 plus 2 squares to give 100 plus $6\frac{1}{4}$ squares as equal to $62\frac{1}{2}$ things. Convert it to 1 square. It is already known that 1 square of $6\frac{1}{4}$ squares is $\frac{4}{5}$ of $\frac{1}{5}$. Take $\frac{4}{5}$ of $\frac{1}{5}$ the previous to get a square plus 16 equal to 10 things. Half of the things is 5; you multiply it by itself to get 25. Subtract 16 from it and 9 remains. Take its root, or 3, and subtract it from $\frac{1}{2}$ the roots, 5, and 2 remains as the one part. The other is 8.

If it is desired to divide 10 into two parts as I have explained and not as is customarily performed by calculators, the procedure is similar to halving the roots. Make the one part, 5 plus a thing and the other as 5 minus a thing. Multiply each by itself and then add them together to equal 50 plus 2 squares. Multiply one part by the other to get 25 less a square. Multiply by $4\frac{1}{4}$ to get $106\frac{1}{4}$ less $4\frac{1}{4}$ squares equal to 50 and 2 squares. Complete with the $4\frac{1}{4}$ squares by adding it to the 2 squares plus 50. Subtract 50 on the opposite side of the 50; there remains $56\frac{1}{4}$ equal to $6\frac{1}{4}$ squares. The square is equal to 9. The thing is its root; it is 3. Subtract it from 5 and add it to 5 since one part was taken as 5 minus a thing, and the other as 5 plus a thing. The one part is 8 and the other is 2.

For every number which one divides by another, then, the quotient is equal to the square of the dividend [i.e. the result of the dividend multiplied by itself] divided by the product of the dividend and divisor.[106] An example of this is the number A divided by the number *B* to give the quotient *G*.[107] We multiply *A* by itself; it is *Ḥ*; multiply *A* by *B* to give *D*.

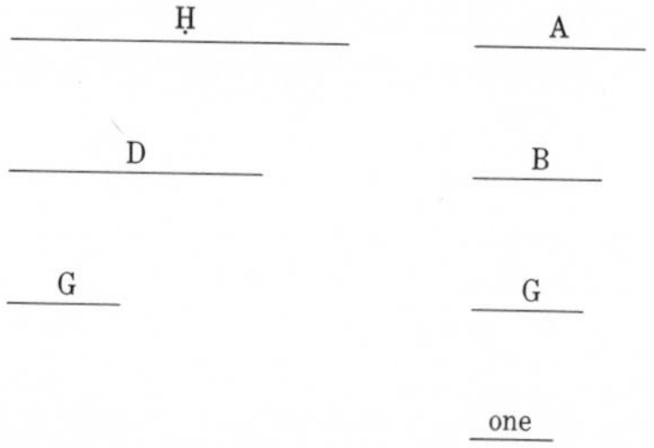

[Fig. 31]

It is said that when *Ḥ* is divided by *D* it equals *G*. The proof of this is that *A* divided by *B* is *G*. *B* is counted as many times in *A* as there are *G*'s. The unit is counted in *G* as there are units in *G*. Thus, *B* counted

[106] $x/y = x^2/xy$.
[107] $A/B = G$, $A^2 = \underset{.}{H}$, $A \cdot B = D$,
$\therefore \underset{.}{H}/D = G$.

דבר פחות ארבעה אלגוש ורביע] ישוו מאה אדרהמיש ושני אלגוש ותכלול הס″ב דברי' וחצי עם הארבעה אלגוש ורביע ותוסיפם על המאה אדרהמיש ושני אלגוש ויהיה מאה אדרהמיש וששה אלגוש ורביע ישוו (כ″ב) [ס″ב] דברים וחצי והשיבם אל אלגוש אחד וכבר ידעת (הי) [כי] האלגוש משׁשה [folio 115a] ורביע אלגוש הוא ארבעה (חמשים) [חומשים] מחומש (ותקח מכל אשר תחזיק ארבעה חומשים מחומש) ותקח מכל אשר תחזיק ארבעה חומשים מחומש ויהיה אלגוש וששה עשר אדרהמיש ישוה עשרה דברי'* (ומצית) [ומחצית] הדברים יהיה חמשה ותכם על עצמם ויהיה כ″ה ותגרע מהם הי″ו וישאר תשעה ותקח שורשו והוא שלשה תגרעם ממחצית השרשים שהוא חמשה וישאר שנים והוא החלק האחד והאחר שמנה.

ואם תרצה חלק העשרה לשני חלקים שהראיתיך אשר לא ינהגו החשבנים לחלוק בם העשרה (ויתאמר) [ויתקצר] לך המעשה ולך בחצאת השרשים והוא שנשים החלק [האחד] חמשה ודבר והאחר חמשה פחות דבר ותכה כל אחד מהם על עצמו ותחברם יחד ויהיה חמשים אדרהמיש ושני אלגוש ותכה חלק האחד על האחר ויהיה כ″ה אדרהמיש פחות אלגוש ותכה על ארבע' ורביע ויהיה מאה ושש ורביע פחות ארבעה אלגוש ורביע אלגוש ישוו חמישים אדרהמיש ושני אלגוש ותכללם עם הארבע אלגוש ורביע ותוסיפם על השני אלגוש וחמשי' ותגרע חמשי' כנגד חמישי' וישאר חמשי' ושש ורביע ישוו ששה אלגוש ורביע והאלגוש ישווה תשעה (תשעה) והדבר הוא שורשו והוא שלשה ותגרעם מהחמשה ותוסיפם על החמשה בעבור שהנחנו החלק האחד חמשה פחות דבר והאחר חמשה ודבר ויהיה החלק (והאחר) [האחד] שמנה והאחר שנים.

כל מספר שיחלק האחד על האחר הנה המגיע אל החלק יהיה שוה לאש' יגיע אל החלק בחלקך [העולה מהכאת המספר על עצמו על] העולה מהכאת המספר הנחלק על המחלק. משל זה שמספר א' נחלק למספר ב' והגיע לחלק מספר ג' והכינו [א'] על עצמו ויהיה ח' והכינו א' על ב' ויהיה ד' ונאמד שכאשר נחלק ח' על ד' יגיע ג' ומופת זה שא' נחלק על ב' ונהיה ג' הנה ב' ימנה א' בשעור המ שבג' מן (האחרים) [האחדים] [folio 115b] (והאחר) [והאחד] ימנה ג' בשעור מה שבג' מן (האחרים) [האחדים] ולכן† יהיה האחר [האחד] ימנה [*Fig. 31*] ב'

* A marginal gloss reads 'זכו' כי זה הוא המכוון אשר יזכור תמיד בלעז <u>קופרונטאמי'</u> בו יבי' במה ישוה הדבר.'

† A marginal gloss reads 'מי″ח מז' לאקלי'; cf. Euclid VII, 17.

in A possesses as many units as in G. A multiplied by itself is $Ḥ$; its product with B is D. Thus, D is in $Ḥ$ as B is in A and the measure of B in A is equal to that of the units in G. D into $Ḥ$ is as the units in G. One reckons G as the measure of units in G. This is explained in that when $Ḥ$ is divided by D, it comes to G. This is what it was desired to show.

For every two numbers, one divided by the other one,[108] the [added] quotients are equal to the sum of the numbers multiplied each by itself divided by the result of the product of one number by the other.[109] An example of this is that the number A divided by number B comes to D; number B divided by number A comes to Z; A multiplied by itself is G; B by itself is $Ḥ$; A times B is E.

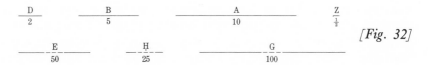

[Fig. 32]

It is said that G and $Ḥ$ when divided by E, each of them, it comes to Z and D. The proof of this is A divided by B is $[D]$ and G divided by E is

---

[108] Arabic text (fols. 26b–27a). "For every two numbers, one divided by the other, the quotient is equal to the sum of the squares of these numbers divided by the product of one number by the other. An example of this is that the number A divided by number B comes out to DH. DB [should be B] is divided by A to get HR. A squared is $Ḥ$. B squared is J. The product of A by B is E. The proof is that $Ḥ$ and J, when each is divided by E, then it comes out to DZ [in an earlier figure, but equivalent to DR here]. The explanation of this is that A divided by B comes to DH; the square of A is $Ḥ$; the product of A by B is E. When $Ḥ$ is divided by E, it gives DH .... Also B divided by A is HD [should be HR]. B squared is J. The product of $[B]$ by A is E. J divided by E is HR. ... We divide J and H by E to give DR ...."

Much of the above explanation is redundant. That which follows is simpler and resembles the Hebrew version. The copyist of the Arabic manuscript is obviously at fault.

[109] $x/y + y/x = (x^2 + y^2)/xy$.

בשעור מה שמנה ג׳א׳ וא׳ הוכה על עצמו יהיה ח׳ והוכה על ב׳ יהיה ד׳ ולכן* יהיה ד׳ בח׳ כמו ב׳ בא׳ ושעור ב׳ בא׳ היה כמו שיעור האחד בג׳ ושיעור ד׳ בח׳ (בשעור האחר) [כשעור האחד] בג׳ והאחר [והאחד] ימנה ג׳ בשעור מה שבג׳ מן האחדים ותבאר בזה שכאשר נחלק ח׳ על ד׳ עלה ג׳ והוא משל. כל שני מספרים שיחלק כל אחד מהם על האחר הנה המגיע לחלק יהיה שוה לאשר יגיע לחלק בהחלק העולה מהכאת כל אחד מהמספרי׳ על עצמו על העולה מהכאת אחד המספרי׳ על האחר.

משל זה שמספר א׳ נחלק על מספר ב׳ ועלה ד׳ ומספר ב׳ נחלק על מספר א׳ ועלה ז׳ והוכה א׳ על עצמו ועלה ג׳ והוכה ב׳ על עצמו ועלה ח׳ והוכה א׳ על ב׳ ועלה ע׳. ונאמר [שג׳] (שמ׳) וח׳ כאשר נחלק כל אחד מהם על ע׳ ועלה (ר׳ד׳) [ז׳ וד׳]. מופת זה שא׳ נחלק על ב׳ ועלה (ע׳) [ד׳] וכאשר נחלק ג׳ על ע׳ יעלה ד׳ כמו שנתבאר בתמונה שלפניה, וב׳ נחלק על א׳ (ועל) [ועלה] ז׳ וב׳ הוכה על עצמו ועלה ח׳ וב׳ הוכה על א׳ והיה ע׳ וכאשר [*Fig. 32*] נחלק ח׳ על ע׳ יגיע ז׳ כמו שביארנו. והוא מבואר שכאשר נחלק ח׳ וג׳ על ע׳ יעלו

* A marginal gloss has ׳לאקליד ׳מז (מי״ט)(מט׳); cf. Euclid VII, 18.

D just as it was explained in the previous figure. B divided by A is Z. B multiplied by itself is H. B multiplied by A is E. Divide H by E; it is Z as it has been explained. The explanation is that when H and G are divided by E, it comes to [D and Z]. When we multiply [Z and D] by E, it comes to H and G. Thus the explanation that for every two numbers, the sum of each divided by the other: it is that the sum of the products of each one multiplied by itself equals the product of the two numbers multiplied by the sum of the quotients of the numbers, every one of them. This is what it was desired to show.

For every two numbers, where every one of them is divided by the other, then the product of one fraction by the other is always 1.[110] An example of this is that number A is divided by number B to get G. Divide number B by number A to get D.[111]

[Fig. 33]

It is said that the product of G by D is 1. The proof of this is that when A is divided by B to get G, it is that B is counted into A, G units. Also the unit is in G as much as B in A. When it is reversed, then A is to B as much as G is to the unit. Further B divided by A is D and so A is to B as the unit is to D. However, A is to B as G is to the unit and so the unit is related to D as G is related to the unit. The product of G by D equals the product of the unit by itself; it is 1. This is what it was desired to show. And if it is desired, the calculation may be carried out as related in a later procedure.

To return to the problem, it is when one is told to divide 10 into two parts and then every one of the two parts is divided by the other; it comes to $4\frac{1}{4}$.[112] Let one part be a thing, and the other is 10 minus a thing. Divide 10 minus a thing [by a thing] and you multiply $4\frac{1}{4}$ by a thing to get $4\frac{1}{4}$ things. Subtract 10 minus a thing from it; there remains $5\frac{1}{4}$ things less 10. Multiply the thing by itself to get a square. Divide

[110] $\frac{x}{y} \cdot \frac{y}{x} = 1.$

[111] $A/B = G,\ B/A = D,$
$\therefore\ G \cdot D = 1.$

[112] $(10 - x)/x + x/(10 - x) = 4\frac{1}{4},$
$\therefore\ (10 - x) + x^2/(10 - x) = 4\frac{1}{4}x,$
$\therefore\ x^2/(10 - x) = 5\frac{1}{4}x - 10,$
$\therefore\ 62\frac{1}{2}x - 5\frac{1}{4}x^2 - 100 = x^2,$
$\therefore\ 6\frac{1}{4}x^2 + 100 = 62\frac{1}{2}x,$
$\therefore\ x = 2,$
$\therefore\ (10 - x) = 8.$

(בד) [ד' וז'] וכאשר נכה (ב' וד') [ז' וד'] על ע' יעלו ח' וג' וכבר הוא מבואר שכל שני מספרים שיחלק כל אחד מהם על האחר הנה הכאת כל אחד על עצמו מחוברים יהיה כמו הכאת אחד המספרים על האחר ועל העולה לחלק מחלוקת כל אחד מהם על האחר* והוא משל. כל שני מספרים שיחלוק כל אחד מהם על האחר [folio 116a] יהיה הכאת מה שהגיע לחלק האחד על האחר אדרהם אחד לעולם. משל זה שחלקנו מספר א' על מספר ב' והגיע ג' וחלקנו מספר ב' על מספר א' ועלה ד'. ונאמר שהכאת ג' על ד' אדרהם אחד. המופת שא' נחלק על ב' ועלה ג' הנה שב' ימנה א' בשיעור מה שבג' מן האחדים ושיעור (האחר) [האחד] (על) [אל] ג' כשיעור ב' אל א' וכאשר הפכנו יהיה שיעור א' אל ב' כשיעור (האחר) ג' אל (מ') [האחד] אל ד' וכבר יהיה יחס א' אל [*Fig. 33*] ב' כיחס ג' אל אחד ולכן יחס (האחר) [האחד] אל ד' כיחס ג' אל האחד. והכאת ג' על ד' כמו הכאת האחד על עצמו והוא אחד ומשל.

ואם תרצה תכוין חשבונך האמור במעשה אחר (בזה) [כזה]. ונשוב אל השאלה והיא כאשר אמרו לך עשרה חלקנום לשני חלקים וחלקנו כל אחד מהשני חלקים על האחר ועלה ארבעה ורביעי תשים החלק האחד דבר והאחר עשרה פחות דבר ותחלק עשרה פחות דבר (על דבר) ותכה הארבעה ורביע על דבר ויהיה ארבעה דברים ורביע תגרע מהם עשרה פחות דבר (דבר) וישאר חמשה ורביע [דבר] פחות עשרה אדרהמיש ותכה דבר על עצמו ויהיה אלגוש ותחלק אותו על עשרה אדרהמיש פחות דבר (ויעלה) [וישוה] חמשה דברים ורביע פחות עשרה אדרהמיש וכבר ביארנו שכאשר נכה העולה (על) לחלק על המחלק שישוב השיעור הנחלק ונכה חמשה דברים ורביע פחות עשרה אדרהמיש על עשרה אדרהמיש פחות דבר ויהיה ס״ב דברים וחצי פחות חמשה אלגוש ורביע ופחות מאה אדרהמיש ישוו אלגוש. ותכווניהו[†] עמו ויהיה ששה אלגוש ורביע

* $(a/b + b/a)\, ab = a^2 + b^2$.

[†] A marginal gloss reads איקונפרונטלו.

---

or let $(10 - x)/x = 1$ dinar $= D$, say, $x/(10 - x) = 4\frac{1}{4} - D$,

$\therefore D \cdot x = 10 - x$ and $42\frac{1}{2} - 4\frac{1}{4}x - 10 \cdot D + x \cdot D = x$,

$\therefore 10 \cdot D = 52\frac{1}{2} - 6\frac{1}{4}x$,

$\therefore D = 5\frac{1}{4} - \frac{5}{8}x$,

$\therefore (10 - x)/x = 5\frac{1}{4} - \frac{5}{8}x$,

$\therefore 5\frac{1}{4}x - \frac{5}{8}x^2 = 10 - x$,

$\therefore 6\frac{1}{4}x = \frac{5}{8}x^2 + 10$,

$\therefore x^2 + 16x = 10$,

$$\therefore x = 5 - \sqrt{5^2 - 16} = 2$$

$\therefore (10 - x) = 8$.

it by 10 minus a thing; it is equal to $5\frac{1}{4}$ things minus 10. It has been explained that when the result is multiplied by the divisor the dividend is obtained. Multiply $5\frac{1}{4}$ things less 10 by 10 minus a thing to get $62\frac{1}{2}$ things less $5\frac{1}{4}$ squares less 100—equal to a square. Complete it and it is that $6\frac{1}{4}$ squares plus 100 is equal to $62\frac{1}{2}$ things. Carry on as I have shown. The one part is 8 and the other is 2.

For this calculation, there is another method. Make one part a thing and the other is 10 minus a thing. Divide 10 minus a thing by a thing; it comes to 1 dinar. When a dinar is multiplied by a thing, it is 10 minus a thing. Divide a thing by 10 minus a thing to get $4\frac{1}{4}$ less a dinar. Multiply $4\frac{1}{4}$ less a dinar by 10 less a thing to give $42\frac{1}{2}$ minus $4\frac{1}{4}$ things minus 10 dinars plus a thing times a dinar—equals a thing. Proceed exactly as I have said to give 10 dinars equal to $52\frac{1}{2}$ minus $6\frac{1}{4}$ things. [The dinar] is equal to $5\frac{1}{4}$ less $\frac{5}{8}$ a thing. One already knows that when 10 minus a thing is divided by a thing it comes to $5\frac{1}{4}$ less $\frac{5}{8}$ a thing. You multiply $5\frac{1}{4}$ less $\frac{5}{8}$ a thing by a thing to get $5\frac{1}{4}$ things less $\frac{5}{8}$ a [square] equal to 10 less a thing. Carry it out as a reduction to get $6\frac{1}{4}$ things [equal to $\frac{5}{8}$ of a square plus 10. Bring it to a square by multiplying by $1\frac{3}{5}$] the square, the thing and the 10 [to get the square plus 16] equal to 10 things. Half of the things is 5. Multiply it by itself to get 25; subtract 16 from it to get 9. Its root is 3. Subtract it from $\frac{1}{2}$ the roots, 5, there remains 2. It is one part and the other is 8.

It has already been explained that for all two numbers, each of them divided by the other—the product of one quotient by the other is 1. The quotients in this problem are 4, and $\frac{1}{4}$. Let one of the two be a thing, and the other is $4\frac{1}{4}$ minus a thing.[113] Multiply one by the other to get $4\frac{1}{4}$ things minus a square equal to 1. Reduce it to get the thing as 4, if it is desired, or $\frac{1}{4}$, if it is desired. Return to the beginning of the problem. Say that one of the two parts was made a thing, and the other as 10 minus a thing. Divide 10 minus a thing by a thing to get 4. Multiply 4 by a thing to get 4 things equal to 10 less a thing. Complete to get a thing equal to 2 or the one part of the two; the other is [8].

[No. 9] A problem is if one says 10 is divided into two parts. Every one of them is divided by the other. Subtract one from the other to

---

[113] Abū Kāmil here uses a fifth method reminiscent of a Babylonian procedure (cf. no. 35):
$(10 - x)/x = y,\ x/(10 - x) = 4\frac{1}{4} - y,$
$\therefore\ 4\frac{1}{4}y - y^2 = 1,$
$\therefore\ y = 4$ or $\frac{1}{4},$
$\therefore\ (10 - x)/x = 4,$
$\therefore\ 4x = 10 - x,$
$\therefore\ x = 2,$
$\therefore\ (10 - x) = 8.$

ומאה אדרהמיש ישוו ס״ב דברים וחצי ותעשה כאשר הראיתיך ויהיה החלק האחד [folio 116b] שמנה והאחר שנים. ולחשבון זה אופן אחר והוא שנשים החלק האחד דבר והאחר עשרה פחות דבר וחלק עשרה פחות דבר על דבר ויעלה דינר אחד, וכאשר (יעלה) [תכה] דינר על דבר יהיה עשרה אדרהמיש פחות דבר, ותחלק דבר על עשרה פחות דבר ויעלה ארבע ורביע פחות דינר. ותכה ארבע ורביע פחות דינ׳ על עשרה פחות דבר [ויעלה] ב״ב אדרהמיש וחצי פחות (דינר על עשרה) חמשה [ארבע] דברים ורביע פחות עשרה דינרין [ודבר בדינר] ישוו דבר. ותכוין עמו כאשר (אמר כי) [אמרתי] ויהיה עשרה דינרין [והדבר] ישוו נ״ב אדרהמיש וחצי פחות חמשה דברים ורביע (והדבר עשרה דינרין ישוו דבר) ותכוונהו עמו כאשר אמרתי ויהיה עשרה דינרין ישוו נ״ב וחצי פחות ששה דברים ורביע. [והדינר] ישוו׳ חמשה ורביע פחות חמשה שמיניות דבר. וכבר ידעת שכאשר נחלק עשרה אדרהמיש פחות דבר על דבר יעלה לחלק חמשה ורביע פחות חמשה שמיניות דבר ותכה חמשה ורביע פחות חמשה שמיניות דבר על דבר ויהיה חמשה דברי׳ ורביע פחות חמשה שמיניות [אלגוש] ישווה עשרה אדרהמיש פחות דבר. ותכוונהו עמו ויהיה ששה דברים ורביע [ישוו חמשה שמיניות האלגוש ועשרה אדרהמיש. ותשלים האלגוש וזה כאשר תכה עליו אחד ושלש חמישיותיו] ותוסיף ותכה על דבר שתחזיק אחד ושלשה חמישיותיו [וכמו כן על העשרה אדרהמיש] ויהיה [אלגוש ושע׳ה] עשרה אדרהמיש ישוו עשרה דברים. ומחצית הדברים יהיה חמשה ותכם על עצמם ויהיה כ״ה תגרע מהם הי״ו וישאר ט׳ תקח שורשו והוא ג׳ תגרעו ממחצית השרשים שהוא חמש׳ וישאר שנים והוא החלק האחד והאחר שמנה. וכבר ביארנו שכל שני מספרי׳ שיחלקו כל אחד מהם על האחר שהכאת (העולת חלקים) [העולה על החלקים] האחד (באחד) [באחר] יהיה אדרהם אחד ומה שעלה לשני החלקים בזאת השאלה ארבעה אדרהמיש ורביע ותשים האחד מהשנים דבר והאחר ארבעה ורביע פחות דבר ותכה אחד מהם באחר ויהיה ארבעה דברי׳ ורביע פחות אלגוש ישוה אדרהמיש אחד ותכוונהו עמו ויהיה הדבר אם תרצה ארבעה או אם [folio 117a] תרצה רביע* ותשוב לבתחלת (הששה) [השאלה]. ותאמר נשים החלק האחד מהשני חלקי׳ דבר והאחר עשרה פחות דבר ותחלק עשרה פחות דבר על דבר ויעלה ארבעה ותכה ארבעה על דבר ויהיה ארבעה דברים ישוו עשרה אדרהמיש פחות דבר ותכוונהו עמו ויהיה הדבר (שמונה) [שנים] והוא החלק האחד מהשנים והאחר (שנים) [שמונה].

[No. 9] שאלה ואם יאמרו לך עשרה חלקנים לשני חלקים וחלקנו כל אחד מהם על (האחד) [האחר] וגרענו האחד מן האחר ונשאר חמשה ששיות מהאדרהם.

$* \frac{17}{4}x - x^2 = 1; x = \frac{17}{8} \pm \frac{15}{8}.$

get $\frac{5}{6}$.[114] The procedure for this is that one part is a thing, and the other is 10 less a thing. Multiply a thing by itself to get a square. Multiply 10 minus a thing by itself to get 100 plus a square less 20 things. Subtract one from the other to get 100 less 20 things. Multiply one part by the other, a thing times 10 minus a thing to get 10 [things] less a square. Multiply by what remains of the two fractions after subtraction of one from another i.e. $\frac{5}{6}$ to get $8\frac{1}{3}$ things minus $\frac{5}{6}$ a square equal to 100 minus 20 roots. Add 20 to the roots and to the $8\frac{1}{3}$ things minus $\frac{5}{6}$ a square to get $28\frac{1}{3}$ things less $\frac{5}{6}$ a square is equal to 100. Complete on the 100 to get 100 plus $\frac{5}{6}$ a square equal to $28\frac{1}{3}$ things. Complete the $\frac{5}{6}$ a square until it is a complete 1; add their $\frac{1}{5}$ also to everything to get a square plus 120 equals 34 things. Take $\frac{1}{2}$ the roots to get 17 and multiply it by itself and subtract 120 from the result to get 169; take its root; it is 13. Subtract it from $\frac{1}{2}$ the things, 17; there remains 4 as one part of the two. The other is 6. The method in this problem is similar to that of the foregoing; the difference between them is that in the first problem it is necessary to know the sum of the quotients of the two numbers [when they are divided each one by the other] and when the sum of each of the numbers multiplied by itself [equals the product of one by the other] and by the sum of the two quotients when each is divided by the other. This method has already been explained. In this problem, it is necessary to know the relationship for two numbers, each of them divided by the other, so that the difference of the two when each is multiplied by itself is equal to the product of one number multiplied by the other and by a difference between the values when each is divided by the other.[115] This problem is aided by the first since one is similar to the other. The three methods used in the first problem are also used in this problem.

[No. 10] A problem is if one says that 50 was divided among a certain number of men. Increase the number of men by 3 and divide 50 among all of them. For every one of the last ones, it comes out to less than what would come out for each of the first ones by $3\frac{3}{4}$. The method here is that you multiply the first number of men by the difference between what comes out for the former and the latter. Then [divide] the result of this product by the excess of the latter over the former men and then

---

[114] $(10 - x)/x - x/(10 - x) = 5/6,$

$$\therefore \quad \frac{100 + x^2 - 20x - x^2}{10x - x^2} = 5/6,$$

$\therefore \ 8\frac{1}{3}x - \frac{5}{6}x^2 = 100 - 20x,$

$\therefore \ 28\frac{1}{3}x - \frac{5}{6}x^2 = 100,$

והמעשה בזה שנשים החלק האחד דבר והאחר עשרה פחות דבר ותכה דבר על עצמו ויהיה אלגוש ותכה עשרה פחות דבר על עצמו ויהיה מאה אדרהמיש ואלגוש פחות עשרים דברים ותגרע (האחר) [האחד] מן האחר וישאר מאה אדרהמיש פחות עשרים דברי' ותכה (אל) חלק האחד על האחר והוא דבר על עשרה פחות דבר ויהיה עשרה [דברים] פחות אלגוש ותכה על מה שנשאר מהשנים חלקים אחר שגרענו חלק האחד מן האחר ויהיה חמשה ששיות אדרהם ויהיה שמנה דברי' ושליש פחות חמש' ששיות מאלגוש (דברים) ישוו מאה אדרהמיש פחות עשרים שרשים ותאסוף [העשרים] (המאה) אדרהמיש עם השרשים ותוספם על שמנה דברי' ושליש פחות חמשה שישיות מאלגוש ויהיה עשרים ושמנה דברי' ושליש פחות חמשה שישיות מאלגוש ישוו מאה אדרהמיש. ותאסוף הדברים עם חמשה שישיות מאלגו' ותוסיפם על המאה אדרהמיש ויהיה מאה אדרהמיש וחמשה שישיות מאלגוש ישוו עשרים ושמנה דברי' ושלי'. ותשלים החמשה שישיות מאלגוש עד שיהיה אלגוש שלם והוא שתוסיף עליהם חמישיתם ותוסיף על כל כל דבר שתחזיק כמו חמישיתו ויהיה אלגוש ומאה ועשרים אדרהמיש ישוו שלשי' [folio 117b] וארבע דברים. וקח מחצית השרשים והוא שבע עשרה ותכם על עצמם ותגרע מהעולה מאה ועשרים אדרהמיש וישאר קס״ט ותקח שורשו והוא י״ג' ותגרעם ממחצית הדברי' והם שבע עשר וישארו ארבעה והם החלק (האחר) [האחד] מהשני חלקים והאחר הוא ששה. ועלת זאת השאלה דמה לעלת השאלה שלפניה. וההבדיל בין שניהם הוא כי בשאלה הראשונה הוצרך לדעת הפנה לכל שני מספרים שיחלק כל אחד מהם על האחר שהכאת (המגיע לחלקים) [המספרים] כל אחד על עצמו מקובצים יהיה כמו הכאת האחד מהם על האחר ועל מה שעלה לחלק מחלוקת כל אחד מהשני מספרי' על (האחד) [האחר] וכבר ביארתי סבת זה. ובשאלה הזאת נצטרך לדעת הסיבה לכל שני מספרי' [שיחלק כל האחד מהם על האחר] שיוכה על אחד משניהם על עצמו ונגרע (האחר) [האחד] מן האחר [ויהיה כמו הכאת האחד מהם על האחר] ועל העודף אשר יעדיף (בו) בין אשר עלה לחלק מחלוקת כל אחד מהשני מספרי' על האחר. ותוסיף עליה השאלה הראשונה ותצא עילת זאת השאלה יען שהיא דומה אליה. והשלשה אופנים מהשאלה הראשונה תעשה גם כן בזאת השאלה.

[No. 10] שאלה ואם יאמרו לך חלקנו חמישים אדרהמיש על אנשים ועלה לאחד דבר* והוספנו על האנשים עוד שלשה וחלקנו עליהם החמישים אדרהמיש

* This דבר is not x, but simply an unknown sum which he does not seek to determine now. As we shall see later, the number of the men is represented by x.

$\therefore\ 100 + \frac{5}{6}x^2 = 28\frac{1}{3}x,$

$\therefore\ x^2 + 120 = 34x,$

$\therefore\ x = 17 - \sqrt{17^2 - 120} = 4,$

$\therefore\ (10 - x) = 6.$

[115] $x^2 - y^2 = xy(x/y - y/x).$

multiply the quotient by the number of latter men; what results is the share. I shall explain the rule for this method. Take the divided number, 50 as a surface *ABGD*:

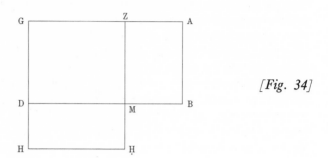

[*Fig. 34*]

The former men equals line *GD*. There comes to every one of the first men, line *AG*, since the product of *AG* by line *GD* is surface *GB*. When surface *ABGD* is divided by *GD*, which is the number of former men, there comes to every one of them, line *AG*. Add line *DH* for the 3 men which were added to the former men denoted by line *GD*; it will be line *GH*, equal to the latter men. You make *GZHḤ* equal to 50 and divide it by line *GH*, the number of the latter men to get line *GZ*. This is what is the share for every one of the second men. Line *AZ* is $3\frac{3}{4}$ since it is the difference between what are the shares of the former and latter men. Multiply the number of the former, line *ZM*, for it is equal to *DG*, by line *AZ* which is the excess of the share of the former over that of the latter; it is surface *BZ*. Surface [*BZ*] equals surface [*DḤ*] since surface *AD* equals surface *GḤ* equals 50. Surface *GM* is common and so there remains surface *ZB* equal to surface *DḤ*. Divide surface *DḤ* by line *DH*, or 3; its value is the difference between the former and latter men; the quotient is line *DM* which is equal to line *GZ* or what is the share for each of the former. Surface *GḤ* is 50. This is what it was desired to prove.

After this explanation, I shall explain the result in a method where the former men are taken as a thing.[116] Multiply it by the difference which

[116] $50/x - 50/(x+3) = 3\frac{3}{4}$,

$\therefore\ 50 - 50x/(x+3) = 3\frac{3}{4}x$,

$$\therefore\ \frac{50(x+3) - 50x}{3} = 1\frac{1}{4}x(x+3),$$

$\therefore\ 50 = 1\frac{1}{4}x^2 + 3\frac{3}{4}x$,

$\therefore\ x^2 + 3x = 40$,

$$\therefore\ x = \sqrt{(1\tfrac{1}{2})^2 + 40} - 1\tfrac{1}{2} = 5.$$

ועלה (כל) [לכל] אחד מהאחרוני' פחות מאשר עלה לכל אחד מהראשונים
שלשה אדרהמיש ושלשה רביעית. והמעשה בזה שתכה האנשים הראשוני' בשעור
הגרעון אשר בין מה שעלה לכל אחד מהראשונים ובין האחרוני' ומה שיעלה מן
ההכאה [תחלוק] על מה שהעדיף מן האנשי' הראשוני' לשניי' ומה שיעלה לחלק
תכה אותו על האנשי' השניים ומה שיעלה הוא המחלק.* ואשים לך עילת זה
האופן והוא שנשים המספר המחלקוהוא חמישי' [folio 118a] אדרהמיש שטח
א'ב'ג'ד' והאנשים הראשוני' קו ג'ד' ויעלה לכל אחד מהאנשים הראשוני' קו
א'ג' בעבור כי הכאת קו א'ג' בקו ג'ד' הוא שטח ג'ב'. וכאשר חלקנו שטח
א'ב'ג'ד' על ג'ד' שהוא האנשים הראשוני' עלה לכל אחד מהם קו א'ג' ותוסיף
על האנשים הראשוני' והוא קו ג'ד' שלשה אנשים והוא קו ד'ה' ויהיה קו ג'ה'
האנשים (הראשוני') [האחרונים] ותשים ג'ז'ה'ח' חמשים ותחלקיהו על קו ג'ה'
שהוא האנשים (הראשוני') [האחרונים] ויעלה (על) קו ג'ז' והוא מה שיעלה לכל
אחד מהאנשים השניים. וקו א'ז' יהיה שלשה ושלשה רביעי' בעבור כי הוא השיעור
אשר בין מה שעלה לאחד מהראשונים ובין מה שעלה לאחד מהשניים ותכה
האנשי' הראשוני' והם קו ז'מ', כי הוא כמו ד'ג', על קו א'ז' שהוא היתרון בין
מה שעלה לכל אחד מהראשוני' ובין כל אחד מהשניי' ויהיה שטח ב'ז' ושטח
(ב'ו') [ב'ז'] כמו שטח (ד'ז') [ד'ח'] בעבור כי שטח א'ד' הוא כמו שטח ג'ח'
כי כל אחד משניהם חמישים ושטח ג'מ' משותף וישאר שטח ז'ב' כמו שטח ד'ח'
וחלק שטח ד'ח' על קו ד'ה' שהוא שלשה ושיעורו הוא ההבדל אשר בין האנשים
הראשונים ושניי' ויעלה לחלק קו ד'מ' והוא כמו קו ג'ז' והוא מה שעלה לכל
אחד (מהראשונים) [מהאחרונים] ויהיה שטח ג'ח' והוא חמישים [Fig. 34] ומשל.
ואחר שזה מבואר ותבאר העולה באופן זה שאנחנו נשים האנשים הראשו' דבר
ותכיהו על הגרעון שהוא שלש ושלשה רביעיות ויעלה שלשה דברים ושלשה רביעים

---

* Rule given earlier.

In general terms:
$a/x - a/(x + b) = c$,
$\therefore a = (c/b) (x^2 + bx)$.

Al-Khwārizmī mechanically followed this general formula, and so he divided through by b in his problem no. 34 (pp. 45, 46 Arabic, Rosen). In his case, it is superfluous since $a = 1$ and $b = 1$. Thus, al-Khwārizmī no. 43 is fully interpreted and emended by abū Kāmil no. 10. The rule given by abū Kāmil, fol. 118a, is the same as that given by al-Khwārizmī, with a slight difference (p. 45, lines 13–17). In al-Khwārizmi, the procedure is:

$$a - \frac{ax}{(x + b)} = cx,$$

$$\therefore \frac{1}{b} \left(a - \frac{ax}{(x + b)} \right) = \frac{cx}{b},$$

$$\therefore a = \frac{cx(x + b)}{b}.$$

Both authors emphasize that the original number to be divided is a.

is $3\frac{3}{4}$ to get $3\frac{3}{4}$ things. Divide it by 3 which is the difference between the former and latter men; it comes to $1\frac{1}{4}$ things. Multiply it by the latter men which is a thing plus 3 to get $1\frac{1}{4}$ squares plus $3\frac{3}{4}$ things—equal to 50. Return everything to 1 square to get a square plus 3 things equal to 40. Take $\frac{1}{2}$ the things, or $1\frac{1}{2}$, and multiply it by itself and add the result to 40 to get $42\frac{1}{4}$. Take its root to get $6\frac{1}{2}$ and subtract $1\frac{1}{2}$, which is [$\frac{1}{2}$] the things, from it; there remains the number of the former men, 5.

[No. 11] One says that 10 be divided among men so that every one receives something. Add 4 men and divide 30 among them. For every one of them, the share is 4 less than what came to the former. The procedure here is that the former men be multiplied by the difference between the first and the last quotients. Add the difference between the first and second numbers to be divided to the result of the multiplication. Divide the sum by the difference between the former and latter men and multiply the result by the latter men. It equals the larger number which was divided, or 30. I shall make a figure for this method. Make the smaller number divided, or 10, as surface *ABGD* :

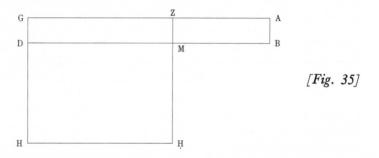

[Fig. 35]

The former men are line *GD*. *AG* is what each of the former men receives. Add to the former men, line *GD*, four men as line *DH* to give line *GH*, the latter men. Make surface *GHZḤ*, 30. Divide it by line *GH* to get line *GZ*. This is what each of the latter receives. Line *AZ* remains as 4 since it is the difference between what each of the former and latter receives. Multiply the former, line *ZM*, equal to line *GD*, by line *ZA* to get surface *ZB*. Add to surface *ZB* the difference between 30 and 10, or 20, to get surface *DḤ* which is 20 more than *ZB*. It is more than the two divided numbers since surface *AD* is 10 and surface *GḤ* is 30. Surface *GḤ* is greater than surface [*DA*] by 20. Subtract the common surface, *GM*; *DḤ* remains as 20 more than surface *ZB*. Divide surface *DḤ* by line *DH* which is 4 to get line *DM* which is equal to line [*GZ*] and equal to the share of one of the latter. Multiply line *GZ* by line *GH* to get surface *GḤ* or 30. This is what it was desired to show.

ותחלקם על שלשה שהוא שיעור ההבדל אשר בין האנשים הראשונים [folio 118b] לשניים ועלה לחלק דבר ורביע ותכם על האנשים השניי' שהם דבר (ושליש) [ושלוש] ויהיה אלגוש ורביע ושלשה דברים ושלש רביעיות דבר ישוו חמישים אדרהמיש. ותשיב כל דבר שתחזיק אל אלגוש אחד ויהיה אלגוש ושלש דברי' ישוו ארבעים אדרהמיש וקח מחצית הדברים והוא אחד וחצי ותכם על עצמם ותוסיף העולה על הארבעים ויהיה מ״ב ורביע וקח שרשו והוא ששה וחצי וגרע מהם [מחצית] הדברים שהוא אחד וחצי וישאר חמשה והם האנשים הראשוני'.

[No. 11] ואם יאמרו לך חלקנו עשרה אדרהמיש על האנשים ועלה לכל אחד מהם דבר והוספנו עליהם ארבע אנשים וחלקנו על כלם שלשים אדרהמיש ועלה לכל אחד מהם פחות מאשר עלה לראשוני' ארבעה אדרהמיש. והמעשה בזה* שתכה האנשים הראשונים על הגרעון אשר בין הראשון והאחרון† ותוסיף על העולה מההכאה שעור ההבדל אשר בין המספר הנחלק ראשונה ובין השנייה‡ ומה שיתקבץ חלק על ההבדל אשר בין האנשי' הראשוני' והשניי' והעולה תכה על האנשים השניים ומה שיעלה הוא כמספר הגדול שנחלק והוא בזאת השאלה שלשים. ואשים לך [תמונה] על זה האופן והוא שנשים המספר הקטן הנחלק שהוא עשרה שטח א'ב'ג'ד' והאנשים הראשוני' קו ג'ד' ומה שעלה לאחד מן הראשוני' קו א'ג' והוספנו על הראשונים שהוא קו ג'ד' ארבעה אנשים והוא קו ד'ה' ויהיה קו ג'ה' האנשי' השניי' ונשים שטח ג'ה'ז'ח' שלשים אדרהמיש ותחלקיהו על קו ג'ה' ויעלה קו ג'ז' והוא מה שיעלה לאחד מהשניי' וישאר קו א'ז' ארבע בעבור כי הוא שיעור ההבדל אשר בין מה שעלה לאחדמן הראשוני' ובין אחד מהשניים ותכה האנשי' הראשונים [folio 119a] והם קו (ז'א') [ז'מ'] השוה לקו ג'ד' על קו ז'א' ויהיה שטח ז'ב' [*Fig. 35*] ותוסיף על שטח ז'ב' שיעור ההבדל אשר בין (השלישית) [השלושים] והעשרה והוא עשרים ויהיה שטח ד'ח' יותר משטח ז'ב' בעשרים והוא יתרון השני המספרים הנחלקים בעבור כי שטח א'ד' [עשרה] ושטח ג'ח' (שלישית) [שלושים] ויהיה שטח ג'ח' יותר משטח (מ'א') [ד'א'] בעשרים ותגרע לשטח ג'מ' המשותף וישאר שטח ד'ח' יותר גדול משטח ז'ב' בעשרים ותחלק שטח ד'ח' על קו ד'ה' שהוא ארבעה ויעלה לחלק קו ד'מ' והוא כמו קו (גו) [ג'ז'] והוא כמו מה שיעלה לאחד מהשנים ותכה קו ג'ז' על קו ג'ה' ויהיה שטח ג'ח' והוא (שלישית) [שלשים] אדרהמיש ומשל.

* $\frac{a}{x} - \frac{A}{x+b} = c;\ a(x+b) - A(x+b) + Ab = cx(x+b);\ A = \frac{cx + A - a}{b}(x+b).$

† cx.

‡ The positive or absolute differences $A-a$, b.

The rule has been explained for this method. Now, the former men are taken equal to a thing and multiplied by 4—which is the decrease of the second portion from the first—to get 4 things.[117] Add 20 to it and divide by the difference between the former and latter men, or 4; it comes to a thing plus 5. Multiply it by the latter men, or a thing plus 4 to give a square plus 9 things plus 20; it is the larger number divided, or 30. Subtract the 20 from the 30; a square plus 9 things remain. It is equal to 10. Take $\frac{1}{2}$ the things; it is $4\frac{1}{2}$. Multiply by itself to get $20\frac{1}{4}$. Add 10 to it to give $30\frac{1}{4}$. Take its root to give $5\frac{1}{2}$. Subtract $\frac{1}{2}$ the roots from it, or $4\frac{1}{2}$, to give 1, the number of the former.

[No. 12] If one says that 10 be divided among men, every portion is a thing. Increase them by 4 men and divide 60 among them. Then each one receives 5 more than each of the former would have. The procedure is that the latter men be multiplied by the difference between the first and second portions; add to this result the smaller divided number. Subtract the sum from the larger number divided. Divide the remainder by the excess over the former to get the smaller number divided. I shall make the rule for this method by making the smaller number divided, 10, as surface *ABGD*:

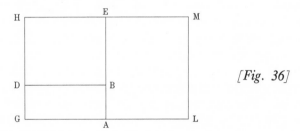

[Fig. 36]

Line *GD* is the former men. Add 4 men, line *DH*, to the former to give line *GH*, the latter men. Draw surface *GHML* as 60 and divide it by line *GH*, the latter men; it comes to line *GL* or the portion of the latter men. Line *AL* is 5 since it is the difference between the first and second portions. Multiply the latter men, line *AE* equal to line *GH*, by line *AL* which is the difference; it gives surface [*AM*]. Add surface *GB*, the smaller number divided, to it, or 10. Subtract the sum from *GM* which is the larger number divided to give 60. Surface *DE* remains. Divide it by line

[117] $10/x - 30/(x + 4) = 4$,
∴ $10 - 30x/(x + 4) = 4x$,
∴ $30 - 30x/(x + 4) = 4x + 20$,
∴ $\frac{1}{4}[30(x + 4) - 30x] = (x + 5)(x + 4)$,
∴ $x^2 + 9x + 20 = 30$,

ואחר שביארנו עילת זה האופן נשים האנשים הראשונים דבר ותכה על ארבעה אדרהמיש שהוא מה שיגרע חלק השניים מחלק הראשוני' ויהיה ארבעה דברים ותוסיף עליהם עשרים אדרהמיש ותחלקם על יתרון ההבדל אשר בין האנשים הראשוני' לשניים והוא ארבעה ויגיע לחלק דבר וחמשה ותכם על האנשים השניים והם דבר וארבעה ויהיה אלגוש ותשעה דברים ועשרים יהיה המספר הגדול הנחלק והוא (שלישית) [שלושים] ותגרע העשרים מהשלשים וישאר אלגוש ותשעה דברי' ישוו עשרה וקח מחצית הדברים ויהיו ארבעה וחצי ותכה על עצמם ויהיה עשרים ורביע תוסיף עליהם העשרה אדרהמיש ויהיו שלשים ורביע תקח שורשו והוא חמשה וחצי תגרע מהם מחצית השרשים והוא ארבעה וחצי וישאר אחד והוא היה האנשים הראשונים.

[No. 12] ואם יאמרו לך חלקנו עשרה אדרהמיש על אנשים ועלה לכל אחד דבר והוספנו עליהם ארבעה [folio 119b] אנשים וחלקנו עליהם ששים אדרהמיש ועלה לאחד יותר ממה שעלה לאחד מהראשונים חמשה אדרהמיש. המעשה בזה שתכה האנשים השניים על ההבדל אשר בין חלק האחר [האחד] מן השניים אל חלק אחד מהראשונים ותוסיף על העולה המספר הנחלק הקטן והמקובץ תגרע מהמספר הנחלק הגדול ומה שישאר תחלקיהו על יתרון האנשים (השניים על הראשונים ותכה זה על האנשים)* הראשוני' והמגיע הוא המספר הנחלק הקטן. ואשים עילת זה האופן והוא שאשים המספר הנחלק הקטן שהוא עשרה שטח א'ב'ג'ד' והאנשים הראשוני' קו ג'ד' והוספנו על האנשים הראשוני' ארבעה אנשי' והם קו ד'ה' ויהיה [Fig. 36] (ויהיה) קו ג'ה' האנשים השניים. ונניח (שנים) [שטח] ג'ה'מ'ל' ששים ותחלקם על קו ג'ה' שהוא האנשים השניי' ויעלה קו ג'ל' והוא מה שיעלה לחלק לאנשים האחרוני' ויהיה קו א'ל' חמשה בעבור כי הוא יתרון החלק (מאחר) [מאחד] מהשניי' על חלק מאחד מהראשוני' ותכה האנשים השניים והם קו א'ע' השוה לקו ג'ה' על קו א'ל' שהוא העודף ויהיה שטח (א'ח') [א'מ'] ותוסיף עליו שטח ג'ב' שהוא המספר הנחלק הקטן שהוא עשרה ומה שתקבץ תגרעהו משטח ג'מ' שהוא השטח הנחלק הגדול והוא ששים וישאר שטח ד'ע'

* Omitted because of homoioteleuton.

$\therefore x^2 + 9x = 10,$

$\therefore x = \sqrt{(4\frac{1}{2})^2 + 10} - 4\frac{1}{2} = 1.$

In general terms:
$a/x - A(x + b) = c.$

DH which is 4, or the difference between the latter and former men; it gives line *DB*, equal to line *AG*. This is the portion to each of the former. Multiply it by line *GD*, the former men, to give surface *GB*, 10. This is what it was desired to show.

We have explained the rule for this method. We set the latter men equal to a thing plus 4.[118] Multiply it by the difference between the second and first portions, 5, to get 5 things plus 20. Add to it the smaller number divided, 10; the sum is 5 things plus 30. Subtract it from the larger number divided, 60, to get 30 less 5 things. Divide it by the excess of the latter over the former men, 4, to give $7[\frac{1}{2}]$ minus $1\frac{1}{4}$ things. Multiply it by the former men, a thing, to give $7\frac{1}{2}$ things less $1\frac{1}{4}$ squares equal to the smaller number divided, 10. Return it to a square; it is 6 things minus a square equal to 8. Complete the things with the square and add it to 8 to give a square plus 8 equal to 6 things. Take $\frac{1}{2}$ the things, or 3, and multiply it by itself to give 9. Subtract 8 from it to give 1. Take its root; it is 1. Subtract it from $\frac{1}{2}$ the roots, or 3, to get 2, the number of the former men. If it is desired, add 1 to $\frac{1}{2}$ the roots and it is 4 to give the latter men.

[No. 13] If one says that 60 is divided [among men] equally.[119] Add 3 men and divide 20 among them. Then each portion is less than the first by 26. The procedure is that the former men is multiplied by the difference between the first and second portions, 26. Subtract the result from the difference of the two numbers divided, or 40. Divide the remainder by the difference of the men which is 3. Then multiply the result by the latter men; the result equals the smaller number divided.

---

[118] Abū Kāmil gives the general formula $a/x + c = A/(x + b)$, or in this case:
$10/x + 5 = 60/(x + 4)$,   (cf. no. 14: $10/x = y$, a new unknown.)
$\therefore 60/(x + 4) - 10/x = 5$,

$\therefore 60 - \dfrac{10(x + 4)}{x} = 5x + 20$,

$\therefore 60 - \dfrac{10(x + 4)}{x} + 10 = 5x + 30$

$\therefore 30 - 5x = \dfrac{10(x + 4) - 10x}{x}$,

$\therefore 7\frac{1}{2} - 1\frac{1}{4}x = 10/x$,
$\therefore 7\frac{1}{2}x - 1\frac{1}{4}x^2 = 10$,
$\therefore 6x - x^2 = 8$,
$\therefore x^2 + 8 = 6x$,

$\therefore x = 3 \pm \sqrt{3^2 - 8} = 2$ or 4.

תחלקיהו על קו ד׳ה׳ שהוא ארבעה והוא יתרון האנשים השניים על הראשונים ויעלה קו ד׳ב׳ והוא שוה לקו א׳ג׳ וזהו החלק שהגיע לאחד מהראשוני׳ ותכהו על קו ג׳ד׳ שהוא האנשים הראשוני׳ ויהיה שטח ג׳ב׳ עשרה. ומשל.

ואחר שבארנו עלת זה האופן נשים האנשים השניים דבר וארבעה תכם על השיעור אשר בין החלק מאחד מהשניי׳ לראשוני׳ והוא חמשה ויעלה חמשה דברי׳ ועשרי׳ אדרהמיש. תוסיף עליהם המספר הנחלק הקטן והוא עשרה ויקובץ חמשה דברי׳ ושלשים אדרהמיש ותגרעם מהמספר הנחלק הגדרל והוא ששים אדרהמיש וישאר שלשי׳ אדרהמיש פחות חמשה דברים ותחלקם על יתרון האנשים השניי׳ על הראשוני׳ והוא ארבעה ויגיע לחלק שבעה [folio 120a] וחצי פחות דבר ורביע (תם) [תכם] על האנשים הראשונים והם דבר ויהיה שבעה דברים [וחצי] פחות אלגוש ורביע ישוו המספר הנחלק הקטן והוא עשר׳ והשיב על דבר שתחזיק אל אלגוש אחד ויהיה ששה דברים פחות אלגוש ישוה שמנה ותשלים הדברים עם האלגוש ותוסיפם על השמונה ויהיה אלגוש ושמנה ישוה ששה דברי׳ וקח מחצית הדברי׳ והוא שלשה ותכהו על עצמו ויהיה תשעה תגרע מהם השמנה ישאר אחד תקח שורשו והוא (אחר) [אחד] תגרעהו ממחצית השרשים שהם שלשה וישאר שנים והם האנשים הראשונים ואם תרצה תוסיף האחד על מחצית השרשים ויקובץ ארבעה (והם האנשים האחרונים).

[No. 13] ואם יאמרו לך חלקנו ששי׳ אדרהמיש [על אנשים] ועלה לאחד דבר והוספנו עליהם שלשה אנשים וחלקנו עליהם עשרים אדרהמיש ועלה לאחד פחות מאשר עלה לאחד מהראשונים עשרים וששה אדרהמיש. והמעשה בזה שנכה האנשים הראשונים בפחת החלק מהשניים כ״ו (והעולה תגרע מהעודף) [ומהעולה תגרע העודף] משני מספרים הנחלקים שהוא ארבעים והנשאר תחלק על יתרון האנשים שהוא שלשה והמגיע תכה על האנשים השניים ומה שיעלה הוא המספר הנחלק הקטן. ואשים עילת זה האופן והוא שנשים המספר הנחלק הגדול שהוא

---

[119] Arabic text (fol. 31b). "If one says that 60 dirhams are divided among men equally, then add to them 3 men, then divide 20 dirhams among them. Then, for each one, the portion is less than the first one by 26 dirhams. The method is that we multiply the former [number of] men by the difference between them [the first and second portions, 26]. Then the result is subtracted from the difference between the divided numbers. What remains is then divided by the difference between the former and latter [number of 3] men. This answer is multiplied by [the number of] latter men. Multiply this product by the [number of] latter men. What comes out is the smaller divided number."

I shall make the rule for this method. It is that the larger number divided, which is 60, is constructed as the surface *ABGD*:

[Fig. 37]

Line *GD* is the former men. The portion for each of the former is line *AG*. Add it to the former men, line *GD*, or 3 men to give line *DH*. Line *GH* will be the latter men. Make surface *GHḤZ* as 20. Divide it by line *GH*, which is the latter men, to give line *GZ*. [Subtract it from line *AG* to give] *AZ* which is 26, since it is the difference between the first and second portions. Multiply the former men, line *ZM*, by line *AZ* to give surface [*ZB*]. Subtract the difference between the two numbers divided, 40, from it; surface *DḤ* remains. One knows that surface *ZB* is greater than surface *DḤ* by 40 since surface *AD* is 60 and [surface *GḤ*] is 20 and so it is more by 40. Subtract the common surface *ZD* to get surface *ZB*, the excess over surface *DḤ* by 40. Divide it by line *DH*, 3, to get line *DM*, the equal of line *GZ*. It is the amount for each of the latter men. Multiply line *GZ* by line *GH* which is the latter men to get surface *GḤ* which is the smaller number divided, or 20.

The procedure for this method has been explained. Now, we let the former men be a thing.[120] Multiply it by the difference between the two portions, 26, to get 26 things. Subtract the difference between the two numbers divided, 40, to get 26 things minus 40. Divide it by the difference of the men, 3, to get $8\frac{2}{3}$ things minus $13\frac{1}{3}$. Multiply it by the latter men, a thing plus 3, to get $8\frac{2}{3}$ squares plus $12\frac{2}{3}$ things less 40—equal to the smaller number divided. Reduce with the 40 by adding it to the 20 to give $8\frac{2}{3}$ squares plus $12\frac{2}{3}$ things equal to 60. Return it to 1 square. One knows that 1 square is $\frac{3}{26}$ of $8\frac{2}{3}$ squares. Take $\frac{3}{26}$ of everything to give a square plus $1\frac{12}{26}$ things equal to $6\frac{24}{26}$. Half of the things is $\frac{19}{26}$ a thing. Multiply it by itself to get $\frac{13}{26}$ plus $\frac{23}{676}$. Add it to $6\frac{24}{26}$ to get $7\frac{11}{26}$

[120] $60/x - 20/(x+3) = 26$,
$\therefore\ 60 - 20x/(x+3) = 26x$,
$\therefore\ 20 - 20x/(x+3) = 26x - 40$,

$$\therefore\ \frac{20(x+3) - 20x}{3(x+3)} = 8\frac{2}{3}x - 13\frac{1}{3},$$

ששים אדרהמיש שטח א׳ב׳ג׳ד׳ והאנשים הראשוני׳ קו ג׳ד׳ ומה שעלה לאחד מן הראשונים קו א׳ג׳ והוספנו על האנשים הראשונים שהוא קו ג׳ד׳ (שלשים) [שלשה] אנשים והוא קו ד׳ה׳ ויהיה קו ג׳ה׳ האנשים השניים. ונשים שטח ג׳ה׳ח׳ז׳ עשרים וחלקם על קו ג׳ה׳ שהוא האנשים השניים ויהיה קו [גז] א׳ז׳ עשרים ושש בעבור [*Fig. 37*] כי הוא יתרון החלק האחד על האחר. ותכה האנשים הראשונים והם קו ז׳מ׳ בקו א׳ז׳ ויהיה שטח (י׳ג׳) [ז׳ב׳] תגרע ממנו יתרון שני המספרים הנחלקים שהוא ארבעים וישאר שטח ד׳ח׳ והוא ידוע כי שטח ז׳ב׳ הוא גדול משטח ד׳ח׳ בארבעים בעבור כי שטח א׳ד׳ הוא ששים ושטח ג׳ח׳ הוא עשרים והוא יעדיף בארבעים ותגרע שטח ז׳ד׳ [folio 120b] המשותף וישאר שטח ז׳ב׳ יעדיף על שטח ד׳ח׳ בארבעים תחלקיהו על קו ד׳ה׳ שהוא שלשה ויעלה קו ד׳מ׳ השוה לקו ג׳ז׳ והוא המגיע (לאחר) (לאחד) מהאנשים האחרונים ותכה קו ג׳ז׳ על קו ג׳ה׳ שהוא האנשים השניים ויהיה (ג׳ה׳) [שטח ג׳ח׳] שהוא המספר הנחלק הקטן שהוא עשרים. ואחר שביארנו עילת זה האופן נניח האנשי׳ הראשוני׳ דבר ותכה אותו על גרעון חלק אחד שני מהחלק האחד ראשון שהוא כ״ו אדרהמיש ויהיה כ״ו דברים תגרע מהם יתרון שני המספרים הנחלקים והוא ארבעים וישאר כ״ו דברים פחות ארבעים אדרהמיש ותחלקם על יתרון האנשים שהוא שלשה ויעלה שמנה דברים ושני שלישי׳ פחות י״ג אדרהמיש ושליש ותכם על האנשים השניי׳ והב דבר ושלשה ויהיה שמנה אלגוש ושני שלשי׳ ושנים עשר דברים ושני שלישי דבר פחות ארבעים אדרהמיש ישוה המספר הנחלק הקטן והוא עשרים. ותאספם עם הארבעים אדרהמיש ותוסיפם על העשרי׳ אדרהמיש ויהיו שמנה אלגוש ושני שלישי אלגוש וי״ב דברים ושני שלישי דבר ישוו ששי׳ אדרהמיש והשיב כל דבר שתחזיק לאלגוש אחד וכבר ידעת האלגוש משמנה אלגוש ושני שלישי אלגוש הוא שלשה חלקים מעשרים וששה חלקי׳ מאחד וקח מכל דבר שתחזיק שלשה (דברים) [חלקים] מכ״ו (דברים) [חלקים] ויהיה אלגוש ודבר וי״ב חלקים מכ״ו חלקים ישוה ששה וכ״ד חלקים מכ״ו חלקים מאדרהם. ומחצית הדברים יהיה תשע עשרה חלקים מכ״ו חלקים (בדבר) ותכם על עצמם ויהיה שלשה עשר חלקים מכ״ו חלקים [וכ״ג] מתרע״ו חלקים מאחד ותוסיפם על האדרהמיש והם ששה וכ״ד חלקים מכ״ו יהיה שבעה וי״א׳ חלקים מכ״ו (וי״ג) [וכ״ג] חלקים מתרע״ו. וקח שרשו והוא שני אדרהמיש וי״ט חלקים מכ״ו [וגרע מחצית השרשים והוא י״ט חלקים מכ״ו] וישאר שנים והם האנשים הראשונים.

ולאלה הארבעה שאלות ודומיהן יש שני אופנים והם דומים לאופנים שנים אשר הראיתיך בחשבון האומר בו חלקנו עשרה [folio 121a] לשני חלקים וחלקנו כל

$\therefore\ 8\tfrac{2}{3}x^2 + 12\tfrac{2}{3}x - 40 = 20,$

$\therefore\ 8\tfrac{2}{3}x^2 + 12\tfrac{2}{3}x = 60,$

$\therefore\ x^2 + 1\tfrac{12}{26}x = 6\tfrac{24}{26},$

$\therefore\ x = \sqrt{(19/26)^2 + 6\tfrac{24}{26}} - 19/26 = 2.$

Abū Kāmil's formula here is:
$a/x - A/(x + b) = c.$

plus $\frac{23}{676}$. Take its root; it is $2\frac{19}{26}$. [Subtract $\frac{1}{2}$ the roots, $\frac{19}{26}$,] to get 2, the former men.

[No. 14] There are two methods for these four questions and others like them. They are similar to the two methods that I have shown you in the reckoning. For example, 10 is divided into two parts and every one of them divided by the other to get their sums as $4\frac{1}{4}$. I shall show you an example that may be learned as a model for other examples. When one says that 20 is divided among men equally, add 2 men to these and divide 60 among them; there then comes as a portion to each of the men, 5 more than each of the former received.[121] In the procedure, make the first men a thing; 20 is divided among them so that [it comes to 1 dinar]. Add 2 to the former men to give a thing [plus] 2, the latter men. Divide 60 by a thing plus 2; [it equals a dinar plus 5.] The product of a dinar plus 5 by a thing plus 2 equals 60. When a dinar plus 5 is multiplied by a thing plus 2 it gives 30 plus 5 things [and 2 dinars]. Subtract 30 plus 5 things from 60 to get 30 less 5 things equal to 2 dinars. The dinar is equal to 15 minus $2\frac{1}{2}$ things. Return to the first question. Say that 20 divided by a thing equals 15 less $2\frac{1}{2}$ things. Then 15 things less $2\frac{1}{2}$ squares is equal to 20. Return all to the 1 square; one knows that 1 square is [$\frac{2}{5}$] of $2\frac{1}{2}$ squares. Take [$\frac{2}{5}$] of everything to get 6 things minus a square equal to 8. Reduce the 6 things minus a square with a square; add it to the 8 to get a square plus 8 equals 6 roots. Take $\frac{1}{2}$ the things, or 3; multiply it by itself to get 9 and subtract 8 from it to give 1. Take its root; it is 1. Subtract it from $\frac{1}{2}$ the things, 3, to give 2 which equals the former men. If it is desired, add 1 to $\frac{1}{2}$ the roots, 3, to give 4 as the latter men. Understand this.

[No. 15] If one says 10 is divided among men equally, when 6 men are added, then they share 40 among them and each receives as much as each of the former.[122] Its procedure is that the smaller number to be divided, i.e. 10, is multiplied by the difference between the former and

[121] $20/x = 1$ dinar $= D$, say, $60/(x + 2) = D + 5$,
$\therefore\ x \cdot D = 20$ and $(D + 5)(x + 2) = 60$,
$\therefore\ 30 + 5x + 2 \cdot D = 60$,
$\therefore\ 30 - 5x = 2 \cdot D$,
$\therefore\ D = 15 - 2\frac{1}{2}x$,
$\therefore\ 20/x = 15 - 2\frac{1}{2}x$,
$\therefore\ 15x - 2\frac{1}{2}x^2 = 20$,
$\therefore\ 6x - x^2 = 8$,
$\therefore\ x^2 + 8 = 6x$,

$\therefore\ x = 3 \pm \sqrt{3^2 - 8} = 2$ or 4

[122] $10/x = 40/(x + 6)$,
$\therefore\ 60/30 = x$,
$\therefore\ x = 2$.

אחד מהם על האחר (ועל הארבע) [ועלה ארבע] ורביע והנה אראך אחד מהם למען תתלמד בו לאחרים.*

[No. 14] והוא כי כאשר יאמרו לך עשרים אדרהמיש חלקנום על אנשים והגיע לכל אחד מהם דבר והוספנו עליהם שנים אנשים וחלקנו עליהם ששים אדרהמיש ועלה לאחד מהם יותר מאשר עלה לאחד מהראשונים בחמשה אדרהמיש. ומעשיהו שנשים האנשים הראשוני' דבר (וחלק) [ונחלק] עליהם עשרים אדרהמיש [ויעלה דינר אחד]† ונוסיף על האנשים הראשונים שהם דבר שנים ויהיו דבר [ו]שנים הם האנשים האחרונים ותחלק ששים אדרהמיש על דבר ושנים [וישוה דינר וחמשה]‡ (הם האנשים האחרונים ותחלק' על דבר ושנים הם שישים אדרהמיש) והכאת דינר וחמשה על דבר ומשנים יהיה ששים אדרהמיש (והכאת ויגיע דינר אחד וחמשה לדבר ושנים). וכאשר תכה דינר וחמשה על דבר ושנים יהיה שלשים אדרהמיש וחמשה דברים (ודינר אחד) [ושני דינרין] ישוו ששים אדרהמיש ותגרע שלשים אדרהמיש וחמשה דברים מששים וישאר שלשים אדרהמיש פחות חמשה דברים ישוו שני דינרין והדינר ישוו' ט״ו אדרהמיש פחות שני דברי' וחצי.

ותשוב אל השאלה הראשונה ותאמר תחלק עשרים אדרהמיש על דבר ויהיה ט״ו אדרהמיש פחות שני דברי' וחצי ויהיה ט״ו דברים פחות שני אלגוש וחצי ישוו עשרים אדרהמיש תשיב כל דבר שתחזיק אל אלגוש אחד וכבר ידעת (ששני אלגוש) [שאלגוש אחד] משני אלגוש וחצי (חמשה) [שני חומשים] ותקח לכל דבר שתחזי' (חמשה) [שני חומשים] ויהיה ששה [דבר] פחות אלגוש ישוה שמנה אדרהמיש ותאסוף הששה [דבר] פחות אלגוש עם האלגוש ותוסיפיהו על השמנה אדרהמיש ויהיה אלגוש ושמנה אדרהמיש ישוה ששה דברים וקח מחצית הדברים והוא שלשה תכם על עצמם ויהיה תשעה תגריע מהם [folio 121b] השמנה וישאר אחד תקח שורשו והוא אחד תגרעהו ממחצית הדברים שהוא שלשה וישאר שנים והם האנשים הראשונים. ואם תרצה תוסיף האחד על מחצית השרשים שהוא שלשה ויהיו ארבע והם האנשים השניים והבן זה.

[No. 15] ואם יאמרו לך חלקנו (חלקנו) עשרה אדרהמיש על אנשים והגיע

* "That you may learn it as a model for other examples" is written in a gloss.

† Cf. fol. 116b.

‡ Cf. fol. 116b.

---

or $30/6 = 5,\ 10/5 = x,$

$\therefore x = 2.$

The rule is:

$a/x = A/(x + b),$

$\therefore ax + ab = Ax,$

$\therefore x = ab/(A - a).$

or $x/(x + 6) = 10/40 = 1/4$

$\therefore x = \frac{1}{4}(x + 6),$

$\therefore 1\frac{1}{2} + \frac{1}{4}x = x,$

$\therefore \frac{3}{4}x = 1\frac{1}{2},$

$\therefore x = 2.$

latter men. Divide the product by the difference between the two numbers to be divided. The answer is the former men. [So in this example], multiply the smaller number to be divided, 10, by the difference between the men, 6, to get 60. Divide the 60 by the difference between the two numbers to be divided, 30, to get 2, the former men. [If it is desired, divide the difference between the two numbers, 30, by the difference between the former and latter men,] 6, to get 5 as a portion. Divide it into the smaller number to be divided, 10, to give 2 as the former men. This is the explanation of the procedure for this question.

For this question, there is another solution. The ratio of the former men to the latter men, [is equal to the ratio of the portion of the former to the portion of the latter.] One knows that the amount for the former is 10 and the amount for the latter is 40; 10 is to 40 as $\frac{1}{4}$. The former men is $\frac{1}{4}$ of the second men. Make the former men a thing and the latter men, a thing plus 6. One knows that $\frac{1}{4}$ a thing plus 6 equals a thing. Take $\frac{1}{4}$ the thing plus 6 to give $1\frac{1}{2}$ plus $\frac{1}{4}$ a thing equal to a thing. Subtract $\frac{1}{4}$ a thing from a thing to give $\frac{3}{4}$ a thing equal to $1\frac{1}{2}$. The thing equals 2, the former men.

[No. 16] One says that 10 garments were purchased by 2 men at a price of 72 dirhams. Each one gave 36. The garments are varied in value. One of the men buys 36 dirhams worth of the garments and the other buys the remainder of the garments for 36 dirhams. The price of each garment of one man is 3 dirhams more than the price for each garment of the other.[123] Its method is that we consider the 10 garments as line AB:

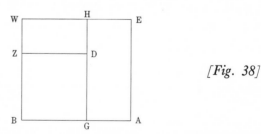

[Fig. 38]

[123] Starting with $36/x - 36/(10 - x) = 3$, abū Kāmil could have calculated according to the method used in the preceding problems and in all likelihood had begun to do so but the value resulting from taking the positive square root in the formula, $x = 30$, $(10 - x) = - 20$, must have perplexed him. Hence, he abandoned his traditional method and, like the ancient Babylonians, searched for a new device which would eliminate the type $x^2 + b = ax$ which leads to difficulties. Possibly, however, he simply adopted this new method from the old schools where the ancient methods were usual. His method, demonstrated by a geometric illustration solves the equation, $36/(10 - x) - 36/x = 3$, by letting $36/x = y$, $36/(10 - x) = (y + 3)$: $xy = 36$ and $10y + 30 - xy - 3x = 36[xy + (10 - x)(y + 3) = 72]$,

לאחד דבר והוספנו עליה' ששה אנשים וחלקינו בין כולם ארבעים אדרהמיש
והגיע לאחד מהם כמו שהגיע לאחד מהראשונים בשוה. ומעשיהו שתכה המספר
הנחלק הקטן על יתרון האנשים השניים על הראשונים והעולה מההכאה תחלק
על יתרון שני המספרי' הנחלקים ומה שיעלה הם האנשים הראשוני'. ותכה המספר
הנחלק הקטן והוא עשרה על יתרון האנשים שהוא ששה ויהיה ששים ותחלק ששים
על יתרון שני המספרים הנחלקים שהוא שלשים ויעלה שנים והם האנשים הראשונים.
[ואם תרצה תחלק יתרון שני המספרים הנחלקים שהוא שלשים על יתרון האנשים
השניים על הראשונים]* והוא ששה ויגיע לחלק המשה תחלק עליהם המספר
הנחלק הקטן שהוא עשרה ויגיע שנים והם האנשים הראשונים. וכבר הוא מבואר
עלת זאת השאלה. ולזאת השאלה פנים אחרים והוא שיחס מספר האנשים הראשונים
אל האנשים השניים [כמו יחס חלק הראשונים אל חלק השניים]† וכבר ידעת
(שחלק אחד מהראשוני') [שחלק הראשונים] הוא עשרה (וחלק אחד מהשניים)
[וחלק השניים] הוא ארבעים ושיער עשרה אצל ארבעים הוא הרביע. והאנשים
הראשונים הם הרביע מהאנשים השניים. ותשים האנשים הראשונים דבר והאנשים
השניים דבר וששה. וכבר ידעת כי הרביע מדבר וששה הוא דבר ולכן תקח
הרביע מדבר וששה ויהיה אדרהם וחצי ורביע דבר ישוה דבר ותגרע רביע דבר
מדבר וישאר שלשה רביעי דבר ישוו אחד וחצי והדבר שנים והם האנשים הראשונים.

[No. 16] ואם יאמרו לך עשרה בגדים (קנים) [נקנים] בין שני אנשים בשכר
שבעים ושנים אדרהמיש וכל אחד [folio 122a] מהם הוציא שלשים וששה אדרהמיש
והבגדים מתחלפים השומה (ואחר) [ואחד] מהאנשים לקח מהבגדים בעד ל'ו
דרהמי שלו ולקח (האחד) [האחר] הנשאר מהבגדים בעד ל'ו דרהמי שלו ושומת
כל בגד מהאיש האחר יותר משומ' כל בגד מהאחד שלשה דרהמי'. ומעשיהו
שנשים העשרה בגדים קו א'ב' (בעלי') [בעלי] (השומא) הגדולה קו א'ג' והאחרים
קו ג'ב'‡ ונשים שומת כל בגד מקו ג'ב' קו ג'ד' וכל שומת הבגדים מקו ג'ב' שטח

* Omitted because of homoioteleuton.

† Homoioteleuton המספר הנחלק על הראשונים זו חלק הראשונים

‡ Weinberg's correction of 'א'ג into 'ג'ב and of 'ג'ב into 'א'ז is wrong. The smaller line represents the smaller number of garments with higher value.

$\therefore\ 10y = 42 + 3x,$

$\therefore\ y = 4\frac{1}{5} + \frac{3}{10}x,$

$\therefore\ 36 = 4\frac{1}{5}x + \frac{3}{10}x^2,$

$\therefore\ x^2 + 14x = 120,$

$\therefore\ x = 6,$

$\therefore\ (10 - x) = 4.$

or $36/x = y,\ 36/(10 - x) = (y + 3),$

$\therefore\ 36 = xy$ and $36 = 10y + 30 - xy - 3x,$

$\therefore\ 72 + 3x = 10y + 30,$

$\therefore\ y + 3 = 7\frac{1}{5} + \frac{3}{10}x,$

$\therefore\ y = 4\frac{1}{5} + \frac{3}{10}x,$

$\therefore\ x = 6,$

$\therefore\ (10 - x) = 4.$

The larger number is line AG and the others are line GB.[124] Make the price of every garment of line GB, line GD; and the entire price of the garments of line GB is surface DB. Surface DB is 36. Make line GH as the price of every garment of line AG; the entire price of the garments of line GA will be surface AH or 36. Line DH is 3 since it is the difference of the price of each garment of the first and the price of each garment of the other. Make line $[GB]$ a thing. It is equal to line DZ. Line DH is 3 and so surface HZ is 3 things. Surface BE will be 72 plus 3 things. Line AB is 10 and so line AE is $7\frac{1}{5}$ plus $\frac{3}{10}$ a thing. But it is equal to line GH; of this, line HD is 3. Line GD, then, is $4\frac{1}{5}$ and $\frac{3}{10}$ a thing. Multiply it by line GB, a thing, to get $4\frac{1}{5}$ things plus $\frac{3}{10}$ a square equal to 36. Complete the $\frac{3}{10}$ a square until it is a whole square by multiplying by $3\frac{1}{3}$. Multiply by $3\frac{1}{3}$ to get a square plus 14 things equal to 120. Do as I said and it comes to a thing equal to 6. It is the number of garments of one of them, line GB. The other is what remains of the 10 garments, or 4. This is what it was desired to show.

There are other methods for this problem. For example, assume that the garments one of the men bought is a thing, and those of the other group is 10 minus a thing. One knows that when one multiplies a thing by the price of each garment, it is 36. If 10 less a thing is multiplied by the price of each garment of the other group, it equals 36. Multiply all garments by the price of each, which is 3 more than the garments equated to a thing to give 72 and 3 things. When it is divided by 10, it gives the price of every garment of the 10 minus 1 thing variety as $7\frac{1}{5}$ plus $\frac{3}{10}$ a thing. Then, the price of every garment, those equated to a thing, is $4\frac{1}{5}$ plus $\frac{3}{10}$ a thing. Do as I related previously. The thing comes out to 6 garments; it is what one took. The other took what remained of the 10, or 4 garments.

This question is like that in which it was stated that 10 was divided into two parts. Multiply one part by a thing to get 36; multiply the other part by a thing plus 3 to get 36. Do as I related earlier.[125]

[No. 17] If one says, 10 is divided into two parts, and also one part is multiplied by 6, and the product is divided by the other part, then take $\frac{1}{3}$ the quotient and add it to the product of the one part by 6, then it equals 56.[126] The procedure is that one part is made a thing, the other

---

[124] The AG and GB should be transposed—see note to text.
[125] Nos. 11–16 are variations of no. 10.
[126] (Cf. no. 24).

$$\frac{1}{3} \cdot \frac{6x}{(10-x)} = 56 - 6x,$$

$$\therefore \ 6x/(10-x) = 168 - 18x,$$
$$\therefore \ 1680 + 18x^2 - 348x = 6x,$$

ד׳ב׳ ושטח ד׳ב׳ הוא שלשים וששה ותשים שומת כל בגד מקו א׳ג׳ קו ג׳ה׳ וכל שומת הבגדים מקו ג׳א׳ יהיה שטח א׳ה׳ והוא שלשים ושש וקו ד׳ה׳ שלושה בעבו׳ כי הוא יתרון שומת כל בגד מאחד מהם על שומת כל בגד (האחד) [האחר] ונשים קו [ג׳ב׳] דבר והוא כמו קו ד׳ז׳ וקו ד׳ה׳ שלשה ושטח ה׳ז׳ יהיה מפני זה [*Fig. 38*] שלשה דברים וכל שטח ב׳ב׳ יהיה ע׳ב׳ ושלשה דברים וקו א׳ב׳ עשרה ולכן יהיה הקו א׳ע׳ שבעה וחומש ושלשה עשיריות דבר אבל הוא כמו קו ג׳ה׳ וקו ה׳ד׳ ממנו שלשה וישאר קו ג׳ד׳ ארבעה וחומש ושלשה עשיריות דבר. ונכה אותו על קו ג׳ב׳ והוא דבר וישאר ארבעה דברי׳ וחומש ושלש עשיריות מאלגוש ישוו שלשי׳ ושש אדרהמיש. ותשלים שלש עשיריות מאלגוש והשלמתו הוא עד שיהיו אלגוש שלם והוא שתכם על שלשה ושליש ותכה כל דבר שתחזיק על שלשה ושליש ויהיה אלגוש וארבע עשר דברים ישוו מאה ועשרי׳ אדרהמיש. ועשה כמו שאמרתי לך ויעלה הדבר ששה והוא מספר הבגדים מאחד מהם והוא קו ג׳ב׳. והחלק האחד [האחר] הוא מה שנשאר מעשרה בגדים והוא ארבעה ומשל.

ולזאת השאלה פנים אחרים והוא כמו שהוספנו [folio 122b] שנשים הבגדים שלקח אחד מהם דבר והאחרים עשרה פחות דבר. וכבר ידעת שאם נכה דבר על שומת כל בגד מהחלק האחד יהיה ל״ו אדרהמי׳. ואם נכה עשרה פחות דבר על שומת כל בגד מהחלק האחד [האחר] יהיה כמו כן ל״ו אדרהמי׳ ואם תכה כל הבגדים על שומת כל בגד ושלשה יותר מהבגדים מהדבר (ושלשה) יהיה שבעים ושנים דרהמי׳ ושלשה דברים וכאשר תחלקם על העשרה יהיה שומת כל בגד מהעשר׳ פחות דבר יעלה לחלק שבעה (ושני חומשים) [וחומש] ושלשה עשיריות דבר ויהיה שומת כל בגד מהבגדים מהדבר ארבעה וחומש ושלשה עשיריו׳ מדבר. ותעשה כמו שאמרתי לך במה שעבר ויעלה הדבר ששה בגדים והוא מה שלקח האחד והאחר לקח מה שנשאר מהעשרה והוא ארבעה בגדים.

וזאת השאלה היא כמו השאלה שאומר בה עשרה חלקנום לשני חלקים והכינו החלק האחד על דבר ויהיו שלשים [ו] שש. והכינו החלק האחר על דבר ושלשה ויהיו שלשים ושש. ותעשה כמו שאמרתי לך לפני׳.

[No. 17] ואם יאמרו לך חלקנו עשרה לשני חלקי׳ והכינו החלק האחד על ששה וחלקנו מה שעלה מן ההכאה על החלק האחר ומה שעלה לחלק לקחנו ממנו השליש והוספנו אותו על מה שעלה הכאת החלק האחד על ששה והם חמישים וששה. ומלאכתן שנשים החלק האחד דבר והאחר עשרה פחות דבר ותכה דבר על ששה ויהיו ששה דברי׳ ותחלק ששה דברי׳ על עשרה פחות דבר והשלישית מאשר יעלה לחלק יהיו נ״ו אדרהמיש פחות ששה דברי׳ וזה כי כבר אמר שאם קבצנוהו עם השש׳ דברים יהיו נ״ו אדרהמיש ומה שעלה לחלק הוא מפני זה

$\therefore 1680 + 18x^2 = 354x,$
$\therefore x^2 + 93\frac{1}{3} = 19\frac{2}{3}x,$
$\therefore x = 8,$
$\therefore (10 - x) = 2.$
Taking the positive value for the square root in the formula for x would lead to a value of $11\frac{2}{3}$ and is therefore suppressed. Al-Khwārizmī (pp. 33, 34, Arabic, Rosen) in his example has a step in the calculation: $5x/2 = (10 - x)(50 - 5x)$ and the result $x = 8$, also suppressing the positive value for the square root. The corresponding step to his in our example would be: $6x/3 = (10 - x)(56 - 6x)$.

10 minus a thing. Multiply a thing by 6 to get 6 things; divide the 6 things by 10 minus a thing; $\frac{1}{3}$ the fraction is 56 less 6 things. As already said, if 6 things are added, it gives 56. The fraction, therefore, comes to 168 less 18 things. Multiply by 10 minus a thing to get 1,680 plus 18 squares less 348 things equal to 6 things. Complete with 348 things; add it to the 6 things to get 1,680 plus 18 squares equal to 354 things. Return to the complete square; one knows that the square is $\frac{1}{2}$ of $\frac{1}{9}$ of 18 squares. Take of everything, $\frac{1}{2}$ of $\frac{1}{9}$ to get a square plus [93]$\frac{1}{3}$ is equal to 19$\frac{2}{3}$ things. Solve to get the thing equal to 8; the other part is 2.

[No. 18] One says : a value less its $\frac{1}{3}$ and 2, then all of it multiplied by itself gives the value plus 24.[127] Make the value as a thing and subtract its $\frac{1}{3}$ and 2 from it; this gives $\frac{2}{3}$ a thing less 2. Multiply it by itself to get $\frac{4}{9}$ a square plus 4 less 2$\frac{2}{3}$ things equal to a thing plus [24]. Reduce the $\frac{4}{9}$ a square and add 2$\frac{2}{3}$ things to the 1 thing and 24. [Subtract 4 from it] to give 20 and 3$\frac{2}{3}$ things equal to $\frac{4}{9}$ a square. Complete the square by multiplying it by 2$\frac{1}{4}$. Multiply everything by 2$\frac{1}{4}$ and do as has been related to get a thing equal to 12, the value. There are other methods. One is that the value is made a square less 24. Subtract its $\frac{1}{3}$ and 2 from it to get $\frac{2}{3}$ a square less 18 equal to a root. Solve it as has been related to get a square equal to 36 and 12 remains as the resolved value.

[No. 19] One says: 3 roots of a magnitude plus 4 roots of the difference between the magnitude and the 3 roots equals 20.[128] For this procedure,

---

[127] $(x - \frac{1}{3}x - 2)^2 = x + 24,$

$\therefore (\frac{2}{3}x - 2)^2 = x + 24,$

$\therefore \frac{4}{9}x^2 + 4 - 2\frac{2}{3}x = x + 24,$

$\therefore 20 + 3\frac{2}{3}x = \frac{4}{9}x^2,$

$\therefore x^2 = 45 + 8\frac{1}{4}x,$

$\therefore x = 12.$

Abū Kāmil also proposes another method: take $x = y^2 - 24$, then:

$\frac{2}{3}y^2 - 18 = y,$

$\therefore y^2 = 36,$

$\therefore x = 12.$

Similarly in al-Khwārizmī no. 27, $(\frac{2}{3}x - 3)^2 = x$, one could write: take $x = z^2$, then $\frac{2}{3}z^2 - 3 = z$, $\therefore z = 3$ and $x = 9$.

He uses this method in his no. 40 (p. 102, Arabic, Rosen).

[128] $3\sqrt{x} + 4\sqrt{x - 3\sqrt{x}} = 20,$

let $x = z^2$, then

$3z + 4\sqrt{z^2 - 3z} = 20,$

$\therefore 20 - 3z = 4\sqrt{z^2 - 3z},$

$\therefore 5 - \frac{3}{4}z = \sqrt{z^2 - 3z},$

$\therefore \frac{9}{16}z^2 + 25 - 7\frac{1}{2}z = z^2 - 3z,$

קס״ח אדרהמיש פחות י״ח דברים. ותכם על עשרה פחות דבר ויהיה אלף תר״ף אדרהמיש וי״ח אלגוש פחות שמ״ח דברי׳ ישוו ששה דברים [folio 123a] (דברים) ותאספם עם שמ״ח דברים ותוסיפם על הששה דברים ויהיה אלף תר״ף אדרהמיש וי״ח אלגוש ישוו שנ״ד דברים ותשיב כל דבר שתחזיק אל אלגוש אחד וכבר ידעת כי האלגוש הוא מי״ח אלגוש חצי תשיעית ותקח מכל דבר שתחזיק (אל אלגוש אחד וכבר ידעת כי האלגוש הוא מי״ח אלגוש חצי תשיעית ותקח מכל דבר שתחזיק) חצי תשיעית ויהיה אלגוש (וב״ג) [וצ״ג] אדרהמיש ושליש ישוו י״ט דברים ושני שלישי׳ (ותכונתם) [ותכוונם] עמו ויהיה הדבר שמנה והוא החלק (האחר) [האחד] והאחר שנים.

[No. 18] ואם יאמרו לך אלגוס גרעת ממנו שלישיתו ושני אדרהמיש ומה שנשאר הכית אותו על עצמו ושב האלגוש וכ״ד אדרהמיש יותר, ופעולתו שנשים האלגוש דבר ותגרע ממנו שלישיתו ושני דרהמי׳ וישאר שני שלישי דבר פחות שני דרהמיש ותכם על עצמם ויהיה ארבעה תשיעיות מאלגוש וארבעה דרהמי פחות שני דברי׳ ושני שלישי דבר ישוו [דבר וכ״ד] אדרהמיש. ותאסוף הארבעה תשיעיות [אלגוש] עד השני דברי׳ ושני שלישי דבר ותוסיפם על [כ״ד] האדרהמיש והדבר [ותגרע מהם הד׳ אדרהמיש] ויהיה עשרים אדרהמי ושלשת דברים ושני שלישי דבר ישוו ארבעה תשיעיות מהאלגוש ותשלים האלגוש עד שיהיה האלגוש שלם. והשלמתך הוא שתכהו על שנים ורביע ותכה כל אשר תחזיק על שנים ורביע ועשה כאשר אמרתי לך ויהיה [הדבר] שנים עשר והוא אלגוש. ולה פנים אחרים והוא שתשים האלגוש אלגוש* פחות כ״ד אדרהמי ותגרע ממנו שלישיתו ושני דרהמי וישאר שני שלישי אלגוש פחות (כ״ב דברים) [י״ח אדרהמיש] ישוו שורש ותכוין עמו כמו שאמרתי לך ויעלה האלגוש ל״ו וישאר י״ב והוא האלגוש הנשאל.

[No. 19] ואם יאמרו לך שלשה שרשי׳ מאלגוש וארבעה שרשים ממה שנשאר מהאלגוש יהיה עשרים דרהמי. ומלאכתו שנשים האלגוש אלגוש ותאמר שלשה

* The first אלגוש is x and the second is x^2. Thus, the ambiguity of al-Khwārizmī is retained by abū Kāmil.

$\therefore z^2 + 4\frac{1}{2}z = \frac{9}{16}z^2 + 25,$

$\therefore \frac{7}{16}z^2 + 4\frac{1}{2}z = 25,$

$\therefore z^2 + 10\frac{2}{7}z = 57\frac{1}{7},$

$$\therefore z = \sqrt{(5\frac{1}{7})^2 + 57\frac{1}{7}} - 5\frac{1}{7} = 4.$$

or $3z + 4\sqrt{z^2 - 3z} = 20,$

$$\therefore 3z + \sqrt{16z^2 - 48z} = 20,$$

$\therefore (20 - 3z)^2 = 16z^2 - 48z,$

$\therefore z^2 = 16.$

or let $z^2 - 3z = v^2$, then

$3z = 20 - 4v,$

$\therefore z = 6\frac{2}{3} - 1\frac{1}{3}v,$

$\therefore z^2 = 1\frac{7}{9}v^2 + 44\frac{4}{9} - 17\frac{7}{9}v,$

$\therefore 24\frac{4}{9} + 1\frac{7}{9}v^2 - 13\frac{7}{9}v = v^2,$

$\therefore v = 2,$

$\therefore z^2 - 3z = 4,$

$$\therefore 20 - 4\sqrt{4} = 3z,$$

$\therefore z = 4,$

$\therefore z^2 = 16.$

make the magnitude a square. Say, 3 of its roots plus 4 roots of the magnitude less the 3 roots equals [20]. Twenty less 3 roots equals 4 roots of the difference of the magnitude and 3 roots. [Its $\frac{1}{4}$ equals the root of the difference of the magnitude and the 3 roots] and equals 5 minus $\frac{3}{4}$ a root. Multiply it by itself to give $\frac{1}{2}$ a magnitude plus $\frac{1}{2}$ of [$\frac{1}{8}$ a magnitude plus 25 less $7\frac{1}{2}$ roots] equal to a magnitude less 3 roots. Complete it with $7\frac{1}{2}$ roots and add it to the magnitude minus 3 roots to give the magnitude plus $4\frac{1}{2}$ roots equal to $\frac{1}{2}$ a magnitude plus $\frac{1}{2}$ of $\frac{1}{8}$ a magnitude plus 25. Subtract $\frac{1}{2}$ a magnitude and $\frac{1}{16}$ a magnitude from a whole magnitude. There remains $\frac{3}{8}$ and $\frac{1}{16}$ a magnitude plus $4\frac{1}{2}$ roots equal to 25. You complete the magnitude; multiply by $2\frac{2}{7}$ to give a magnitude plus $10\frac{2}{7}$ things equal to $57\frac{1}{7}$. [Multiply $\frac{1}{2}$ the roots by itself to get 26]$\frac{3}{7}$ and $\frac{1}{7}$ of $\frac{1}{7}$. [Add it to $57\frac{1}{7}$ to get $83\frac{4}{7}$ and $\frac{1}{7}$ of $\frac{1}{7}$.] Take its root to give $9\frac{1}{7}$. Subtract $\frac{1}{2}$ the roots, $5\frac{1}{7}$, from it; there remains 4; it is the root of the magnitude. If you wish, you say, 3 roots of a square plus 4 roots of the difference of the square less 3 roots, equals 20. Four roots of the difference of the square less 3 roots equals the root of the difference of 16 [squares] less 48 roots. Multiply 20 minus 3 roots by itself to get 16 squares less 48 roots. Do as I have related; the square comes to 16.

If it is desired, make the remainder of the square, from which is subtracted 3 roots of a square, equal to a square. Take 4 of its roots to give 4 roots. One knows that when one adds these 4 roots to 3 roots of a square, it is 20. But, 3 roots of the square is 20 minus 4 roots; a root of the square is $6\frac{2}{3}$ less $1\frac{1}{3}$ roots. Multiply it by itself to give $1\frac{7}{9}$ a square plus $44\frac{4}{9}$ minus $17\frac{7}{9}$ things equal to the desired square. Subtract 3 of its roots from it, equal to 20 less 4 roots, to give $24\frac{4}{9}$ plus $1\frac{7}{9}$ squares less [13]$\frac{7}{9}$ roots equal to a square. Do as I have related. The thing comes to 2; it is the root of what remains of the other square from which 3 of its roots were subtracted. Multiply it by itself to get 4 which is what remains of the square. Take 4 roots of 4, or 8, and subtract it from 20 to give 12, equal to 3 roots of the square. Its $\frac{1}{3}$ is the root of the square, 4; the square desired is 16.

[No. 20] One says to subtract its $\frac{1}{3}$ from an amount, then multiply the difference by 3 roots of the first amount; then it equals the first amount.[129] One knows that $\frac{2}{3}$ an amount results when one subtracts from an amount its $\frac{1}{3}$. Multiply these $\frac{2}{3}$ by $1\frac{1}{2}$ until the amount is obtained; $1\frac{1}{2}$ equals 3 roots. The root of the amount is $\frac{1}{2}$; the amount is $\frac{1}{4}$.

---

[129] $(x - \frac{1}{3}x) \cdot 3\sqrt{x} = x,$

$\therefore \dfrac{2}{3}x \cdot 3\sqrt{x} = x,$

$\therefore x \cdot 3\sqrt{x} = 1\frac{1}{2}x$

$\therefore 1\frac{1}{2} = 3\sqrt{x},$

$\therefore \sqrt{x} = \frac{1}{2},$

$\therefore x = \frac{1}{4}.$

שרשיו וארבעה שרשי׳ [מאלגוש] פחות שלשה [folio 123b] שרשים ישוו עשרים דרהמי. [ועשרים דרהמי] פחות שלשה שרשים ישוו ארבעה שרשי׳ מן האלגוש פחות שלשה שרשים [ורביעיתו הוא שורש אחד מן האלגוש פחות שלשה שרשים] והוא חמשה דרהמי פחות שלשה רביעית משורש. ותכהו על עצמו ויהיה חצי אלגוש וחצי [שמינית אלגוש וכ״ה אדרהמיש פחות שבעה שרשים וחצי]* שורש ישוה אלגוש פחות שלשה שרשים ותאספהו עם (תשעה) [שבעה] שרשים וחצי ותוסיפיהו על האלגוס פחות שלשה שרשי׳ ויהיה אלגוש וארבעה שרשים וחצי ישוה חצי אלגוש וחצי שמינית אלגוש וכ״ה. ותגרע חצי אלגוש ושתות† מאלגוש שלם וישאר שלשה שמיניות וששית אלגוש וארבעה שרשים וחצי ישוה כ״ה אדרהמיש ותשלים האלגוש שלך וזה כשתוסיף עליו כמו [שנים] וכמו שתי שביעיותיו ויהיה אלגוש ועשרה דברים ושתי שביעיות דבר ישוה נ״ז דרהמי (ושביעית) [ותכה מחצית השרשים על עצמם ויהיה כ״ו] ושלש שביעיות ושביעית השביעית [ותוסיף עליהם נ״ז ושביעית ויהיה פ״ג וארבעה שביעיות ושביעית השביעית] ותקח שורשו והוא תשעה ושביעית תגרע מהם מחצית השרשים והוא חמיש׳ ושביעית וישאר ארבעה והוא שורש האלגוש. ואם תרצה תאמר שלשה שרשים מאלגוש וארבעה שרשים מאלגוש פחות שלש׳ שרשים ישוו עשרים דרהמי. וארבע שרשים מאלגוש פחות שלשה שרשים הוא שורש י״ו [אלגוש] פחות מ״ח שרשים.‡ ותכה עשרים (פחות שלשה) פחות שלשה שרשים על עצמו ויהיה מכוון העול׳ מההכאה י״ו אלגוש פחות מ״ח שרשים. ותעשה כמו שאמרתי לך ויעלה האלגוש י״ו.

ואם תרצה תשים הנשאר מהאלגו׳ אחר שנגרע ממנו שלשת שרשי האלגו׳ אלגוש§ וקח ארבעה (שרשי׳) [שרשיו] והוא ארבעה שרשים. והוא ידוע כי כאשר תוסיף אלו הארבעה שרשים על השלשה שרשי האלגוש יהיה עשרים דרהמי ויתחייב שיהיו שלשת שרשי האלגוש עשרים דרהמי פחות ארבעה שרשים ויהיה שורש האלגוש ששה דרהמי ושתי שלישי׳ [folio 124a] פחות שורש ושליש. ותכהו על עצמו ויהיה אלגוש ושבע תשיעיות מאלגוש ומ״ד דרהמי וד׳ תשיעיות מדרהמי פחות י״ז דברים וז׳ תשיעיות דבר והוא האלגוש הנשאל. ותגרע ממנו שלשת שרשיו שהם עשרים דרהמי פחות ארבעה שרשים וישאר כ״ד דרהמי וד׳ תשיעיות מדרהמי ואלגוש ושבע תשיעיות מאלגוש פחות (י״ד) [י״ג] שרשים וז׳ תשיעיות משורש ישוו אלגוש. ותעשה כמו שאמרתי לך ויעלה הדבר שנים והוא שורש מה שנשאר מהאלגוש אחר שנגרע ממנו שלשת שרשיו ותכם על עצמם ויהיה ארבעה והוא מה שנשאר מהאלגוש וקח ארבעה שרשים מארבע והם שמנה ותגרעם מעשרים וישאר י״ב והם שלשה שרשים מהאלגוש ושלישיתם הוא שורש האלגוש והוא ארבע (והוא אלגוש) [והאלגוש] יהיה י״ו והוא אלגוש הנשאל.

[No. 20] ואם יאמרו לך גרענו מן האלגוש (שלישיתיו) [שלישיתו] (והכינם)

* Added by Weinberg and partially corrected by M. L.

† Awkwardly for $\frac{1}{16}$.

‡ $4\sqrt{z^2 - 3z} = \sqrt{16z^2 - 48z}$.

§ $z^2 - 3z = v^2$;
$3z + 4\sqrt{z^2 - 3z} = 3z + 4v = 20$.

Al-Khwārizmī and abū Kāmil reduce the equation to the al-Khwārizmī type (p. 39, Arabic, Rosen) no. 22. Abū Kāmil then solves it, in contradistinction to al-Khwārizmī, by dividing through by x.

[No. 21] One says that its $\frac{1}{3}$ is subtracted from an amount and the difference multiplied by 3 roots of the remainder of the amount, then the amount is obtained. One knows that when one subtracts its $\frac{1}{3}$ from an amount, then the remainder is its $\frac{2}{3}$. Multiply these $\frac{2}{3}$ by $1\frac{1}{2}$ to return to the first amount. The $1\frac{1}{2}$ equals 3 roots of what remains of the amount. The root of $\frac{2}{3}$ [the amount] is $\frac{1}{2}$. The $\frac{2}{3}$ equals $\frac{1}{4}$; the amount is $\frac{3}{8}$.

If it is desired, do it by this rule : make the amount a thing and subtract its $\frac{1}{3}$ from it to get the $\frac{2}{3}$ a thing.[130] Multiply the $\frac{2}{3}$ a thing by 3 roots of the $\frac{2}{3}$ the amount which is the root of 6 things; it gives the root of $2\frac{2}{3}$ cubes equal to the amount, the thing. Multiply the thing by itself to get the square. Multiply the root of $2\frac{2}{3}$ cubes by itself to get $2\frac{2}{3}$ cubes equal to a square times $\frac{8}{3}$ things.[131] Divide it by a square to get $2\frac{2}{3}$ things equal to 1. The thing is equal to $\frac{3}{8}$.

[No. 22] If one says that there are 3 roots of an amount, then 2 roots of the remainder of this from the amount equals the difference.[132] One knows that 2 roots of the difference is equal to the difference which equals 4. Subtract 3 of its roots from the amount to give 4; the amount is 16.

[No. 23] If one says to you that there are 3 roots of an amount, then 4 roots of what remains of this from the amount is equal to the amount of

---

[130] $(x - \frac{1}{3}x) \cdot 3\sqrt{\frac{2}{3}x} = x,$

$\therefore \frac{2}{3}x \cdot 3\sqrt{\frac{2}{3}x} = x,$

$\therefore x \cdot 3\sqrt{\frac{2}{3}x} = 1\frac{1}{2}x,$

$\therefore 1\frac{1}{2} = 3\sqrt{\frac{2}{3}x},$

$\therefore \sqrt{\frac{2}{3}x} = \frac{1}{2},$

$\therefore \frac{2}{3}x = \frac{1}{4},$

$\therefore x = \frac{3}{8}.$

or $\frac{2}{3}x \cdot 3\sqrt{\frac{2}{3}x} = x,$

$\therefore \frac{2}{3}x \cdot \sqrt{6x} = x,$

$\therefore \sqrt{2\frac{2}{3}x^3} = x.$

$\therefore 2\frac{2}{3}x^3 = x^2,$

$\therefore 2\frac{2}{3}x = 1,$

$\therefore x = \frac{3}{8}.$

[131] Text here is corrupt.

[132] $2\sqrt{x - 3\sqrt{x}} = x - 3\sqrt{x} = 4,$

$\therefore x = 16.$

[והכינו] הנשאר על שלשה שרשי' מהאלגוש הראשון ושם האלגוש הראשון. כבר ידעת שכאשר תגרע מן האלגוש שלישיתו שיהיה הנשאר שני שלישיו ואילו השני שלישיות תכם על אדרהם וחצי עד שישוב האלגוש אל מה שהיה האדרהם וחצי שלשה שרשים מהאלגוש ושורש האלגוש חצי אדרהם והאלגוש רביעי אחד.

[No. 21] ואם יאמרו לך אלגו' גרענו ממנו שלישיתו והכינו הנשאר על שלשה שרשים מהנשאר מהאלגוש וישוב האלגוש וכבר ידעת שכאשר גרענו מהאלגוש שלישיתו יהיה הנשאר שתי שלישיו ואלו השני שלישיות תכם על האדרהם וחצי עד שישוב האלגוש הראשון והאדרהם וחצי הם שלשה שרשים ממה שנשאר מהאלגוש ושורש שני שלישיות [האלגוש] חצי אדרהם והשני שלישיות הם רביע דרהם והאלגו' שלשה שמיניות. ותעשה [ואם תרצה תעשה] כמשפט הזה והוא שתשים האלגוש דבר ותגרע ממנו שלישיתו וישאר שני שלישי [folio 124b] [דבר] (והוא שתשים האלגוש דבר ותגרע ממנו שלישיתו) ותכה שני שלישיות דבר על שלשה שרשים מאלגוש השני שלישיות [משני שלישיות האלגוש] והוא שורש משה דברים ויהיה שורש משני (קוביקאש) מעוקבים ושני שלישיות ישוו האלגוש והוא דבר תכה הדבר על עצמו ויהיה אלגוש ותכה שורש שני (הוביקאש) [קוביקאש] ושני שלישיות [על עצמו ויהיה שני קוביקאש ושני שלישיות] ישוו אלגוש ותחלקיהו על אלגוש ויהיה (ס״ב) [שני דבר ושני] שלישיות ישוה אדרהם אחת והדבר ישווה שלשה שמיניות מאדרהם.

[No. 22] ואם יאמרו לך אלגוש שלשת שרשיו ושני שרשי הנשאר [מהאלגוש] ישוו האלגוש. וכבר ידעת כי שני שרשים מהנשאר מהאלגוש ישוה הנשאר מהאלגוש ומה שנשאר מהאלגוש הוא ארבעה דרהמי וזה אלגוש תגרע ממנו שלשת שרשיו וישאר ארבעה דרהמי (וזהו אלגוש תגרע ממנו שלשת שרשיו) והאלגוש ששה עשר דרהמי.

[No. 23] ואם יאמרו לך אלגוש שלשת שרשיו וארבעה שרשים ממה שנשאר מהאלגוש יהיה כמו האלגוש וארבע דרהמי יותר וכבר ידעת כי הנשאר מהאלגוש

The first rule is based on al-Khwārizmī (p. 4, lines 1–3, Arabic, Rosen):

$a\sqrt{x} = x = a^2.$

Let $x - 3\sqrt{x} = y$, then

$2\sqrt{y} = y,$

$\therefore 4y = y^2,$

$\therefore y = 4.$

If $x - 3\sqrt{x} = 4$, then

$\sqrt{x} = 3/2 + \sqrt{(3/2)^2 + 4} = 4,$

$\therefore x = 16.$

The second rule is based on al-Khwārizmī no. 26 (p. 89, line 3, Arabic, Rosen):

$x^2 - 3x = 4,$

$\therefore x = 4.$

the difference plus 4.[133] One knows that the remainder of the amount from which 3 of its roots was subtracted equals 4 of its roots [of the difference] less 4. Calculate what remains of the amount from which 3 of its roots was taken as a square. Then 4 of its roots less 4 equals the square; the square equals 4. Say that 4 remains of the square after 3 of its roots are subtracted. The amount is 16 and is the desired amount.

[No. 24] If one says that 10 is divided into two parts, and one part is divided by the other, then the divisor added to the fraction equals $5\frac{1}{2}$.[134] The solution is that one part is taken as a thing, and the other as 10 minus a thing. One knows that when 10 minus a thing is divided by a thing, and when a thing is added to it, it equals $5\frac{1}{2}$. When a thing is subtracted from $5\frac{1}{2}$, it is $5\frac{1}{2}$ less a thing. Say that 10 minus a thing divided by a thing equals $5\frac{1}{2}$ less a thing. One knows that when one multiplies the quotient by the divisor, it returns to the dividend. Multiply $5[\frac{1}{2}]$ minus a thing by a thing to get a product equal to 10 minus a thing; the thing comes to 4.

[No. 25] If one says that 10 is divided into two parts, and one part is divided by the other part, and the fraction taken and added to the number which was divided, and then the sum multiplied by the divisor, it equals 30.[135] Its solution is that one part is taken as a thing, and the other as 10 minus a thing. When 10 minus a thing is divided by a thing, [and one returns and multiplies it by a thing, it is 10 less a thing.] When 10 less a thing is multiplied by a thing, it gives 10 things less a square. Add 10 less a thing to it to give 10 plus 9 things less a square equal to 30. Do as has been related and the thing comes out to 4; it is one part, the dividend.

[No. 26] If one says that 10 is divided into two parts, and one part is divided by the other and the fraction multiplied by its numerator, it gives 9.[136] Its solution is that one part is taken as a thing, and the other

---

[133] (Cf. no. 22).

$$4\sqrt{x - 3\sqrt{x}} = x - 3\sqrt{x} + 4,$$

$$\therefore x - 3\sqrt{x} = 4\sqrt{x - 3\sqrt{x}} - 4,$$

let $x - 3\sqrt{x} = y^2$, then

$$4y - 4 = y^2,$$
$$\therefore y^2 = 4,$$

$$\therefore x - 3\sqrt{x} = 4,$$
$$\therefore x = 16.$$

[134] $(10 - x)/x + x = 5\frac{1}{2}$,
$$\therefore (10 - x)/x = 5\frac{1}{2} - x,$$
$$\therefore 5\frac{1}{2}x - x^2 = 10 - x.$$

Abū Kāmil carries the work only to this stage and then says that the result is $x = 4$. Hence, only the positive square root in the formula is taken.

אחר שגרעת ממנו שלשת שרשיו יהיה כמו ארבעה שרשיו פחות ארבע דרהמי ותמנה מה שנשאר (והאלגוש) [מהאלגוש] אחר שגרעת ממנו שלשת שרשיו אלגוש ותאמר אלגוש שארבעת שרשיו פחות ארבע דרהמי ישוה האלגוש והאלגוש ארבע דרהמיש ותאמר אלגוש תגרע ממנו שלשת שרשיו וישאר ארבע דרהמי והאלגוש ששה עשר דרהמי והוא האלגוש הנשאל.

[No. 24] ואם יאמרו עשרה דרהמי חלקנום לשני חלקים וחלקנו החלק האחד על האחר והיה המגיע לחלק עם (המחולק) [המחלק] יהיה חמשה וחצי. וחכמתו שתשים החלק האחד דבר והאחר עשרה פחות דבר וכבר ידעת שכאשר תחלה עשרה פחות דבר על דבר יהיה המגיע לחלק כאשר תוסיפיהו על דבר חמשה וחצי. וכאשר [folio 125a] תגרע הדבר מהחמשה וחצי יהיה הנשאר הזה המגיע לחלק והוא חמשה וחצי פחות דבר. ותאמר חלקנו עשרה פחות דבר על דרת והגיע חמשה וחצי פחות דבר וכבר ידעת שכאשר תכה המגיע לחלק על המחלק שישוב אלגוש הנחלק, ותכה חמשה [וחצי] פחות דבר על דבר ותכוין העולה מההכאה [עם] עשרה פחות דבר ויעלה הדבר ארבעה.

[No. 25] ואם יאמרו לך עשרה תחלקיהו לשני חלקים וחלק (המחלק) [החלק] האחד על האחר וקח המגיע לחלק והוסיפיהו על המספר הנחלק והמקובץ תכהו על המחלק ויהיו שלשי. וחכמתו שתשים החלק האחד דבר והאחר עשרה פחות דבר. וכאשר תחלק עשרה פחות דבר על דבר [ותשוב ותכה אותו על דבר יהיה עשרה פחות דבר] וכאשר תכה עשרה פחות דבר על דבר יהיו עשרה דברים פחות אלגוש והוסיף עליו עשרה פחות דבר ויהיה עשרה דרהמי ותשעה דברי׳ פחות אלגוש ישוו שלשי׳ דרהמי ותכוין כמו שאמרתי ויעלה הדבר ארבעה אדרהמיש והוא חלק אחד והוא המחלק.

ואם יאמרו לך עשרה תחלקהו לשני חלקי׳ ותחלק החלק האחד על האחר ותכה המגיע לחלק על המספר הנחלק ויהיה תשעה דרהמי.

[No. 26] וחכמתו שתשי׳ החלק האחד דבר והאחר עשרה פחות דבר וכאשר תחלק עשרה פחות דבר על דבר יהיה המגיע לחלק כאשר הוכה על עשרה פחות דבר יהיה תשעה [וכבר ידעת שאשר יגיע לחלק כאשר (כתבתהו) [תכהו]

---

135 $[(10 - x)/x + 10 - x]x = 30,$
$\therefore\ 10 - x + 10x - x^2 = 30,$
$\therefore\ 10 + 9x - x^2 = 30,$
$\therefore\ x = 4.$
Only the result $x = 4$ is taken since the other, $x = 5$, would make $x = (10 - x)$.

136 $\frac{(10 - x)}{x}(10 - x) = 9,$

$$\therefore\ 10\left(\frac{10 - x}{x}\right) - (10 - x) = 9,$$

$$\therefore\ 10\left(\frac{10 - x}{x}\right) = 19 - x,$$

$\therefore\ (10 - x)/x = 1\frac{9}{10} - \frac{1}{10}x,$
$\therefore\ x = 4.$

as 10 minus a thing. When 10 minus a thing is divided by a thing, the quotient when multiplied by 10 minus a thing equals 9. [One knows that when the quotient is multiplied by a thing, it is 10 minus a thing.] When they are added, it is 19 less a thing. It is the explanation of what I said that when one multiplies the quotient of 10 minus a thing divided by a thing, by 10, then it is 19 minus a thing. [When divided] by 10, it comes to $1\frac{9}{10}$ less $\frac{1}{10}$ a thing, or the quotient. Return and say that 10 less a thing divided by a thing is $1\frac{9}{10}$ less $\frac{1}{10}$ a thing. Carry on as I have related and the thing comes to 4. It is one part, the divisor.

[No. 27] If one says that if 10 is divided into two parts and one is divided by the other, then the quotient is multiplied by itself and then by the divisor, it equals 32,[137] its solution is that one part is taken as a thing; the other is 10 minus a thing. When 10 minus a thing is divided by a thing, and the quotient multiplied by a thing, it is the dividend. When 10 minus a thing is multiplied by the quotient, it gives 32 since every number multiplied by itself and by another number gives the product of the first number by the other plus what is added to the first number. This is known. As this has been clarified, it is as I have related. Divide 10 into two parts. Divide one part by the other and multiply the quotient by the original dividend and it comes to 32. This question was explained previously.

[No. 28] If one says that 10 is divided into two parts, and one part is divided by the other, and the quotient multiplied by the difference between the dividend and divisor, it equals 24.[138] In the solution, make one part a thing and the other is 10 minus a thing. When 10 minus a thing is divided by a thing, one knows that the quotient when multiplied by the difference between the two parts, which is 10 minus 2 things, is 24. One knows that the product of the quotient by [2 things] is 20 less 2 things. Add it to the 24 to give 44 less 2 things. One knows from what has been said that the product of the quotient by 10 is 44 less 2 things.

---

[137] This resembles no. 26. Abū Kāmil says:
$a \cdot a \cdot b = a \cdot b \cdot a$, hence

$$\frac{(10 - x)}{x} \cdot \frac{(10 - x)}{x} \cdot x = 32,$$

$$\therefore \frac{(10 - x)}{x} \cdot x \cdot \frac{(10 - x)}{x} = 32,$$

$$\therefore (10 - x) \cdot \frac{(10 - x)}{x} = 32.$$

[138] (Cf. no. 26).

$$\left(\frac{10 - x}{x}\right)(10 - 2x) = 24,$$

על דבר יהיה עשר׳ פחות דבר]* וכאשר† תחברם יהיה תשעה עשר פחות דבר והוא מבואר ממה שאמרתי שכאשר נכה מה שהגיע לחלק מחלוקת עשרה פחות דבר על דבר על עשרה דרהמי יהיה י״ט דרהמי פחות דבר [וכאשר נחלקם על עשרה יעלה דרהם אחת ותשעה עשיריות מדרהם פחות עשירית דבר והוא מה שיגיע לחלק ותשוב ותאמר חלקנו עשרה דרהמי פחות דבר על דבר ועלה דרהם אחד ותשעה [folio 125b] עשיריות מאדרהם פחות עשירית דבר ועשה כמו שאמרתי לך ויעלה הדבר ארבצה והוא החלק האחד והוא המחלק.

[No. 27] ואם יאמרו לך עשרה חלקת אותו לשני חלקי׳ וחלקת החלק (האחר) [האחד] על האחר והכית מה שהגיע לחלק על עצמו ועל המחלק ויהיה ל״ב דרהמי. וחכמתו שתשים החלק האחד דבר והאחר עשרה פחות דבר וכאשר תחלק עשרה פחות דבר על דבר והכית מה שיגיע לחלק על דבר והוא המספר הנחלק וכאשר תכה עשרה פחות דבר על מה שהגיע לחלק יהיה ל״ב אדרהמי בעבור כי כל מספר שתכהו על עצמו ועל מספר אחר, העולה הוא כמו הכאת המספר הראשון על האחר ומה שיתקבץ על המספר הראשון וזהו ידוע. ואחר שהתיישב זה יהיה כאילו אמרו לך חלקינו עשרה לשני חלקים וחלקנו החלק האחד על האחר והכינו מה שהגיע לחלק על המספר הנחלק ועלה ל״ב וכבר בי׳ [ביארתי] זה בשאילה שקדמה לזאת.

[No. 28] ואם יאמרו לך עשרה חלקת אותו לשני חלקי׳ וחלקת (המחלק) [החלק] (האחר) [האחד] על האחר והכית מה שהגיע לחלק על ההבדל אשר יעדיף המספר הנחלק את המחלק ויהיה כ״ד דרהמי. וחכמתו שתשי׳ החלק (האחר) [האחד] דבר והאחר עשרה פחות דבר וכאשר תחלק עשרה פחות דבר על דבר כבר ידעת שמה שיגיע לחלק כאשר תכהו על הבדל השני חלקי׳ שהוא עשרה פחות שני דברי׳ יהיה כ״ד דרהמי. וכבר ידעת כי הכאת העולה לחלק על (דבר) [שני דברים] יהיה (עשרה) [עשרים] פחות שני דברים ותוסיפם על הכ״ד ויהיה מ״ד פחות שני דברי׳. והוא ידוע ממה שאמרנו שהכאת מה שיגיע לחלק על עשרה הוא מ״ד פחות שני דברי׳. וחלק מ״ד פחות שני דברי׳ על

* Added according to a marginal line quoted by Weinberg in another line.
† The gloss ends with the word וכאשר which is also in the text.

$$\therefore\ 10\left(\frac{10-x}{x}\right) - (20 - 2x) = 24,$$

$$\therefore\ 10\left(\frac{10-x}{x}\right) = 44 - 2x,$$

$$\therefore\ \frac{(10-x)}{x} = 4\tfrac{2}{5} - \tfrac{1}{5}x,$$

$$\therefore\ x = 2,$$
$$\therefore\ (10 - x) = 8.$$

Divide 44 less 2 things by 10 to get $4\frac{2}{5}$ less $\frac{1}{5}$ a thing. It is the quotient. Return and say that the division of 10 less a thing by a thing comes to $4\frac{2}{5}$ minus $\frac{1}{5}$ a thing. Do as I have related; the thing coms to 2. It is the first part, the divisor. The other part is 8.

[No. 29] If one says that 10 is divided into two parts, each of them divided by the other, then the sum of the two quotients multiplied by one of the two parts of 10 is equal to 34.[139] One knows that when the quotient of a thing divided by 10 minus [a thing] is multiplied by 10 minus a thing, it is a thing.[140] Subtract a thing from 34 to give 34 minus a thing. One knows from what has been said that when 10 minus a thing is divided by a thing, and the quotient then multiplied by 10 minus a thing, it equals 34 less a thing. When one multiplies the quotient of 10 less a thing divided by a thing, by a thing, it comes to 10 less a thing. Add it to [the 34 less a thing] to get 44 less 2 things equal to the product of the quotient of 10 less a thing divided by a thing, by 10. Divide [44] less 2 things by 10 to get a quotient of $4\frac{2}{5}$ less $[\frac{1}{5}]$ a thing. Return and say that the division of 10 less a thing by a thing comes to $4\frac{2}{5}$ less $\frac{1}{5}$ a thing. One knows that when the quotient is multiplied by the divisor, the divided amount returns. Multiply $4\frac{2}{5}$ less $\frac{1}{5}$ a thing by a thing to get

[139] $\left(\dfrac{x}{(10-x)} + \dfrac{(10-x)}{x}\right)(10-x) = 34,$

$\therefore \dfrac{(10-x)}{x} \cdot (10-x) = 34 - x,$

$\therefore 10\left(\dfrac{10-x}{x}\right) - (10-x) = 34 - x,$

$\therefore 10\left(\dfrac{10-x}{x}\right) = 44 - 2x,$

$\therefore \dfrac{(10-x)}{x} = 4\frac{2}{5} - \frac{1}{5}x,$

$\therefore 4\frac{2}{5}x - \frac{1}{5}x^2 = 10 - x,$

$\therefore x = 2,$

$\therefore (10-x) = 8.$

or let $y/(10-y) = 1$ dinar $= D$, say, and $(10-y)/y = 1$ fals $= F$, say,

$\therefore (F + D)y = 34,$

$\therefore D \cdot y + 10 - y = 34,$

$\therefore D \cdot y = 24 + y,$

$\therefore D \cdot 10 - y = 24 + y,$

$\therefore D \cdot 10 = 24 + 2y,$

$\therefore D = 2\frac{2}{5} + \frac{1}{5}y,$

$\therefore y = 24 - \frac{2}{5}y - \frac{1}{5}y^2,$

$\therefore y = 8,$

$\therefore (10-y) = 2.$

עשרה ויעלה ד׳ דרהמי ושני חמשי׳ דרהם פחות חמישית דבר והוא מה שיגיע לחלק ותשוב ותאמר חלקת עשרה פחות דבר על דבר [folio 126a] ויעלה ארבעה דרהמי ושני חומשי דרהם פחות חמישית דבר ותעשה כמו שאמרתי לך ויעלה הדבר שנים והוא החלק האחד והוא המחלק והחלק האחר הוא שמנה.

[No. 29] ואם יאמרו לך חילקת עשרה לשני חלקים וחלקת כל אחד מהם על האחר וקבצת מה שיעלה לחלק משניהם והכיתה אותו על החלק האחר משני חלקי עשרה והיה ל״ד אדרהמיש. וכבר ידעת כי כאשר תכה מה שהגיע מחלוקת דבר בעשרה פחות [דבר] על עשרה פחות דבר יהיה דבר ותגרע דבר מל״ד וישאר ל״ד פחות דבר. והוא ידוע ממה שאמרנו כאשר נחלק עשרה פחות דבר על דבר ונכה המגיע לחלק מן החלוקה על עשרה פחות דבר יהיה ל״ד פחות דבר. וכאשר נכה מה שהגיע לחלק מחלוקת עשרה פחות דבר (על דבר) על דבר יגיעו עשרה פחות דבר תוסיפם על (הארבעה ושני שלישיות) [השלשים וארבע פחות דבר] ויהיה מ״ד פחות שני (שברים) [דברים] והוא כמו הכאת מה שהגיע לחלק מחלוקת עשרה פחות דבר בדבר על עשרה. והנחלק [מ״ד] פחות שני דברי׳ על עשרה ויעלה לחלק ארבעה דרהמיש ושני חומשי׳ פחות (ששית) [חמישית] דבר. ותשוב ותאמר חלקת עשרה דרהמי פחות דבר על דבר ועלה ארבעה דרהמי ושני חומשי׳ פחות חמישים דבר. וכבר ידענו שכאשר נכה מה שעל[ה] לחלק מהנחלק (כמחלק) [במחלק] על המחלק ישוב האלגוש (הנחלוק) [הנחלק] ותכה ארבעה דרהמי ושני חומשי׳ פחות חמישית דבר על דבר ויהיה ארבעה דברי׳ [ושני חומשי] (וחומש) פחות חמישית אלגוש ישוו עשרה דרהמי

---

140 Arabic text (fol. 38a). "If you wish, then make one of the two parts [*qismīn*] a thing, and the other 10 less a thing [*shai*ʾ]. Then we say that we divide a thing by 10 less a thing to obtain a dinar, and we divide 10 less a thing by a thing to obtain a fals. Adding the two of them makes a dinar plus a fals. Then we know that if we multiply a dinar and a fals by a thing, then it is 34. If we multiply a fals by a thing, it is 10 dirhams less a thing. Then 10 minus a thing is taken away from 34. There remains 24 plus a thing. We know that [when] we multiply a dinar by a thing, it is 24 dirhams. If we multiply a dinar by 10 less a thing, it is a thing. It is added to 24 and a thing; it is 24 plus 2 things. This is since we multiply a dinar by 10, it gives 24 dirhams plus 2 things. Then 24 plus 2 things is divided by 10; it comes out to 2 dirhams and $\frac{2}{5}$ plus $\frac{1}{5}$ a thing which is a dinar. Then it comes out.

"And one says that we divide a thing by 10 minus a thing to get 2 dirhams and $\frac{2}{5}$ plus $\frac{1}{5}$ a thing. We know that when we multiply the quotient by the divisor, the divided square returns.

"Then we multiply 2 dirhams and $\frac{2}{5}$ plus $\frac{1}{5}$ a thing by 10 less a thing to give 24 dirhams less $\frac{2}{5}$ a thing and less $\frac{1}{5}$ a square; it is equated to a thing. Solve as I have related to you; the thing comes out properly. It is one of two parts; the other is 2.

"And if he says that 10 is divided into two parts and the larger part is divided by the smaller, then you add the quotient to the 10. Then you multiply the sum by the smaller part; it gives 46 dirhams. To solve, the smaller part is taken as a thing, and the larger as 10 minus a thing. We know that if we divide 10 less a thing by a thing, and then we add [fol. 38b] the quotient to 10 and we multiply the sum by a thing, it is 10 things. We subtract from 46 dirhams; there remains 46 less 10 things; it is equal to the product of the quotient of 10 minus a thing [divided] by a thing, multiplied by a thing; this product is 10 less a thing. Ten less a thing is equal to 46 less 10 things. Solve as I have explained to you. The thing is equal to 4."

$4[\frac{2}{5}]$ things less $\frac{1}{5}$ a square equal to 10 less a thing. Solve it as I have shown and the thing equals 2 as the one part. The other is 8.

If it is desired, make one part a thing and the other as 10 minus a thing. Say that a thing is divided by 10 minus a thing to get a dinar, and 10 minus a thing divided by a thing is a fals. Add every quotient to get 1 dinar and 1 fals. One knows that when 1 dinar and 1 fals are multiplied by a thing, one gets 34. When 1 fals is multiplied by a thing, it is 10 less a thing. Subtract 10 minus a thing from 34 to give 24 and a thing. One knows that when a dinar is multiplied by a thing it is 24 and a thing. When a dinar is multiplied by 10 less a thing it gives a thing. Add it to 24 and a thing to give 24 plus 2 things; the explanation is that when a dinar is multiplied by 10 it gives 24 and 2 things. Divide 24 plus 2 things by 10; it comes out to $2\frac{2}{5}$ plus $\frac{1}{5}$ a thing, the dinar. Return and say that a thing is divided by 10 minus a thing to get $2\frac{2}{5}$ plus $\frac{1}{5}$ a thing. One knows that when one multiplies the quotient by the divisor, the divided amount returns. Multiply $2\frac{2}{5}$ plus $\frac{1}{5}$ a thing by 10 minus a thing to get 24 less $\frac{2}{5}$ a thing less $\frac{1}{5}$ a square—all equal to 1 thing. Solve as I have related and the thing comes out to 8. This is the one part; the other is 2.

[No. 30] If one says that 10 is divided into two parts, and the larger part is divided by the smaller, add the result of the quotient to 10 and multiply the sum by the smaller part to give 46.[141] Its solution is that the smaller part is taken as a thing, and the larger as 10 minus a thing. One knows that when 10 minus a thing is divided by a thing and adds the quotient to 10 and the sum is multiplied by [a thing], it comes to 46. One knows that if 10 is multiplied by a thing it is 10 things. If it is subtracted from 46, there remains 46 less 10 things; [it is equal] to the product of the quotient, from the division of 10 minus a thing by a thing, [by a thing]; it gives 10 less a thing equal to 46 less 10 things. Solve as I have related to get the thing as 4.

[No. 31] If one says that 10 is divided into two parts, the larger part is divided by the smaller, and the quotient is added to 10, and the

[141] $\left(10 + \dfrac{(10-x)}{x}\right) x = 46,$

$\therefore \dfrac{(10-x)}{x} \cdot x = 46 - 10x,$

$\therefore 10 - x = 46 - 10x,$

$\therefore x = 4.$

פחות דבר ותכוין עמו כמו שאמרתי לך ויעלה הדבר שנים והוא החלק האחד והאחר הוא שמנה.

ואם תרצה תשים החלק (האחר) [האחד] דבר והאחר עשרה פחות דבר ותאמר חלקנו דבר על עשרה פחות דבר ויעלה דינר אחד [folio 126b] וחלקנו עשרה פחות דבר על דבר ועלה פלס אחד וקבצנו מה שעלה לכל חלק ויהיה דינר אחד ופלס אחד. וכבר ידענו כי כאשר הכינו דינר אחד ופלס אחד על דבר יהיה ל״ד וכאש נכה פלס על דבר יהיה עשרה דרהמי פחות דבר. ותגרע עשרה פחות דבר מל״ד ישאר כ״ד ודבר. וכבר ידענו שכאשר נכה דינר על דבר יהיה כ״ד ודבר. וכאשר תכה דינר על עשרה פחות דבר יהיה דבר ותוסיפיהו על כ״ד ודבר ויהיה כ״ד (ושיש׳) ושני דברים. וכבר הוא מבואר שכאשר נכה דינר על עשרה יהיה כ״ד דרהמי׳ דברי׳ ותחלק כ״ד ושני דברים על עשרה ויעלה שני אדרהמיש ושני חומשי׳ וחמשית דבר והוא הדינר ותשוב ותאמר חלקנו דבר על עשרה פחות דבר ועלה שני אדרהמי ושני חומשי׳ וחמשית דבר. וכבר ידענו שכאשר נכה מה שעלה לחלק על המחלק ישוב האלגוש הנחלק ותכה שני אדרהמי ושני חומשי׳ (וחמישית) דבר על עשרה פחות דבר יהיה כ״ד דרהמי פחות [שני] חמישית דבר ופחות חמשית אלגוש ישוה הדבר. ותכוין עמו (מה) [כמו] שאמרתי לך ויעלה הדבר שמנה והוא החלק האחד והאחר שנים.

[No. 30] ואם יאמרו לך עשרה חלקת אותו לשני חלקי׳ וחלקת הגדול על הקטן והוספת העולה לחלק על עשרה והכית המקובץ על החלק הקטן והיה מ״ו אדרהמיש וחכמתו שתשים החלק הקטן דבר והגדול עשרה פחות דבר וכבר ידענו שכאשר נחלק עשרה פחות דבר על דבר והוספנו העולה לחלק על העשרה ונכה המקובץ על (עצמו) [דבר] יהיה מ״ו אדרהמי׳ והוא ידוע שאם נכה העשרה על דבר יהיה עשרה דברים ואם נגרעם מן מ״ו ישאר מ״ו פחות עשרה דברי׳ והוא [כמו] הכאת מה שעלה לחלק מחלוקת עשרה פחות דבר על דבר [על דבר] [folio 127a] ויהיה עשרה פחות דבר ישוה מ״ו פחות עשרה דברי׳ ותכוין עמו כמו שביארתי לך ויהיה הדבר ארבעה.

[No. 31] ואם יאמרו לך עשרה חלקת אותו לשני חלקי׳ וחלקת הגדול על הקטן והוספת מה שעלה לחלק על העשרה ותכה מה שיתקבץ על החלק הגדול ויהיה ששים ותשעה אדרהמי׳. וחכמתו שנשים החלק הקטן דבר והגדו׳ עשרה פחות דבר. וכאשר נחלק עשרה פחות דבר על דבר [והוספנו עשרה ונכה המקובץ על עשרה פחות דבר] יהיה ס״ט דרהמי. ותכה עשרה דרהמי על עשרה פחות דבר ויהיה מאה דרהמי פחות עשרה דברי׳. ותגרעם מס״ט אדרהמי וישאר עשרה דברים פחות ל״א דרהמי והוא כמו הכאת מה שיגיע לחלק מחלוקת עשרה פחות דבר בדבר על עשרה פחות דבר (והכאת מה שהגיע לחלק מחלוקת עשרה פחות דבר בדבר על עשרה פחות דבר) (והכאת) [והכית] מה שהגיע לחלק מחלוקת

sum is multiplied by the larger part, then it is equal to 69.[142] Its solution
is that the smaller part is made a thing; the larger is 10 minus a thing.
When 10 minus a thing is divided by a thing, [and 10 is added and the
sum multiplied by 10 less a thing,] it comes to 69. Multiply 10 by 10
less a thing to get 100 less 10 things. Subtract it from 69; there remains
10 things less 31 which is equal to the product of the quotient of 10
minus a thing divided by a thing, by 10 less a thing. The product of
the quotient of the division of 10 less a thing by a thing, is 10 less a thing.
Add it to 10 things less 31 to give 9 things less 21 equal to the product
of the quotient, of the division of 10 less a thing by a thing, by 10. Divide
9 things minus 21 by 10 to get $\frac{9}{10}$ a thing less $2\frac{1}{10}$; it is the quotient of 10
minus a thing divided by a thing. Multiply $\frac{9}{10}$ a thing less $2\frac{1}{10}$ by a thing
to give $\frac{9}{10}$ a square less $2\frac{1}{10}$ things equal to 10 less a thing. The solution
is that one complete the square to give a square equal to $11\frac{1}{9}$ plus $1\frac{2}{9}$
things. Take $\frac{1}{2}$ of $1\frac{2}{9}$ things; it is $\frac{1}{2}$ and $\frac{1}{9}$. Multiply it by itself to give $\frac{1}{4}$
and $\frac{1}{9}$ and $\frac{1}{9}$ of $\frac{1}{9}$. Add it to $11\frac{1}{9}$ to get $11\frac{1}{4}$ and $\frac{1}{6}$ and $\frac{1}{2}$ of $\frac{1}{9}$ and $\frac{1}{9}$ of $\frac{1}{9}$. Take
its root; it is 3 [plus $\frac{1}{3}$ plus $\frac{1}{2}$ of $\frac{1}{9}$]. Add $\frac{1}{2}$ the roots to it, and it is $\frac{1}{2}$ plus
$\frac{1}{9}$, to give 4, the thing. It is the smaller part. If it is desired, make the
smaller part the thing, and the larger as 10 minus a thing. When 10
minus a thing is divided by a thing, it comes to a dinar. Add it to 10 to
give 10 plus a dinar. When 10 is multiplied by 10 less a thing, it gives
100 less 10 things. Subtract it from 69; there remains 10 things minus
31. The product of 1 dinar by a thing is 10 less a thing. Add it to 10
things less 31 to get 9 things minus 21. One knows that the product of
the dinar by 10 is 9 things less 21. Divide 9 things less 21 by 10; it comes
out to $\frac{9}{10}$ a thing less $2\frac{1}{10}$. It is equal to the dinar. It is as related, the
division of 10 less a thing by a thing; it comes to $\frac{9}{10}$ a thing less $2\frac{1}{10}$. Do
as I have related and the thing comes out to 4, the smaller part; the larger
is 6.

[142] $\left(10 + \dfrac{(10 - x)}{x}\right)(10 - x) = 69,$

$\therefore\ 100 - 10x + \dfrac{(10 - x)}{x} \cdot (10 - x) = 69,$

$\therefore\ \dfrac{(10 - x)}{x} \cdot (10 - x) = 10x - 31,$

$\therefore\ 10\left(\dfrac{10 - x}{x}\right) - (10 - x) = 10x - 31,$

$\therefore\ 9x - 21 = 10\left(\dfrac{10 - x}{x}\right),$

$\therefore\ \dfrac{9}{10}x - 2\dfrac{1}{10} = \dfrac{(10 - x)}{x},$

עשרה פחות דבר בדבר על דבר שהוא עשרה פחות דבר ותוסיפם על עשרי' דברי' פחות ל״א דרהמי ויהיה תשעה דברי' פחות כ״א דרהמי והוא כמו הכאת מה שהגיע לחלק מחלוקת עשרה פחות דבר בדבו" על עשרה. ותחלק תשעה דברים פחות כ״א דרהמי על עשרה ויעלה תשעה עשיריות דבר פחות שני דרהמי ועשירית והוא מה שעלה לחלק מחלוקת עשרה פחות דבר על דבר ותכה תשעה עשיריות דבר פחות שני דרהמי ועשירית על דבר (ויהיה תשעה עשיריות דבר פחות שני דרהמי ועשירית על דבר) ויהיה תשעה עשיריות מאלגוש פחות שני דברים ועשירית דבר ישוו עשרה (דברי') פחות דבר ותכוון עמהם וישלם האלגוש שלך ויהיה אלגוש ישוה י״א דרהמי ותשיעית ודבר אחד ושני תשיעיות דבר. וקח מחצית הדבר* ושני תשיעיות דבר ויהיה [folio 127b] חצי (ותשיעיות) [ותשיעית] ותכהו על עצמו ויהיה רביע (ותשיעיות) [ותשיעית] ותשיעית התשיעית ותוסיפהו על י״א דרהמי ותשיעית ויהיה י״א דרהמי ורביע ושתות וחצי תשיעית ותשיעית התשיעית וקח שורשו והוא שלשה דרהמי (ושני שלישיתם וקח מחצית הכל והוא) [ושליש וחצי התשיעית] ותוסיף עליו מחצית השרשים והוא חצי ותשיעית ויהיה ארבעה והוא הדבר והוא החלק הקטן. ואם תרצה תשים החלק האחד דבר והוא הקטן והגדול עשרה פחות דבר. וכאשר חלקנו עשרה פחות דבר על דבר יעלה דינר אחד תהסיפהו על עשר ויהיה עשרה דרהמי' ודינר אחד וכאשר נכה עשרה (ודינר) על עשרה דרהמי פחות דבר (על עצמו) יהיה מאה דרהמי פחות עשרה דברי' ותגרעם מן הס״ט וישאר עשרה דברי' פחות ל״א דרהמי והכאת דינר אחד על דבר הוא עשרה דרהמי פחות דבר ותוסיפם על עשרה דברים פחות ל״א ויהיה תשעה דברי' פחות כ״א וכבר ידענו שהכאת הדינר על עשרה דרהמי הוא תשעה דברי' פחות כ״א ותחלק תשעה דברי' פחות כ״א על עשרה ויעלה תשעה עשיריות דברים פחות ב' דרהמי ועשירית (דבר) והוא הדינר והוא כמו שתאמר חלקנו עשרה דרהמי פחות דבר על דבר ויעלה תשעה עשיריות דבר פחות שני דרהמי ועשירית ותעשה כאשר אמרתי לך ויעלה הדבר ארבעה והוא החלק הקטן והגדול הוא ששה.

* Unnecessary to add מדבר.

$\therefore \frac{9}{10}x^2 - 2\frac{1}{10}x = 10 - x,$

$\therefore x^2 = 11\frac{1}{9} + 1\frac{2}{9}x,$

$$\therefore x = 11/18 + \sqrt{(11/18)^2 + 11\frac{1}{9}} = 4.$$

$$\textit{or}\text{ let } \frac{10 - x}{x} = 1 \text{ dinar} = D, \text{ say,}$$

$\therefore (10 + D)(10 - x) = 69,$

$\therefore 100 - 10x + D(10 - x) = 69,$

$\therefore D(10 - x) = 10x - 31,$

$\therefore D \cdot 10 - (10 - x) = 10x - 31,$

$\therefore D \cdot 10 = 9x - 21,$

$\therefore \frac{9}{10}x - 2\frac{1}{10} = D,$

$\therefore x = 4,$

$\therefore (10 - x) = 6.$

[No. 32] If one says to you that 10 is divided into two parts, and the larger is divided by the smaller, and the smaller by the larger, and the sum of the quotients is added to 10, and the sum multiplied by the larger part—all this is equal to 73.[143] Its solution is that the larger part is taken as the thing and the smaller as 10 minus a thing. [When 10 minus a thing] is divided by a thing, and the thing by 10 minus a thing, add the quotients to 10 and multiply the sum by a thing to get 73. One knows that if 10 is multiplied by a thing, it is 10 things. Subtract it from 73 to get 73 less 10 things. It is equal to the sum of the quotients— the division of a thing divided by 10 minus a thing, and the division of 10 minus a thing by a thing—multiplied by a thing. The product of the quotient, of the division of 10 minus a thing by a thing, by a thing is 10 minus a thing. Subtract it from 73 less 10 things to get 63 less 9 things. It is equal to the product of the quotient of the division of a thing by 10 minus a thing, by a thing. When the quotient of the division of a thing by 10 minus a thing is multiplied by 10 minus a thing, it is a thing. Add the thing to 63 less 9 things to get 63 less 8 things. It is equal to the product of the quotient, of the division of a thing by 10 minus a thing, by 10. One knows that when a thing is divided by 10 minus a thing, it comes to $6\frac{3}{10}$ less $\frac{4}{5}$ a thing. One knows that when the quotient of the division is multiplied by the divisor, the dividend returns. Multiply $6\frac{3}{10}$ less $\frac{4}{5}$ a thing by 10 less a thing to get 63 plus $\frac{4}{5}$ a square less $14\frac{3}{10}$ a thing—equal to [a thing]. Complete the square to get a square plus 78 and $\frac{1}{2}$ and $\frac{1}{4}$ equal to $19\frac{1}{8}$ things. Take $\frac{1}{2}$ the things; it is $9\frac{1}{2}$ and $\frac{1}{2}$ of $\frac{1}{8}$. Multiply it by itself to give [91 and $\frac{1}{4}$] and an $\frac{1}{8}$ and $\frac{1}{2}$ of $\frac{1}{8}$ and $\frac{1}{256}$. From it, subtract 78 and $\frac{1}{2}$ and $\frac{1}{4}$; there remains 12 and $\frac{1}{2}$ and $\frac{1}{8}$ and $\frac{1}{2}$ of $\frac{1}{8}$ and $\frac{1}{256}$. Take its root; it is 3 and $\frac{1}{2}$ and $\frac{1}{2}$ of $\frac{1}{8}$. Subtract it from $\frac{1}{2}$ the things which is $9\frac{1}{2}$ and $\frac{1}{2}$ of $\frac{1}{8}$; there remains 6, the thing. It is the larger part.

[No. 33] If one says that 10 is divided into two parts, each of them divided by the other, [take the difference between one part and the other],

[143] $\left(10 + \dfrac{x}{(10-x)} + \dfrac{(10-x)}{x}\right) x = 73,$

$\therefore \left(\dfrac{x}{(10-x)} + \dfrac{(10-x)}{x}\right) x = 73 - 10x,$

$\therefore \left(\dfrac{x}{10-x}\right) x = 63 - 9x,$

$\therefore 10\left(\dfrac{x}{10-x}\right) = 63 - 8x,$

[No. 32] ואם יאמרו לך עשרה חלקנום לשני חלקים וחלקנו הגדול על הקטן והקטן על הגדול (וקבצתם) [וקבצת] מה שעלה לכל חלק (והוספתם) [והוספת על העשרה והכית המקובץ על החלק הגדול והיה שבעים ושלשה דרהמי. וחכמתו שתשי׳ החלק הגדול דבר והקטן [עשרה פחות דבר] (דבר פחות [folio 128a] עשרה) וכאשר נחלק (דבר פחות עשרה) [עשרה פחות דבר] על דבר (פחות עשרה על דבר) והדבר על עשרה פחות דבר והוספנו מה שיעלה לכל חלק על העשרה והכינו המקובץ על הדבר היה ע״ג דרהמי וכבר ידענו שאם הכינו עשרה על דבר הוא עשרה דברי׳ תגרעם מע״ג וישאר ע״ג פחות עשרה דברי׳ והוא כמו הנקבץ ממה שעלה לחלק מחלוקת דבר בעשרה פחות דבר ומחלוקת עשרה פחות דבר בדבר ועל דבר מרובה. והבאת מה שעלה לחלק מחלוקת עשרה פחות דבר בדבר על דבר שהוא עשרה פחות דבר תגרעם מע״ג פחות עשרה דברי׳ ישאר ס״ג פחות ט׳ דברי׳ והוא כמו הכאת מה שעלה לחלק מחלוקת דבר בעשרה פחות דבר על דבר. וכאשר היכינו מה שעלה לחלק מחלוקת דבר בעשרה פחות דבר על עשרה פחות דבר יהיה דבר ותוסיף זה הדבר על ס״ג פחות תשעה דברים ויהיה ס״ג פחות ח׳ דברי׳ והוא כמו הכאת מה שעלה לחלק מחלוקת דבר בעשרה דרהמי פחות דבר על עשרה (ויעלה ששה דרהמי שלש עשיריות אדרהם פחות ארבעה חומשי׳ מדבר) והוא ידוע ממה שהנחנו שכאשר נחלק דבר בעשרה פחות דבר יעלה ששה דרהמי ושלש עשיריות אדרהם פחות ארבעה חומשי דבר וכבר ידוע שכאשר נכה מה שעלה לחלק מהחלוקה על המחלק ישוב האלגוש הנחלק ותכה ששה דרהמי ושלש עשיריות פחות ארבעה חומשי דבר על עשרה פחות דבר ויהיה ס״ג דרהם וארבעה חומשי אלגוש פחות י״ד דברי׳ ושלש עשיריות דבר ישוה [דבר] (ארבעה חומשי אלגוש וס״ג דרהמיש) ותשלים האלגוש שלך ויהיה אלגוש וע״ח דרהמי וחצי ורביע ישוה י״ט דברים ושמינית וקח מחצית הדברים והם תשע׳ וחצי וחצי שמינית ותכם על עצמם ויהיה (ר״מ וחצי) [folio 128b] (וחצי) [צ״א ורביעית] ושמינית וחצי שמינית וחלק אחד מכנ״ו ותגרע ממנו (מ״ח ומחציתו והוא כ״ד ושישיתו הוא ח׳) [ע״ח וחצי ורביעית] וישאר (י״א) [י״ב] וחצי ושמינית וחצי שמינית וחלק (אחד) [אחד] מכנ״ו ותקח שורשו והוא שלשה וחצי וחצי שמינית תגרעם ממחצית הדברי׳ שהוא תשעה וחצי וחצי שמינית וישאר ששה והוא הדבר והוא החלק הגדול.

[No. 33] ואם יאמרו לך עשרה חלקת אותו לשני חלקים וחלקת כל אחד על האחר [ותקח ההבדל ממה שעלה על החלק האחד על האחר] ותכהו על החלק

$$\therefore \frac{x}{(10-x)} = 6\frac{3}{10} - \frac{4}{5}x,$$

$\therefore 63 + \frac{4}{5}x^2 - 14\frac{3}{10}x = x,$

$\therefore x^2 + 78\frac{3}{4} = 19\frac{1}{8}x,$

$$\therefore x = 9\,{}^9/_{16} - \sqrt{(9\,{}^9/_{16})^2 - 78\frac{3}{4}},$$

$\therefore x = 6.$

multiply it by the other and it will come to 5.[144] Its solution is that one part is made a thing, and the other as 10 minus a thing. One knows that when a thing is divided by 10 minus a thing, and 10 minus a thing by a thing, and the difference is taken between the two quotients, and multiplied by a thing, it equals 5. When the quotient, of the division of 10 minus a thing by a thing is multiplied by 2 things, it gives 20 minus 2 things. [If one adds this to the difference between the fractions which arose for each part, it is equal to the sum of the two fractions] since one completes the extra fraction, equal to twice the quotient, from the division of 10 less a thing by a thing. Add it to 5 to get 25 less 2 things. The explanation now is that the product of the quotient, from the sum of each divided by the other, by a thing is 25 less 2 things. It is, as was stated, that 10 was divided into two parts, each divided by the other, the quotients are added, and the sum multiplied by one part of the two parts of the 10 to give 25 less 2 things. Carry this out [as I explained] previously.

If it is desired, set one part equal to a thing, and the other as 10 minus a thing. Say that a thing is divided by 10 minus a thing to get a dinar; 10 less a thing divided by a thing comes to a fals. Take the difference between the dinar and fals, a dinar minus a fals, and multiply it by a thing to give 5 since, in this question, one already knows the difference between the sum of the dinar and fals and the difference between the dinar and fals is equal to 2 falus. The product of the 2 falus by a thing is 20 less 2 things. Add the 5 to them to get 25 less 2 things. It is then as one says that 10 is divided into two parts, each of which is divided by the other. Add the quotients and multiply the sum by one part of the 10 to give 25 less 2 things. Carry it out as I have already explained.

[No. 34] One says that 10 is divided into two parts, and the larger is divided by the smaller, and the quotient is then added to the larger, the smaller divided by the larger and the quotient added to the smaller. Multiply one by the other to get 35.[145] For its solution, make the large

[144] $\left(\dfrac{x}{(10 - x)} - \dfrac{(10 - x)}{x} \right) x = 5,$

$\therefore \left(\dfrac{x}{(10 - x)} + \dfrac{(10 - x)}{x} \right) x - \left(\dfrac{10 - x}{x} \right) 2x = 5,$

$\therefore \left(\dfrac{x}{(10 - x)} + \dfrac{(10 - x)}{x} \right) x = 25 - 2x;$ this resembles no. 32.

or let $x/(10 - x) = 1$ dinar $= D$, say and $(10 - x)/x = 1$ fals $= F$, say,
$\therefore (D - F)x = 5,$
$\therefore (D + F)x - 2F \cdot x = 5,$
$\therefore (D + F)x = 25 - 2x,$

$\therefore \left(\dfrac{x}{(10 - x)} + \dfrac{(10 - x)}{x} \right) x = 25 - 2x.$

(האחר) [אחד] ויהיה חמשה דרהמיש. וחכמתו שתניח החלק האחד דבר (והאחד [והאחר] עשרה פחות דבר וכבר ידענו שכאשר נחלק דבר על עשרה פחות דבר ועשרה פחות דבר על דבר ונקח הבדל החלקים שעלו לכל חלק והכינוהו (על על דבר יהיה חמשה דרהמיש וכאשר נכה (מה שנשאר מהחלק שלקחנו ההבדל מהחלק האחד על האחר על דבר) [מה שעלה לחלק מחלוקת עשרה פחות דבר על דבר על שני דברים] יהיה עשרי׳ דרהמיש פחות שני דברי׳. [ואם נחבר זה על הבדל החלקים שעלו לכל חלק ישווה אל שני החלקים מקובצים] בעבור כי תשלום החלק המעדיף הוא כמו שני פעמים מה שעלה לחלק מחלוקת עשרה פחות דבר על דבר ותוסיפם על חמשה דרהמיש ויהיה כ״ה דרהמיש פחות שני דברים. וכבר התבאר עתה שהכאת מה שעלה לחלק מחלוקת כל אחד על האחר מקובצי׳ על דבר הוא כ״ה דרהמיש פחות שני דברי׳ והוא כמו שאמר עשרה חלקת אותו לשני חלקי׳ וחלקת כל אחד על האחר וקבצת מה שעלה לכל חלק והכית אותו על חלק אחר לשני חלקים (עשרה) [מהעשרה]* והיה כ״ה אדרהמיש פחות שני דברים (והוא כ״ה פחות הדבר האחד) ועשיתו כאשר בי׳ [ביארתי] לפני זה. ואם תרצה תניח החלק (האחר) [האחד] דבר והחלק האחר עשרה פחות דבר ותאמר חלקנו דבר על עשרה פחות דבר ועלה דינר [folio 129a] אחד וחלקנו עשרה פחות דבר על דבר ויעלה פלס. ותקח העודף שהוא בין הדינר והפלס והוא דינר פחות פלס ותכהו על דבר ויהיה חמשה דרהמיש בעבור כי ככה השאלה וכבר ידענו כי מה שבין הדינר והפלס אשר יעלו לכל חלק מהשני חלקים ובין הדינר פחות פלס והוא שני פלסים והכאת שני פלסים על דבר הוא עשרים דרהמיש פחות שני דברי׳ ותוסיף עליהם החמשה דרהמי ויהיה כ״ה דרהמי פחות שני דברי׳ והוא כאלו תאמר עשרה חלקנו׳ לשני חלקי׳ וחלקנו כל אחד על האחר וקבצנו מה שעלה לכל חלק והכינו על חלק אחד מהעשרה ויהיה כ״ה דרהמי פחות שני דברי׳ ותעשהו כאשר כבר אמרתי.

[No. 34] ואם יאמרו לך עשרה חלקת אותו לשני חלקים וחלקת הרב על המעט והוספת מה שעלה לחלק על הרב וחלקת המעט על הרב והוספת מה שעלה (לכ) לחֱלֶק על המעט (והכיתו האחר) [והכית האחד] על האחר והיה ל״ה אדרהמיש וחכמתו שתשים החלק הגדול דבר והקטן עשרה פחות דבר

* שני חלקים מהעשרה are $x + y = 10$; the two quotients are מה שעלה לכל חלק מהחלוקה.

[145] $$\left(\frac{x}{(10-x)} + x\right)\left(\frac{(10-x)}{x} + 10 - x\right) = 35,$$

$\therefore 10 - x + x + 10x - x^2 + 1 = 35,$
$\therefore 11 + 10x - x^2 = 35,$
$\therefore x = 6,$
$\therefore (10 - x) = 4.$
or let $x/(10 - x) = 1$ dinar $= D$, say, and $(10 - x)/x = 1$ fals $= F$, say,
$\therefore (x + D)(10 - x + F) = 35,$
$\therefore x + 10 - x + 10x - x^2 + 1 = 35,$
$\therefore 11 + 10x - x^2 = 35.$

part a thing, and the small as 10 less a thing. Divide a thing by 10 less a thing and add the result to a thing to get a thing plus the quotient arising from the division of a thing by 10 less a thing. Divide 10 less a thing by a thing. Add the result to 10 less a thing to get 10 less a thing plus the quotient from the division of 10 less a thing divided by a thing. Multiply it by a thing and by the quotient of the division of a thing by 10 less a thing. The product of the quotient from 10 minus a thing divided by a thing, by a thing equals 10 minus a thing. The product of the quotient from the division of a thing by 10 less a thing, by 10 [less a thing is equal to a thing]. One knows that the product of a thing by 10 minus [a thing] is 10 things less a square; the product of the quotient from the division of a thing by 10 less a thing, by 10 less a thing is a thing. The product of the quotient from the division of 10 less a thing by a thing, by a thing is 10 less a thing. The product of the quotient from the division of a thing by 10 less a thing, by the quotient from the division of 10 less a thing by a thing, is 1, as has been explained, where for two numbers, each divided by the other, [and then one is multiplied by the other], it is always 1. The sum of these products is 10 things less a square, 1 thing, 10 less a thing, and 1—all of which is 11 and 10 things less a square —equal to 35. Solve as I have related; the thing comes to 6, the larger; the smaller is 4.

If it is desired, make the larger part a thing, and the second as 10 less a thing. Divide a thing by 10 minus a thing to get 1 dinar. Add it to the thing to get a thing plus a dinar. Divide 10 minus a thing by a thing to get 1 fals. Add it to 10 minus a thing to get 10 plus 1 fals minus a thing. Multiply it by a thing and a dinar. Multiply 1 dinar by 10 less a thing to get a thing. Multiply a fals by a thing to get 10 less a thing. Multiply [10 less a thing by a thing to get 10 things less a square. Multiply] a dinar by a fals to get 1. Add all these to get 11 plus 10 things less a square equal to 35. Solve it as I have explained it.

[No. 35] If one says that 10 is divided into two parts, and the larger is divided by the smaller and the result added to 10, [and the smaller divided by the larger and the result added to 10], then each sum is multiplied one by the other, it comes to $122\frac{2}{3}$.[146] For its solution, the quotient of the larger divided by the smaller is made a large thing; add it to 10 to give 10 plus a large thing. The quotient of the smaller divided by the larger is made a small thing; add it to 10 to give 10 plus a small

[146] (Cf. no. 8).
Let $(10 - x)/x = A$ and $x/(10 - x) = a$,
∴ $(10 + A)(10 + a) = 122\frac{2}{3}$,
∴ $100 + 10A + 10a + 1 = 122\frac{2}{3}$,
∴ $101 + 10A + 10a = 122\frac{2}{3}$,

ותחלק דבר על עשרה פחות דבר והעולה תוסיפהו על דבר ויהיה דבר ומה
שיעלה לחלק מחלוקת דבר על עשרה פחות דבר ותחלק עשרה פחות דבר על
דבר והעולה תוסיפהו על עשרה פחות דבר ויהיה עשרה פחות [דבר] ומה שיעלה
לחלק מחלוקת עשרה פחות דבר על דבר ותכהו על דבר ועל מה שיעלה מחלוקת
דבר בעשרה פחות דבר והכאת מה שעלה לחלק מחלוקת [folio 129b] עשרה
פחות דבר בדבר על דבר הוא כמו (הכאת דבר על) עשרה פחות דבר (והכאת
מה שעלה לחלק מחלוקת עשרה פחות דבר בדבר על דבר) והכאת מה שיעלה
לחלק מחלוקת דבר על עשרה פחות דבר בעשרה (דברי׳) [פחות דבר הוא
כמו דבר] (והכאת מה שעלה לחלק מחלוק עשרה פחות דבר על דבר). וכבר
ידעת שהכאת דבר בעשרה פחות [דבר] הוא עשרה דברים פחות אלגוש והכאת
מה שיעלה לחלק מחלוקת דבר על עשרה פחות דבר בעשרה פחות דבר הוא
דבר. ושהכאת מה שיעלה לחלק מחלוקת עשרה דרהמי פחות דבר על דבר
בדבר הוא עשרה פחות דבר. ושהכאת מה שעלה מחלוקת דבר על עשרה פחות
דבר במה שעלה מחלוקת עשרה פחות דבר על דבר הוא אדרהמ׳ אחד בעבור
כי ביארנו שכל שני מספרים שיחלק כל אחד מהם על (האחד) [האחר] [ותכה
האחד על האחר] הוא אחד לעולם. ותקבץ המוכה כלו והוא עשרה דברים
פחות אלגוש ודבר ועשרה פחות דבר ודרהם אחד ויהיה זה כלו י״א אדרהמי׳
ועשרה דברי׳ פחות אלגוש ישוה ל״ה אדרהמי ותכוין עמהם כמו שאמרתי לך
ויעלה הדבר ששה והוא החלק (הקטן והגדול) [הגדול והקטן] ארבעה. ואם תרצה
תשים החלק הגדול דבר והשני עשרה פחות דבר ותחלק דבר על עשרה פחות
דבר ויעלה דינר אחד תוסיפיהו על (הדבר) הדבר ויהיה דבר ודינר (אחר)
[אחד] ותחלק עשרה פחות דבר על דבר ויעלה פלס (אחר) [אחד] ותוסיפהו
על עשרה פחות דבר ויהיה עשרה ופלס אחד פחות דבר ותכהו בדבר ודינר
אחד תכה דינר אחד (ועשרה) [על עשרה] דרהמי׳ פחות דבר ויהיה דבר ותכה
פלס אחד בדבר ויהיה [folio 130a] עשרה דרהמי פחות דבר (ותכהו) [ותכה]
[עשרה פחות דבר על דבר ויהיה עשרה דברים פחות אלגוש ותכה] דינר בפלס
ויהיה אדרהם אחד ותקבץ כל זה ויהיה (ט״ו) [י״א] דרהמי ועשרה דברי׳ פחות
אלגוש ישוו ל״ה דרהמי ותכוין עמהם כמו שביארתי לך.

[No. 35] ואם יאמרו לך עשרה תחלקיהו לשני חלקי׳ ותחלק הרב על המעט
ותוסיף העולה על העשרה [ותחלק המעט על הרב ותוסיף העולה על העשרה]
ומה שיתקבץ מכל חלק תכה האחד על האחר ויהיה מאה ועשרים ושנים דרהמי
ושני שלישי׳. וחכמתו שנניח מה שעלה מהרב על המעט דבר גדול ותוסיפיהו על
העשרה ויהיה עשרה ודבר גדול. ותניח מה שעלה מן המעט על הרב דבר קטן
ותוסיפיהו על העשרה ויהיה עשרה ודבר קטן ותכהו על עשרה ודבר גדול תכה
עשרה על עשרה ויהיה מאה (ותכהו) [ותכה] דבר גדול על עשרה ויהיה עשרה

$\therefore 21\frac{2}{3} = 10A + 10a,$
$\therefore A + a = 2\frac{1}{6},$

$$\therefore \frac{(10-x)}{x} + \frac{x}{(10-x)} = 2\tfrac{1}{6}.$$

thing. Multiply it by 10 plus a large thing. Multiply 10 by 10 to give 100; multiply a large thing by 10 to give 10 large things; multiply a small thing by 10 to get 10 small things; multiply a small thing by a large thing to give 1. Add all these to give 101 plus 10 large things plus 10 small things equal to $122\frac{2}{3}$. Subtract 101 from $122\frac{2}{3}$ to get $21\frac{2}{3}$ equal to 10 large things plus 10 small things. A large thing plus a small thing is equal to $2\frac{1}{6}$. It is as 10 is divided into two parts, each of which is divided by the other to get $2\frac{1}{6}$. This has already been explained.

[No. 36] If one says that 10 is divided into two parts, the larger being divided by the smaller, and the result added to 10, and then the smaller is divided by the larger and the quotient subtracted from 10, and then one is multiplied by the other, it will equal $107\frac{1}{3}$.[147] Its solution is that the quotient of the larger by the smaller is a large thing; add it to 10 to give 10 plus a large thing. Set the quotient of the smaller divided by the larger as a small thing; subtract it from 10 to give 10 minus a small thing. Multiply it by 10 plus a large thing to give 99 plus 10 large things minus 10 small things equal to $107\frac{1}{3}$. Solve to get 10 large things minus 10 small ones equal to $8\frac{1}{3}$. The large thing minus the small thing equals $\frac{5}{6}$. As stated then, 10 is divided into two parts, each divided by the other; the smaller number is subtracted from the larger to give $\frac{5}{6}$. Do as I have shown.

[No. 37] If one says that 10 is divided into two parts, and one part is multiplied by itself and the other by the root of 8, and subtract the quantity of the product of one part times the root of 8 from the quantity— the product of the other part multiplied by itself, it gives 40.[148] For its

---

[147] (Cf. no. 9).

Let $(10 - x)/x = A$ and $x/(10 - x) = a$,

$\therefore (10 + A)(10 - a) = 107\frac{1}{3}$,

$\therefore 99 + 10A - 10a = 107\frac{1}{3}$,

$\therefore 10A - 10a = 8\frac{1}{3}$,

$\therefore A - a = 5/6$,

$$\therefore \frac{(10 - x)}{x} - \frac{x}{(10 - x)} = \frac{5}{6}.$$

[148] Arabic text (fols. 43a–43b). "If one says that 10 is divided into two parts, and then one of the two parts is multiplied by itself, and the other by the root of 8, then there is subtracted [that] amount of the product of one of the parts by the root of 8 from the product of the other of the two parts by itself. There remains 40 dirhams. It is solved if one of the two parts is taken as a thing and the other as 10 less a thing. Then 10 less a thing is multiplied by itself to give 100 dirhams plus a square less 20 things. Then a thing is multiplied by the root of 8 to give the root of 8 squares. Then we subtract it from 100 dirhams and a square less 20 things to yield 100 dirhams and a square less 20 roots and less the root of 8 squares; it is equal to 40 dirhams.

"Complete the 100 dirhams and the square with 20 things and with the root of 8 squares.

דברי' גדולי' תכה דבר קטן על עשרה ויהיה עשרה דברי' קטני'. ותכה דבר קטן על דבר גדול ויהיה דרהם אחד ותקבץ כל זה ויהיה מאה אדרהמי ודרהם אחד ועשרה דברי' גדולי' ועשרה דברי' קטני' ושוו קכ״ב דרהמי ושני שלישי' תגרע ק״א דרהמי מקכ״ב ושני שלישי' וישאר כ״א דרהמי ושני שלישי ישוו עשרה דברי' גדולי' ועשרה דברי' קטנים' והדבר הגדול והדבר הקטן יחד הם שנים דרהמי ושתות והוא כאלו שאלו חלקת עשרה לשני חלקי' וחלקת כל חלק על האחר ועלה שני דרהמי' ושתות וכבר התבאר זה.

[No. 36] ואם יאמרו חלקת עשרה לשני חלקי' וחלקת הרב על המעט והוספת העולה על העשרה וחלקת המעט על הרב וגרעת מה שעלה [folio 130b] לחלק מן העשרה והכית האחד על האחר ויהיה מאה ושבעה (ושני שלישיות) וחכמתו שניח מה שעלה מן הרב על המעט דבר גדול ותוסיפהו על העשרה ויהיה עשרה ודבר גדול ותניח מה שעלה מחלוקת המעט על הרב דבר קטן ותגרעהו מן העשרה וישאר עשרה פחות דבר קטון ותכם על העשרה ודבר גדול ויהיה צ״ט דרהמי ועשרה דברי' גדולי' פחות עשרה דברי' קטני' ישוו ק״ז דרהמי (ושני שלישיות) [ושלישית]. ותכוונם עמהם וישארו עשרה דברי' גדולי' פחות עשרה קטנים ישוו שמנה (ושני שלישיות) [ושלישית]. והדבר הגדול פחות הדבר הקטן ישוו חמשה שישיות דרהם והוא כאלו אמרת חלקת עשרה לשני חלקים וחלקת כל חלק על האחר וגרעת המספר [המעט] מן הרב וישאר חמשה ששיות דרהמי ותעשה כאשר ביארתי לך.

(ואם יאמרו לך תחלק עשרה דרהמי על שנים ושרש שלשה וחכמתו מה שנשאר מן העשרה והוא חמשה ושרש לא פחות שורש ששה).*

[No. 37] ואם יאמרו לך עשרה חלקת אותם לשני חלקים והכית החלק האחד על עצמו והאחר על שורש שמנה וגרעת המקובץ מהכאת החלק האחד בשורש שמנה מן המקובץ מהכאת החלק האחר על עצמו וישאר ארבעי' דרהמי. וחכמתו שניח החלק האחר דבר והאחד עשרה פחות דבר ותכה עשרה פחות דבר על

* The text is corrupt and makes no sense. Weinberg omitted translation and referred to it in note 141, p. 90. This note is in the wrong place. It should be after note 143 on p. 91.

Add it to the 40 dirhams so that you have 100 dirhams and a square equal to 40 dirhams and 20 things, and the root of 8 squares. [Add it to the 40 to get 100 plus a square equal to 40 plus 20 things plus the root of 8 squares.] Subtract 40 dirhams from 100 dirhams. There remains 60 dirhams and a square equal to 20 things and the root of 8 squares. Halve the 20 things and the root of 8 squares to give 10 [things] and the root of 2 (squares]. Multiply it by itself to give 102 plus the root of 800. Subtract the 60 dirhams that is with the square from it; there remains 42 dirhams and the root of 800. Then its root is subtracted from 10 plus the root of 2. It is the part multiplied by the root of 8; the other is what remains from 10. It is 42 dirhams plus the root of 800, the root of this sum, less the root of 2."

solution, make the other part a thing, and the one as 10 minus a thing.[149] Multiply 10 minus a thing by itself to get 100 plus a square less 20 things. Multiply a thing by the root of 8 to get the root of 8 squares. Subtract it from 100 plus a square less 20 roots [to get 100 plus a square less 20 roots] less the root of 8 squares equal to 40. Complete the 100 plus the square with the 20 roots and with the root of 8 squares. Add it to the 40 to get 100 plus a square equal to 40 plus 20 things plus the root of 8 squares. Subtract 40 from 100 to get 60 plus a square equal to 20 things plus the root of 8 squares. Take $\frac{1}{2}$ of 20 things and of the root of 8 squares to give 10 things plus the root of 2 squares. Multiply by itself to give 102 plus the root of 800. Subtract 60 which is with the square to give 42 plus the root of 800. Subtract the root of this sum from 10 plus the root of 2. It is the part multiplied by the root of 8; the other is the remainder from 10, or the root of the sum of 4[2] and the root of 800 minus the root of 2.

If it is desired, multiply the thing by itself to get a square. Multiply the other part, which is 10 minus a thing, by the root of 8 to give 800 minus the root of 8 squares. Subtract the root of 800 less the root of 8 squares from the square to get a square and the root of 8 squares less the root of 800 equal to 40. Add the square and the root of 8 squares; take the root of 800 and add it to the 40 to give 40 plus the root of 800 equal to a square plus the root of 8 squares. Take $\frac{1}{2}$ the root of 8 squares to give the root of 2. Multiply it by itself to give 2; add it to the 40 and the root of 800 to get 42 and the root of 800. Subtract the root of 2 from the root of this to give the part multiplied by itself.

[No. 38] One says that 10 is divided into two parts, and the products — one by the root of 10, and the other by itself—are equal.[150] For its solution make one part as a thing, and the other as 10 minus a thing. Multiply a thing by itself to give a square. Multiply the [root] of 10 [by

---

[149] $(10 - x)(10 - x) - x\sqrt{8} = 40,$

$\therefore 100 + x^2 - 20x - \sqrt{8x^2} = 40,$

$\therefore 100 + x^2 = 40 + 20x + \sqrt{8x^2},$

$\therefore 60 + x^2 = 20x + \sqrt{8x^2},$

$\therefore x = 10 + \sqrt{2} - \sqrt{(10 + \sqrt{2})^2 - 60} = 10 + \sqrt{2} - \sqrt{42 + \sqrt{800}},$

$\therefore (10 - x) = \sqrt{42 + \sqrt{800}} - \sqrt{2}.$

or $x \cdot x - (10 - x)\sqrt{8} = 40,$

$\therefore x^2 + \sqrt{8x^2} - \sqrt{800} = 40,$

עצמו ויהיה מאה אדרהמי ואלגוש פחות עשרים דברי' ותכה דבר בשורש שמנה ויהיה שרש שמנה אלגוש ותגרע אותו ממאה דרהמי ואלגוש פחות עשרי' שרשים [ויהיה מאה דרהמי ואלגוש פחות עשרים שרשים] ופחות שורש שמנה אלגוש ישוה ארבעים דרהמי ותאסוף המאה דרהמי ואלגוש עם העשרי' שרשים ועם שרש (שמנה) [folio 131a] שמנה אלגוש ותוסיפם על הארבעים ויהיה מאה ואלגוש ישוו ארבעי' דרהמי ועשרים דברי' ושורש שמנה אלגוש ותגרע ארבעים מהמאה וישאר ששים דרהמי ואלגוש ישוה עשרי' דברי' ושורש שמנה אלגוש ותקח מחצית עשרים הדברים ושורש שמנה אלגוש והוא עשרה דברים ושורש שני אלגוש ותכם על עצמם ויהיה מאה דרהמי ושני דרהמי ושורש שמנה מאות תגרע מהם הששים אשר הם עם האלגוש וישאר מ״ב דרהמי ושורש ת״ת ושרשו גרוע (מעשרים) [מעשרה] ושורש שנים הוא החלק המוכה בשורש שמנה והאחד הוא הנשאר מהעשרה והוא ארבעים [ושנים] דרהמי ושורש ת״ת שלקחנו שורשו וגרענו ממנו שורש שנים.

ואם תרצה תכה הדבר על עצמו ויהיה אלגוש ותכה החלק (האחד) [האחר] שהוא עשרה פחות דבר בשורש שמנה ויהיה שרש ת״ת פחות שורש שמנה אלגוש ותגרע שורש ת״ת דרהמי פחות שורש שמנה אלגוש מאלגוש וישאר אלגוש ושורש שמנה אלגוש פחות שורש שמנה מאות דרהמיש ישוו ארבעים דרהמי. ותאסוף האלגוש ושורש שמנה אלגוש עם שורש ת״ת דרהמי ותוסיפיהו על הארבעים ויהיה ארבעים דרהמי ושורש ת״ת דרהמי ישוה אלגוש ושורש שמנה אלגוש ותחצה שורש שמנה אלגוש ויהיה שורש שנים ותכהו על עצמו ויהיו שנים ותוסיפם על הארבעים דרהמי ושורש ת״ת דרהמי וישאר מ״ב דרהמי ושורש ת״ת דרהמי. ושורש זה תגרע ממנו שורש שנים יהיה החלק המוכה על עצמו.

[No. 38] ואם יאמרו לך עשרה חלקת לשני חלקים והכית האחד בשורש עשרה והאחר על עצמו ויהיו שוים. וחכמתו שנניח החלק האחד דבר והאחר עשרה פחות דבר ותכה דבר על עצמו ויהיה אלגוש (ותכם) [ותכה] [שורש] עשרה [folio 131b] [בעשרה פחות דבר ויהיה שורש אלף דרהמי פחות שורש] עשרה

$\therefore x^2 + \sqrt{8x^2} = 40 + \sqrt{800}$,

$\therefore x = \sqrt{2 + 40 + \sqrt{800}} - \sqrt{2} = \sqrt{42 + \sqrt{800}} - \sqrt{2}$.

150 $x \cdot x = (10 - x)\sqrt{10}$,

$\therefore x^2 = \sqrt{1{,}000} - \sqrt{10x^2}$

$\therefore x^2 + \sqrt{10x^2} = \sqrt{1{,}000}$,

$\therefore x = \sqrt{2\frac{1}{2} + \sqrt{1{,}000}} - \sqrt{2\frac{1}{2}}$,

$\therefore (10 - x) = 10 + \sqrt{2\frac{1}{2}} - \sqrt{2\frac{1}{2} + \sqrt{1{,}000}}$.

10 minus a thing to get the root of 1,000 minus the root] of 10 squares. Add it to the square to get a square plus the root of 10 squares equal to the root of 1,000. Take $\frac{1}{2}$ the root of 10 squares to give the root of $2\frac{1}{2}$. Multiply it by itself to give $2\frac{1}{2}$; add it to the root of 1,000 to get $2\frac{1}{2}$ plus the root of 1,000. From its root, subtract the root of $2\frac{1}{2}$ to give the part multiplied by itself. The other part is the remainder from 10. Take the root of the sum of $2\frac{1}{2}$ and the root of 1,000 and subtract it from 10 plus the root of $2\frac{1}{2}$.

[No. 39] If one says that 10 is added to an amount, and the sum is multiplied by the root of 5, then one gets the product of the amount by itself.[151] For the solution, make the amount a thing and add 10 to it to give 10 plus a thing. Multiply by the root of 5 to give the root of 500 plus the root of 5 squares equal to 1 square. Halve [the root] of 5 squares to give the root of $1\frac{1}{4}$. The root of the sum of the root of 500 plus $1\frac{1}{4}$, plus the root of $1\frac{1}{4}$ equals the amount.

[No. 40] If one says to you that two magnitudes have a difference between them of 5; multiply the larger number by itself and by 10 and take the root of the product, then it will equal the product of the smaller by itself.[152] For the solution, make the one amount a thing, and the other as a thing less 5. Multiply the larger, the thing, by itself and by 10 to give 10 squares. Take the root of 10 squares to equal 25 plus 1 square less 10 roots. Reduce the 25 and the square [by 10] things and add it to the root of 10 squares to give 10 things and the root of 10 squares equal to the square plus 25. Halve the 10 things and the root of 10 squares to give 5 and the root of $2\frac{1}{2}$. Multiply it by itself to give 25 plus $2\frac{1}{2}$ plus the root of 250. Subtract 25 and take the root of this and add it to 5 and the root of $2\frac{1}{2}$ to give the larger amount. The smaller amount is less than the greater by 5; it is the root of the sum of [2]$\frac{1}{2}$ plus the root of 250 added to the root of $2\frac{1}{2}$.

[No. 41] If one says that if a magnitude be multiplied by 2 magnitudes like it and its root taken and 2 added to it, then the total, multiplied by the magnitude, is equal to 30.[153] For its solution, make the magnitude

---

[151] $(10 + x) \sqrt{5} = x^2$,

$\therefore \sqrt{500} + \sqrt{5x^2} = x^2$,

$\therefore x = \sqrt{1\frac{1}{4} + \sqrt{500}} + \sqrt{1\frac{1}{4}}$

[152] $\sqrt{10x^2} = (x - 5)^2$,

$\therefore \sqrt{10x^2} = 25 + x^2 - 10x$,

$\therefore 10x + \sqrt{10x^2} = x^2 + 25$,

אלגוש ותוסיפיהו על האלגו' ויהיה אלגוש ושורש עשרה אלגוש ישוה שרש אלף דרהמי ותחצה שורש עשרה אלגוש ויהיה שורש שנים וחצי ותכהו על עצמו ויהיו שנים וחצי (ותוסיף ותכהו על עצמו ויהיה שנים וחצי) ותוסיף אותו על שורש אלף ויהיה שני דרהמי וחצי ושורש אלף דרהמי ושרשו נגרע [שורש] שנים וחצי ויהיה החלק המוכה על עצמו והחלק האחר הוא הנשאר מהעשרה והוא שנים וחצי ושרש אלף כשלוקח שורשו ונגרע מעשרה ושורש שנים וחצי. (ושורש אלף כשלוקח שורשו ונגרע מעשרה ושורש שנים וחצי).

[No. 39] ואם יאמרו לך אלגוש הוספת עליו עשרה דרהמי והכית המקובץ בשורש חמשה ויעלה כמו הכאת האלגוש על עצמו. וחכמתו שניח האלגוש דבר ותוסיף עליו העשרה דרהמי [ויהיה עשרה דרהמי] ודבר תכם בשורש חמשה דרהמי יהיה שורש ת״ק דרהמי ושורש חמשה אלגוש ישוה אלגוש ותחצה [שורש] חמשה אלגוש ויהיה שורש אחד ורביע ושורש ת״ק דרהמי ושורש זה נוסיף עליו שורש אחד ורביע ויהיה האלגוש.

[No. 40] ואם יאמרו לך שנים אלגוש וביניהם חמשה דרהמי והכית הגדול בעשרה דימיוניו ולקחת שורש המקובץ ויהיה כמו הכאת הקטן על עצמו. וחכמתו שניח האלגוש האחד דבר והאחר דבר פחות (דבר) חמשה ותכה הגדול והוא דבר בעשרה דימיונו ויהיה עשרה אלגוש ותקח שורש עשרה אלגוש וישוה כ״ה דרהמי ואלגוש אחד פחות עשרה שרשים ותאסוף הכ״ה (ו)אלגוש (והעשרה) [בהעשרה] שרשים ותוסיפיהו על שורש עשרה אלגוש ויהיה [folio 132a] עשרה דברים ושורש עשרה אלגוש ישוה אלגוש וכ״ה דרהמי ותחצה העשרה דברים (ותקח) (ו)שורש עשרה אלגוש ויהיה חמשה ושורש שנים וחצי ותכם על עצמם ויהיה כ״ה [ושנים] וחצי ושורש מאתים וחמשים [ותגרע כ״ה] ותקח שורש זה ותוסיפיהו על חמשה ושורש שנים וחצי ויהיה האלגוש הגדול והאלגוש הקטן הוא פחות מהגדול חמשה דרהמי והוא [שני] דרהמי וחצי ושורש מאתים וחמשים כשלוקח שורשו ונוסף על שורש שני דרהְמי וחצי.

[No. 41] ואם יאמרו לך אלגוש תכהו על שני דמיוניו ותקח שורש העולה ותוסיף עליו שני דרהמי ותכה הכל באלגוש ההוא ויהיה שלשים דרהמי. וחכמתו שתניח האלגוש דבר ותכהו על שני דימיוניו ויהיה שני אלגוש ותקח שורשו ותוסיפיהו

$$\therefore x = 5 + \sqrt{2\tfrac{1}{2}} + \sqrt{25 + 2\tfrac{1}{2} + \sqrt{250} - 25} = 5 + \sqrt{2\tfrac{1}{2}} + \sqrt{2\tfrac{1}{2} + \sqrt{250}},$$

$$\therefore (x - 5) = \sqrt{2\tfrac{1}{2} + \sqrt{250}} + \sqrt{2\tfrac{1}{2}}.$$

153 $(2 + \sqrt{2x^2})\, x = 30,$

$$\therefore 2x + \sqrt{2x^2 \cdot x^2} = 30,$$

$$\therefore x^2 + \sqrt{2x^2} = \sqrt{450}$$

$$\therefore x = \sqrt{1/2 + \sqrt{450}} - \sqrt{1/2}.$$

a thing. Multiply it by 2 like it to give 2 squares. Take its root and add it to 2, then multiply the sum of 2 plus the root of 2 squares by a thing to give 2 things plus the root of the square by a square equal to 30. Return all to 1 square. Multiply [the root of] 2 square squares [by the root of $\frac{1}{2}$]; and the root of [2] square squares when multiplied by the root of $\frac{1}{2}$ comes to the root of a square square. The root of a square square is a square. The product of 2 things by itself is 4 squares. Multiply 4 squares by $\frac{1}{2}$ to give 2 squares. The root of this equals the root of $\frac{1}{2}$ multiplied by 2 things. Multiply 30 by the root of $\frac{1}{2}$ to give the root of 450. Add all these to get a square plus the root of 2 squares equal to the root of 450. Half of the root of the 2 squares is the root of $\frac{1}{2}$. Multiply it by itself to get $\frac{1}{2}$. Add it to the root of 450, and take the root of the sum, then subtract the root of $\frac{1}{2}$ from it to give the magnitude.

[No. 42] If one says that 10 is divided into two parts, each one is divided by the other, then the sum of the quotients equals the root of 5.[154] For its solution, make one part a thing, and the other as 10 minus a thing. Multiply each dividend by itself, and then add to give 100 plus 2 squares less 20 things. Keep this in mind. Multiply one part by the

154 $\dfrac{(10-x)}{x} + \dfrac{x}{(10-x)} = \sqrt{5},$

$\therefore 100 + 2x^2 - 20x = \sqrt{5}(10x - x^2),$

$\therefore \sqrt{500x^2} - \sqrt{5(x^2)^2} = 100 + 2x^2 - 20x,$

$\therefore 20x + \sqrt{500x^2} = 100 + 2x^2 + \sqrt{5(x^2)^2},$

$\therefore x^2 + \sqrt{50{,}000} - 200 = 10x,$

$\therefore x = 5 \pm \sqrt{25 - (\sqrt{50{,}000} - 200)} = 5 \pm \sqrt{225 - \sqrt{50{,}000}}.$

or $y(\sqrt{5} - y) = 1,$

$\therefore \sqrt{5y^2} - y^2 = 1,$

$\therefore y^2 + 1 = \sqrt{5y^2},$

$\therefore y = \sqrt{1\frac{1}{4}} - \sqrt{1\frac{1}{4} - 1} = \sqrt{1\frac{1}{4}} - 1/2,$

$\therefore \dfrac{(10-x)}{x} = \sqrt{1\frac{1}{4}} - 1/2,$

$\therefore \sqrt{1\frac{1}{4}x^2} - \frac{1}{2}x = 10 - x,$

$\therefore 10 - \frac{1}{2}x = \sqrt{1\frac{1}{4}x^2},$

$\therefore 100 + \frac{1}{4}x^2 - 10x = 1\frac{1}{4}x^2,$

על שני דרהמי ותכה שני דרהמי ושורש שני אלגוש בדבר ויהיה שני דברי' ושורש שני אלגוש אלגו* ישוה שלשים דרהמי. והשיב כל דבר שתחזיק אל אלגוש אחד והוא שתכה [שורש] שני (שרשים) (מ)אלגוש אלגוש [בשורש חצי] ושורש [שני] אלגו' אלגו' כאשר תכהו בשורש חצי דרהם יעלה שורש אלגו' אלגו' ושורש מאלגו אלגו הוא אלגו (ותכה כל דבר שתחזיק [בשורש] (ב)חצי דרהם ותכה שורש חצי דרהם בשורש [שני] (מ)אלגו אלגו ויהיה אלגו ותכה שני דברי' בשרש חצי דרהם ויהיה שורש שני אלגוש בעבור כי) הכאת שני דברים על עצמם ויהיה ארבעה אלגוש ותכה ארבעה אלגוש בחצי דרהם ויהיה שני אלגוש ושורש זה הוא שורש חצי דרהם בשני דברי' ותכה (שליש) [שלושים] דרהמי בשורש חצי דרהמי ויהיה שורש ארבע מאות וחמישי' ותקבץ כל זה ויהיה אלגו' ושרש שני אלגוש ישוה שורש ת״נ דרהמי ותחצה [folio 132b] שורש שני אלגוש ויהיה שורש חצי ותכהו על עצמו ויהיה חצי ותוסיפיהו על שורש ת״נ ותקח שרשו ותגרע ממנו שורש חצי דרהם ויהיה האלגוש.

[No. 42] ואם יאמרו לך חלקת עשרה לשני חלקי' וחלקת כל חלק על האחר וקבצת מה שעלה לכל חלק ויהיה שורש חמשה דרהמי. וחכמתו שתניח החלק (האחר) [האחד] דבר והאחר עשרה פחות דבר תכה כל חלק בעצמו ותקבצ'

* I.e. $\sqrt{2x^4}$.

$\therefore x^2 + 10x = 100,$

$\therefore x = \sqrt{125} - 5,$

$\therefore (10 - x) = 15 - \sqrt{125}.$

or let $(10 - x)/x = 1$ dinar $= D$, say, and $x/(10 - x) = \sqrt{5} - D$

$\therefore D \cdot x = 10 - x$ and $10 - x + \sqrt{500} - \sqrt{5x^2} - 10 \cdot D = x,$

$\therefore x + 10 \cdot D = 10 - x + \sqrt{500} - \sqrt{5x^2},$

$\therefore 10 - 2x + \sqrt{500} - \sqrt{5x^2} = 10 \cdot D,$

$$\therefore D = 1 + \sqrt{5} - \frac{1}{5}x - \sqrt{\frac{1}{20}x^2},$$

$$\therefore x + \sqrt{5x^2} - \frac{1}{5}x^2 - \sqrt{\frac{1}{20}(x^2)^2} = 10 - x,$$

$$\therefore 2x + \sqrt{5x^2} = 10 + \frac{1}{5}x^2 + \sqrt{\frac{1}{20}(x^2)^2},$$

$\therefore 10x = x + \sqrt{50{,}000} - 200,$

$\therefore x = 5 \pm \sqrt{25 - (\sqrt{50{,}000} - 200)} = 5 \pm \sqrt{225 - \sqrt{50{,}000}} = 15 - \sqrt{125}$ or

$\sqrt{125} - 5.$

other, or a thing by 10 minus a thing to give 10 things less a square. Multiply all this by the root of 5 to give this the root of 500 squares less the root of 5 square squares equal to 100 plus 2 squares less 20 roots. Reduce the root of 500 squares and the root of 5 square squares; add it to 100 plus 2 squares minus 20 things. Add 100 plus 2 squares to 20 things and add it to the root of 500 squares to get 20 things plus the root of 500 [squares] equal to 100 plus 2 squares plus the root of 5 square squares. Return everything to 1 square. You multiply the 2 squares and the root of 5 square squares by the root of 5 minus 2. Multiply it by the root of 5 less 2 since when 1 is divided by 2 and the root of 5, it comes to 1 root of 5 less 2. This has been explained. Multiply everything by the root of 5 minus 2 to get a square plus a root of 50,000 minus 200 equal to 10 things. Divide the things in half to get 5, then multiply it by itself to get 25, then subtract the root of 50,000 less 200 to give 225 minus the root of 50,000. The root of this when subtracted from 5 is one part. When one adds to the 5, it gives the other part.

If it is desired, calculate using another method. Divide the root of 5 into two parts so that [the product of] one by the other is 1. Make one part a thing and the other as the root of 5 minus a thing. Multiply one by the other to get the root of 5 squares minus a square equal to 1. Complete the root of 5 squares to a square. Add it to 1 to give a square plus 1 equal to the root of 5 squares. Take $\frac{1}{2}$ the root of 5 squares; it is the root of $1\frac{1}{4}$. Multiply it by itself to give $1\frac{1}{4}$. Subtract the 1 to get $\frac{1}{4}$. Take its root; it is $\frac{1}{2}$. Subtract it from the root of $1\frac{1}{4}$ [to get the thing as the root of $1\frac{1}{4}$] less $\frac{1}{2}$. It has been explained that in the three cases that when one multiplies the halved things by themselves the result is equal to a number. The root of the square is a thing, and when you take $\frac{1}{2}$ and multiply it by itself, it is a number. Return to the problem. Make one part a thing and the other as 10 less a thing. Divide 10 less a thing by a thing, and it is [as it has been explained,] $1\frac{1}{4}$ roots minus $\frac{1}{2}$. Multiply it by a thing to get $1\frac{1}{4}$ roots of a square less $\frac{1}{2}$ a thing equal to 10 [minus a thing]. Complete $1\frac{1}{4}$ roots of a square by a $\frac{1}{2}$ thing and add it to 10 less a thing to get 10 minus a $\frac{1}{2}$ thing equal to $1\frac{1}{4}$ roots of the square. Multiply 10 less a $\frac{1}{2}$ thing by itself to get 100 and $\frac{1}{4}$ square less 10 roots equal to $1\frac{1}{4}$ squares. Add 100 and $\frac{1}{4}$ a square to 10 things and add it to the $1\frac{1}{4}$ squares to get $1\frac{1}{4}$ squares plus 10 roots equal to 100 [plus $\frac{1}{4}$ a square. Subtract $\frac{1}{4}$ a square. There remains a square plus 10 things equal to 100]. The thing is equal to the root of 125 less 5; it is one part. The other part is the remainder from 10; it is 15 minus the root of 125.

If it is desired, you may calculate by another method. Make one part a thing, and the other as 10 minus a thing. Divide 10 minus a thing by a thing to get a dinar. When a dinar is multiplied by a thing, it equals 10

ויהיה מאה דרהמי ושני אלגוש פחות עשרי' דברי' ותשמרם ותכה החלק האחד על האחר והוא דבר על עשרה פחות דבר ויהיה עשרה דברי' פחות אלגוש תכם בשורש חמשה ויהיה שורש ת״ק אלגוש פחות שורש מחמשה אלגוש אלגוש ישוה מאה דרהמי ושני אלגוש פחות עשרי' שרשי'. ותאסוף שורש ת״ק אלגוש עם שורש חמשה אלגוש [אלגוש] ותוסיפיהו על מאה דרהמיש ושני אלגוש פחות עשרים דברי'. ותאסוף המאה דרהמי ושני אלגו' עם העשרים דברי' ותוסיפם על שורש ת״ק [אלגוש] ויהיה עשרים דברים ושורש ת״ק אלגוש ישוה מאה דרהמיש ושני אלגוש ושורש מחמשה אלגוש אלגוש והשיב כל דבר שתחזיק אל אלגוש (אחר) [אחד] והוא שתכה השני אלגוש ושורש מחמשה אלגוש אלגוש בשורש חמשה דרהמי פחות שני דרהמי. ואתה מכה אותו בשורש חמשה דרהמי פחות שני דרהמי בעבור כי כאשר תחלק דרהם אחד על שנים ושורש חמשה יעלה (לאחר) [לאחד] שורש חמשה פחות שני דרהמי וכבר ביארנו זה. ותכה כל דבר שתחזיק בשורש חמשה דרהמי' פחות שנים דרהמי ויהיה אלגוש ושורש חמשים אלפים דרהמי פחות מאתים דרהמי ישוו עשרה דברים. ותחצה הדברים (ויהיו) [folio 133a] ויהיו חמשה תכם על עצמם ויהיו כ״ה תגרע מהם שורש חמשים אלף דרהמי פחות מאתים וישאר מאתים וכ״ה דרהמי פחות שורש חמשים אלף ושורש זה (כשיגיע) [כשיגרע] מחמשה הוא החלק (האחר) [אחד] וכשיתוסף על חמשה הוא החלק האחר. ואם תרצה תמנהו עם המעשה האחר והוא שתחלק שורש חמשה לשני חלקים יהיה [הכאת] האחד (באחד) [באחר] דרהם אחד תשים החלק האחד דבר והאחר שורש חמשה פחות דבר ותכה האחד (באחד) [באחר] ויהיה שורש חמשה אלגוש פחות אלגוש ישוה דרהם (אחר) [אחד] ותאסוף שורש חמשה אלגוש עם האלגוש ותוסיפיהו על הדרהם ויהיה אלגו ודרהם אחד ישוה שורש חמשה אלגוש ותחצה השורש מהחמשה אלגוש ויהיה שורש (אחר) [אחד] ורביע ותכהו על עצמו ויהיה אחד ורביע תגרע האדרהם וישאר רביע (אחר) [אחד] ותקח שורשו והוא חצי תגרעהו משורש אחד ורביע [ויהיה הדבר שורש אחד ורביע] פחות חצי דרהם. (וכבר ביארנו שהדברים אשר הם בשלשה החלקים כאשר יוכה חציים על עצמו יהיה העולה מההכאה מספר ושורש האלגוש הוא דברי' וכאשר תקח מחציתם ותכה אותם בעצמם יהיה מספר).*

ונשוב אל השאלה ותניח החלק האחד דבר והאחר עשרה פחות דבר ותחלק עשרה פחות דבר על דבר ויהיה כמו שבי' [שביארתי] שורש אחד ורביע פחות חצי דרהם ותכהו בדבר ויהיה שורש (ואלגוש) [מאלגוש] ורביע פחות חצי דבר ישוה עשרה (דברי') [פחות דבר] ותאסוף שורש מאלגוש ורביע עם החצי דבר ותוסיפיהו על עשרה פחות דבר ויהיה עשרה פחות חצי דבר ישוה שורש מאלגוש ורביע (ותכם) [ותכה] עשרה פחות חצי דבר בעצמו ויהיה מאה דרהמי ורביע אלגוש פחות עשרה שרשי' ישוה אלגוש ורביע ותאסוף המאה דרהמ' [folio 133b] ורביע אלגוש עם העשרה דברים ותוסיפיהו על האלגוש ורביע ויהיו אלגוש ורביע אלגוש ועשרה שורש ישוו מאה דרהמי [ורביע אלגוש ותגרע רביע האלגוש וישאר אלגוש ועשרה דברים ישוו מאה דרהמי] והדבר ישוה שורש קב״ה דרהמי פחות חמשה דרהמי והוא החלק האחד והחלק האחר הוא הנשאר מהעשרה והוא ט״ו דרהמי פחות שורש קכ״ה דרהמי.

* Cf. Weinberg's translation, pp. 96–97, gloss of M. Finzi, p. 29 note 28.

minus a thing. Divide a thing by 10 minus a thing to get the root of 5 less 1 dinar. When the root of 5 less a dinar is multiplied by 10 less a thing, it is a thing. Multiply the root of 5 less a dinar by 10 less a thing to get 10 less a thing plus the root of 500 less the root of 5 squares less 10 dinars equal to a thing. Reduce with the 10 dinars and add them to the thing to get a thing plus 10 dinars equal to 10 less a thing plus the root of 500 less the root of 5 squares. Subtract 1 thing; there remains 10 less 2 things plus the root of 500 less the root of 5 squares [equal to 10 dinars. Divide by 10; the dinar comes out equal to 1 plus the root of 5] minus $\frac{1}{5}$ a thing minus the root of $\frac{1}{2}$ of $\frac{1}{10}$ a square. Return and say that 10 minus a thing is divided by a thing to get 1 plus the root of 5 less $\frac{1}{5}$ a thing less the root of $\frac{1}{2}$ of $\frac{1}{10}$ the square. When multiplied by a thing, it becomes 10 less a thing. Multiply 1 and the root of 5 minus $\frac{1}{5}$ a thing minus the root of $\frac{1}{2}$ of $\frac{1}{10}$ a square by a thing to get a thing plus the root of 5 squares less $\frac{1}{5}$ squares less the root of $\frac{1}{2}$ of $\frac{1}{10}$ the square square equal to 10 less [a thing]. Complete with $\frac{1}{5}$ a square and the root of $\frac{1}{2}$ of $\frac{1}{10}$ a square square and add to 10 minus a thing. Complete the 10 with a thing; add it to the thing and the root of 5 squares to get 2 things plus the root of 5 squares equal to 10 plus $\frac{1}{5}$ a square plus the root of $\frac{1}{2}$ of $\frac{1}{10}$ a square square. Complete the square to a whole 1; multiply it by the root of 500 less 20 to give 10 things equal to a square plus the root of 50,000 less 200. Halve the things to get 5 and multiply it by itself to get 25; subtract the root of 50,000 less 200 from it to get 225 less the root of 50,000. The root of this subtracted from 5 is one part. [When added to the 5, it is the other part; 5] plus the root of the difference of 225 minus the root of 50,000 equals [15 minus] the root of 125. It is the one part; the other is the remainder from 10; it is the root of 125 less 5.

[No. 43] If one says that 10 is divided into two parts, each is divided by the other, and the products of each of the quotients by itself, then when added, gives 3 as a sum,[155] one knows that the product of two quotients when so calculated is 1.[156] Multiply it by 2 to get 2. Add 2 to the 3 to get 5. One knows from Euclid that when the sum of the squared quotients, each quotient having been brought about by the division of the parts of 10 by one another, is equal to 5, then the root of 5 equals [the sum of the quotients]. As stated, when 10 is divided into

[155] Arabic text (fol. 46a). "If it is said to you that 10 is divided into two parts, each of which is divided by the other, then the products of every one of these quotients by themselves when added, is 3 dirhams. [Literally: You divide every one of the two parts that come out from its division—every one of the two of them by the other—by itself.] You know that the product of those two quotients is 1 dirham always.

"Then multiply it by the other and multiply it by 2 dirhams; the 2 dirhams are added to the 3 to give 5."

ואם תרצה תמנהו עם המעשה האחרון והוא שתניח חלק אחד דבר והאחר עשרה פחות דבר וחלק עשרה פחות דבר על דבר ויעלה דינר אחד וכאשר תכה דינר אחד בדבר יהיה עשרה פחות דבר. ותחלק דבר על עשרה פחות דבר ויעלה שורש חמשה פחות דינר אחד. וכאשר תכה שורש חמשה פחות דינר אחד בעשרה פחות דבר יהיה דבר. ותרבה שורש חמשה דרהמיש פחות דינר בעשרה פחות דבר ויהיה עשרה דרהמי פחות דבר ושורש ת״ק דרהמי פחות שורש חמשה אלגוש ופחות עשרה דינרי' ישוה דבר ותאספם עם העשרה דינר ותוסיפם על הדבר ויהיה דבר ועשר דינרי' ישוה עשרה דרהמי פחות דבר ושורש ת״ק דרהמי פחות שורש חמשה אלגוש ותגרע דבר אחד מהם וישאר עשרה פחות שני דברים ושורש ת״ק דרהמי פחות שורש חמשה אלגוש [ישוו עשרה דינרין] (ותגרע דבר אחד מהם וישאר עשרה פחות שני דברי' ושורש ת״ק דרהמי) [ותחלקם על עשרה ועלה דינר אחד ישוה אדרהם אחד ושורש חמשה דרהמי] פחות חמישית דבר ופחות שורש מחצית עשירית מאלגוש. ותשוב ותאמר חלקנו עשרה דרהמי פחות דבר על דבר ועלה אדרהם אחד ושורש חמשה דרהמי פחות חמישית דבר ופחות שורש מחצית עשירית מאלגוש וכאשר הכינוהו בדבר יהיה עשרה דרהמי פחות דבר ותכה דרהם אחד ושורש חמשה דרהמי פחות חמישית דבר ופחות שורש מחצי עשירית מאלגוש בדבר (ויהיה דבר ושורש חמשה מאלגוש פחות חמישית אלגוש ופחות שורש מחצי [folio 134a] עשירית מאלגוש בדבר) ויהיה דבר ושורש חמשה אלגוש פחות חמישי' אלגוש ופחות שורש מחצי עשירית מאלגוש אלגוש ישוה עשרה פחות [דבר]. ותאספם עם (חמשים) [חמישית] אלגוש ועם שורש חצי עשירית מאלגוש אלגוש ותוסיפם על עשרה דרהמי פחות דבר ותאסוף העשרה דרהמי עם הדבר ותוסיפהו על דבר ושורש חמשה אלגוש ויהיה שני דברים ושורש חמשה אלגוש ישוה עשרה דרהמיש וחמישית אלגוש ושורש חצי עשירית מאלגוש אלגוש. ותשלים האלגוש שלך עד שיהיה אלגוש שלם והשלח' אותו הוא שתכהו בשורש ת״ק דרהמיש פחו' כ' דרהמיש ויהיה י' דברי' ישוה אלגוש ושורש נ' אלף דרהמי פחות מאתים דרהמי. ותחצה הדברים ויהיו חמשה ותכם על [עצמם] ויהיו כ״ה תגרע מהם שורש חמישים אלף פחות מאתים דרהמי וישאר רכ״ה פחות כל שורש חמישים אלף ושרש זה (כשיגיע) [כשיגרע] מחמשה הוא החלק האחד [וכשיתוסף על חמשה הוא החלק האחר]. [וחמשה] ושרש רכ״ה דרהמי פחות שרש חמשים אלף דרהמי הוא [ט״ו פחות] שורש ק״כה והוא החלק האחד והאחר הוא הנשאר מן העשרה והוא שורש קכ״ה דרהמי פחות חמשה דרהמי.*

[No. 43] ואם יאמרו לך עשרה חלקת לשני חלקים וחלקת כל אחד מהם על

* This refers to the second method

156 (Cf. no. 42).

$$\left(\frac{10-x}{x}\right)^2 + \left(\frac{x}{10-x}\right)^2 = 3,$$

$$\therefore \left(\frac{10-x}{x}\right)^2 + \left(\frac{x}{10-x}\right)^2 + 2\left(\frac{10-x}{x}\right)\left(\frac{x}{10-x}\right) = 5,$$

$$\therefore \frac{(10-x)}{x} + \frac{x}{(10-x)} = \sqrt{5}.$$

two parts, and each of these is divided by the other, then the sum of the quotients equals the root of 5. This problem has previously been explained.

[No. 44] If one says that 10 is divided into two parts, each of which is divided by the other, and when [the quotient of the smaller divided by the larger] is subtracted from the quotient of the larger divided by the smaller, then there remains $\frac{5}{6}$.[157] For its solution, make the quotient of the smaller divided by the larger as a thing. Add it to $\frac{5}{6}$. It is equal to the quotient of the larger divided by the smaller. Multiply it by a thing to get a square plus $\frac{5}{6}$ a thing equal to 1. The explanation for this problem's procedure was given earlier in this book. If it is desired, do it by another method.

[No. 45] One says that 10 is divided into two parts, each of which is divided by the other, and when each of the quotients is multiplied by itself, and the smaller is subtracted from the larger, then there remains 2.[158] For its solution, make the quotient of the smaller divided by the larger a thing. Multiply it by itself to give a square. Add it to 2 to give a square plus 2. One knows, as was said, that the product of the quotient—when the larger part is divided by the smaller—by itself equals the square plus 2. Multiply the square by a square plus 2 to get

[157] $\dfrac{(10-x)}{x} - \dfrac{x}{(10-x)} = \dfrac{5}{6}$,

let $\dfrac{x}{(10-x)} = y$, then

$1/y = y + 5/6$,

∴ $y^2 + \frac{5}{6}y = 1$.

This was considered in no. 36 and no. 9.

[158] $\left(\dfrac{x}{10-x}\right)^2 - \left(\dfrac{10-x}{x}\right)^2 = 2$,

Let $(10-x)/x = y$, then

$\left(\dfrac{10-x}{x}\right)^2 = y^2$,

∴ $1/y^2 = y^2 + 2$,

∴ $(y^2)^2 + 2y^2 = 1$,

∴ $y^2 = \sqrt{1^2 + 1} - 1$,

∴ $y = \sqrt{\sqrt{2} - 1}$,

∴ $\dfrac{(10-x)}{x} = \sqrt{\sqrt{2} - 1}$,

∴ $\dfrac{100 + x^2 - 20x}{x^2} = \sqrt{2} - 1$,

האחר והכית כל אחד (מהם שיעלו לחלק על האחר) [מהחלקים שיעלו לחלק
מחלוקת האחד על האחר] בעצמו ויהיה שלשה דרהמי. וכבר ידעת שהכית חלק
אחד מהשתים שיעלה לחלק באחר הוא דרהם אחד והכאתו באחד שני פעמי'
הוא שני דרהמי ותוסיף השני דרהמי על השלשה ויהיה חמשה והוא ידוע ממה
שאמר אקלידס שהכאת שני החלקים שיעלו לחלק [folio 134b] מחלוקת חלק
אחד מהעשרה על האחר בעצמו חמשה דרהמי והם שורש מחמשה והוא כמו
שאמרנו חלקת עשרה לשני חלקים וחלקת כל אחד מהם על האחר ועלה שורש
חמשה וכבר בארנו זאת השאלה.

(ואם יאמרו לך חלקת עשרה לשני חלקים וחלקת כל אחד מהם על האחר
ועלה שורש חמשה וכבר ביארנו זאת השאלה).

[No. 44] ואם יאמרו לך חלקת עשרה לשני חלקים וחלקת כל אחד מהם על
האחר וגרעת מה שעלה לחלק [מחלוקת המעט על הרב ממה שעלה לחלק]
מחלוקת הרב על המעט ונשאר חמשה ששיות מאדרהם. וחכמתו שתשים מה
(שעליה) [שעלה] לחלק מחלוקת המעט על הרב דבר ותוסיפהו על חמשה ששיות
מאדרהם. והוא מה שעלה מחלוקת הרב על המעט ותכהו על דבר ויעלה אלגוש
וחמשה ששיות מדבר ישוה דרהם אחד וכבר ביאר זאת השאלה במה שקדמנו
בזאת הספר בלעדי זה המעשה. ואם תרצה תעשה (אתה) [אותה] עם המעשה
האחר.

[No. 45] ואם יאמרו לך חלקת עשרה לשני חלקים וחלקת כל אחד מהם על
האחר ומה שעלה לכל חלק הכית על עצמו וגרעת המעט מהרב ונשאר שני
דרהמי. ומלאכתו שתשים מה שעלה לחלק מחלוקת המעט על הרב דבר ותכהו
על עצמו ויהיה אלגוש ותוסיפיהו על השני דרהמי' ויהיה אלגוש ושני דרהמי'

$$\therefore \ \sqrt{2(x^2)^2} - x^2 = 100 + x^2 - 20x,$$

$$\therefore \ 100 + 2x^2 - \sqrt{2(x^2)^2} = 20x,$$

$$\therefore \ x^2 + 100 + \sqrt{5,000} = 20x + \sqrt{200x^2},$$

$$\therefore \ x = 10 + \sqrt{50} - \sqrt{150 + \sqrt{20,000} - 100 - \sqrt{5,000}}$$

$$\therefore \ x = 10 + \sqrt{50} - \sqrt{50 + \sqrt{20,000} - \sqrt{5,000}},$$

$$\therefore \ (10 - x) = \sqrt{50 + \sqrt{20,000} - \sqrt{5,000}} - \sqrt{50}.$$

$$or \ let \ \left(\frac{x}{10 - x}\right)^2 = 2 + y, \left(\frac{10 - x}{x}\right)^2 = y, \ then$$

$$1/y = 2 + y,$$
$$\therefore \ 2y + y^2 = 1,$$

$$\therefore \ y = \sqrt{2} - 1,$$

$$\therefore \ \frac{100 + x^2 - 20x}{x^2} = \sqrt{2} - 1,$$

$$\therefore \ \sqrt{2(x^2)^2} - x^2 = 100 + x^2 - 20x.$$

157

a square square plus 2 squares equal to 1 since, as was explained, one multiplied by the other is 1. The product of one square by another square equals 1 since 1 by itself is 1. Take $\frac{1}{2}$ the 2 squares to get 1. Multiply it by itself to get 1 and add it to the number, 1, to get 2. Take 1 from the root of 2; take the root of the remainder; it is the thing. [It is the quotient of the division of the smaller by the larger. Make the larger a thing and the smaller as 10 minus a thing.] When you multiply 10 minus a thing by itself, it gives 100 plus a square minus 20 roots. Multiply a thing by itself to get a square. Multiply [the root of] the root of 2 from which is subtracted 1 [by itself to get the root of 2 minus 1]. Say that 100 plus a square less 20 things is divided by a square; it comes to the root of 2 less 1. [Multiply it] by a square to get the root of 2 square squares less 1 square equal to 100 plus a square less 20 roots. Solve; add to the 100 plus the square, 20 roots. Add it to the root of [2] square squares. Complete the root of [2] square squares by the square; add it to the 100 plus the square and subtract the root of [2] square squares from 100 plus 2 squares to give 100 plus 2 squares less the root of 2 square squares equal to 20 roots. Return all to [1] square; multiply everything by 1 plus the root of $\frac{1}{2}$. Multiply 2 squares less the root of [2] square squares by 1 plus the root of $\frac{1}{2}$ to give a square. Multiply 20 things by 1 plus the root of $\frac{1}{2}$ to give 20 things plus the root of 200 squares. Multiply 100 by 1 plus the root of $\frac{1}{2}$ [to get 100 plus the root of 5,000]. There is then a square plus 100 plus the root of 5,000 equal to 20 things plus the root of 200 squares. Halve the 20 things and the root of 200 squares to get 10 plus the root of 50. Multiply it by itself to get 150 plus the root of 20,000. Subtract 100 plus the root of 5,000 from it. There remains 50 plus the root of 20,000 less the root of 5,000. The root of this from 10 and from the root of 50 is the larger part. The smaller part is the remaider from 10.

If it is desired, calculation may be made by another method. One knows that the difference—of the squares of the two quotients, the smaller quotient from the larger, and made up of the parts of 10, each divided by the other—is equal to 2. This is so since for every number divided by another, when the quotient is multiplied by itself, the result is equal to the quotient of the dividend multiplied by itself divided by the divisor multiplied by itself. Make the quotient of the square of the larger divided by the square of the smaller as 2 plus a thing, and the quotient of the square of the smaller divided by the square of the larger [as a thing]. One knows that the product of one by the other is 1. Multiply the thing by 2 plus a thing to give 2 things plus a square. It is equal to 1; the thing comes out to the root of 2 less 1. Return to the 10 and make the one part a thing, and the other as 10 minus a thing. The square of one of them is a square; the square of the other is 100 plus a square less 20 roots.

והוא ידוע ממה שאמרנו שהכאת מה שעלה לחלק מחלוקת הרב על המעט בעצמו
הוא אלגוש ושני דרהמי ותכה אלגוש באלגוש ושני דרהמי ויהיה אלגוש אלגוש
ושני אלגוש ישוו דרהם אחד בעבור כי כבר ביארנו שהאחד (מאשר הוא באחד)
[מוכה באחר] דרהם (אחר) [אחד]. והכאת מרובע האחד במרובע האחר הוא
כמו [הכאת] אותו אדרהם בעצמו והכאת [folio 135a] האדרהם בעצמו הוא
אחד ותחצה שני האלגוש ויהיה אחד תכהו בעצמו ויהיה אחד תוסיפיהו על האדרהם
ויהיה שנים ויהיה שורש שנים ותגרע ממנו אחד ותקח (שור) [שורש] הנשאר (ותכהו
בדבר) [ותקח שורש הנשאר ויהיה הדבר]. [והוא מה שעלה לחלק מחלוקת המעט
על הרב ותשים את הרב דבר ואת המעט עשרה פחות דבר] וכאשר (תרצה זה)
תכה עשרה פחות דבר בעצמו ויהיה מאה דרהמי ואלגוש פחות (עשרה) [עשרים]
שרשים ותכה דבר בעצמו ויהיה אלגוש ותכה [שרשו של] שורש השנים הנגרעים
ממנו אחד [בעצמו ויהיה שורש שנים הנגרע ממנו אחד]. ותאמר תחלק מאה
אדרהמיש ואלגוש פחות עשרים דברים על אלגוש ויעלה שורש שנים הנגרע ממנו
(אחר) [אחד] ותאמר חלקנו מאה דרהמי ואלגוש פחות עשרים דברי׳ על אלגוש
ויעלה שורש שנים הנגרע ממנו (אחר) [אחד]. (ותאמר חלקנו מאה דרהמי ואלגוש
פחות עשרים דברים) [ותכה אותם] על אלגוש ועלה שורש שנים [אלגוש אלגוש]
הנגרע ממנו אלגוש אחד ישוה מאה דרהמי ואלגוש פחות עשרים שרשים. ותכוין
עמהם והוא שתאסוף המאה דרהמי ואלגוש עם העשרים שרשים ותוסיפיהו על
שורש [שנים] מאלגוש אלגוש (ותוסיף) [ותאסוף] שורש [שנים] מאלגוש אלגוש עם
האלגוש ותוסיפהו על המאה דרהמי ואלגוש ותגרע שורש [שנים] מאלגוש אלגוש
ממאה דרהמי ושני אלגוש ויהיה מאה דרהמי ושני אלגוש פחות שורש [שנים]
מאלגוש אלגוש ישוה עשרים שרשים והשב כל דבר שתחזיק אל אלגוש [אחד]
והוא שתכה כל דבר שתחזיק באחד ובשורש חצי אחד ותרבה שני אלגוש פחות
שורש [שנים] [מ]אלגוש (ו)אלגוש באדרהם ושורש חצי אדרהם ויהיה אלגוש. ותרבה
עשרים דברים באדרהם ושורש חצי אדרהם (ויהיה עשרים דברים באדרהם
ושור׳ חצי אדרהם) ויהיה עשרים דברים ושורש מאתים אלגוש. ותרבה מאה
דרהמי באדרהם ושורש חצי דרהם ויהיה מאה דרהמי ושורש חמשת אלפים דרהמי
[וישאר אלגוש ומאה דרהמי ושורש חמשת אלפים דרהמי] ישוה עשרים דברים
ושורש מאתים אלגוש ותחצה העשרים דברים ושורש מאתים אלגוש יהיה עשרה
ושורש חמשים תרבהו על עצמו יהיה מאה וחמשי׳ דרהמי ושרש [folio 135b]
עשרים אלף ותגרע מהם מאה דרהמי ושורש חמשת אלפים דרהמי וישאר חמישים
דרהמי ושורש עשרים אלף ותגרע מהם ושרש חמשת אלפים דרהמי. ושרש זה כשנגרע
מעשרה ושורש חמשים הוא החלק הגדול והחלק הקטן הוא הנשאר מהעשרה. ואם
תרצה תחשבה כפי זה המעשה האחר. והוא ידוע שמרובע כל דבר הוא החלק
האחד מהחלקי׳ שיעלו מחלוקת כל חלק מהעשרה על האחר ונגרע המעט מהרב
שמה שישאר הוא שני דרהמי בעבור כי כל מספר שיחלק על מספר כאשר תכה
מה שעלה לחלק בעצמו יהיה העולה ממנו כמו מה שיעלה לחלק מחלוקת הכאת
המספר המחולק בעצמו על הכאת המספר שהוא המחלק בעצמו ותשים מה
שיעלה לחלק מחלוקת מרובע הרב על מרובע המעט שני דרהמי ודבר ומה
שיעלה לחלק מחלוקת מרובע המעט על מרובע הרב [דבר]. וכבר ביארנו כי
הכאת האחד באחר הוא דרהם אחד. ותכה דבר בשני דרהמי ודבר יהיה שני
דברי׳ ואלגוש ותכוין עמו אחד ויעלה הדבר שרש שנים הנגרע ממנו אחד. ותשוב

Divide 100 plus a square less 20 roots by a square to get the root of 2 minus 1. Multiply it by a square to get the root of 2 square squares less 1 square equal to 100 plus a square less 20 roots. Do exactly with it as I have explained in the problem.

[No. 46] One says that 2 of its roots plus 10 is subtracted from an amount, then the difference multiplied by itself to equal 8 amounts.[159] For its procedure, make the amount [as a square], then subtract 2 of its roots and 10 from it—there remains a square minus 2 things minus 10 equal to the root of 8 squares; multiply the difference by itself to get 8 squares. Here, the remainder is the root of 8 [squares]. Take $\frac{1}{2}$ the things; it is 1 plus the root of 2. Multiply it by itself to get 3 plus the root of 8. Add it to 10 to get 13 plus the root of 8. Add the root of this to 1 and the root of 2. This is the root of the amount. Multiply it by itself to get the amount.

[No. 47] If one says that 2 of the roots of an amount plus a root of $\frac{1}{2}$ the amount plus a root of its $\frac{1}{3}$ is equal to the amount, how large is the amount?[160] In its procedure, make the amount as a square.[161] Say, then, 2 roots plus the root of a $\frac{1}{2}$ square plus the root of the $\frac{1}{3}$ square equals a square. The thing is equal to 2 plus the root of $\frac{1}{2}$ plus the root of $\frac{1}{3}$. It is the root of the amount; the amount is 4 plus $\frac{1}{2}$ plus $\frac{1}{3}$ plus the root of 8 plus the root of $5\frac{1}{3}$ plus the root of [$\frac{2}{3}$].

[No. 48] If one says that 2 roots of an amount plus a root of its $\frac{1}{2}$ plus a root of its $\frac{1}{3}$ equals 20, how much is the amount?[162] For the solution, make the amount as a square; take 2 of its roots plus the root of its $\frac{1}{2}$ plus the root of its $\frac{1}{3}$. It will be 2 things plus the root of its $\frac{1}{2}$ plus the root of its $\frac{1}{3}$ equal to 20. Subtract 2 things from the 20 to give 20 minus

---

[159] $[x - (2\sqrt{x} + 10)]^2 = 8x$,

let $x = y^2$, then

$$y^2 - 2y - 10 = \sqrt{8y^2},$$

$$\therefore y = 1 + \sqrt{2} + \sqrt{13 + \sqrt{8}},$$

$$\therefore x = \left(1 + \sqrt{2} + \sqrt{13 + \sqrt{8}}\right)^2.$$

[160] Arabic text (fol. 47b). "If one says 2 of its roots plus the root of its $\frac{1}{2}$ plus the root of its $\frac{1}{3}$ are equal to an amount, [māl is 'amount' or 'square'] what is the amount? To solve it, one puts the amount as a square. Then one says 2 of its roots plus the root of $\frac{1}{2}$ the amount and a root of the $\frac{1}{3}$ of the amount are equal to a square. Then the thing equals 2 plus the root of $\frac{1}{2}$ plus the root of $\frac{1}{3}$; it equals the root of the amount which is 4 plus $\frac{1}{2}$ plus $\frac{1}{3}$ plus the root of 8 plus the root of $5\frac{1}{3}$, and the root of $\frac{2}{3}$."

[161] $2\sqrt{x} + \sqrt{\frac{1}{2}x} + \sqrt{\frac{1}{3}x} = x$

let $x = y^2$, then

אל העשרה ותשים החלק האחד דבר והאחר עשרה פחות דבר ומרובע אחד מהם אלגוש ומרובע האחר מאה ואלגוש פחות עשרים שרשים ותחלק מאה דרהמי ואלגוש פחות עשרי׳ שרשי׳ על אלגוש ויעלה שורש שנים הנגרע ממנו אחד ותכֻהו באלגוש ויהיה (שני שרשים) [שורש שנים] מאלגוש אלגוש הנגרע ממנו אלגוש (אחר) [אחד] ישוה מאה דרהמי ואלגוש פחות עשרים שרשים ותכוין עמו כמו שביארתי לך בשאלה.*

[No. 46] ואם יאמרו לך אלגוש תגרע ממנו שני שרשיו ועשרה דרהמי ותכה מה שישאר בעצמו ויהיה שמנה דימיוני האלגוש. ומלאכתו שתשים האלגוש שלך [אלגוש] ותגרע ממנו שני שרשיו ועשרה דרהמי ישאר אלגוש פחות שני (אלגוש) [דברים] ופחות עשרה דרהמי ישוה שורש שמנה [folio 136a] אלגוש בעבור כי הוא אלגוש תכה מה שנשאר על עצמו יהיה שמנה דימיוני האלגוש ומה שנשאר הוא שורש השמנה [אלגוש] וקח מחצית הדברים ויהיה אחד ושרש שנים ותכהו על עצמו ויהיה שלשה ושרש שמנה תוסיפם על העשרה ויהיה שלשה עשר ושרש שמנה ושרש זה תוסיף על האחד ושרש שנים וההוה הוא שרש האלגוש תכהו בעצמו והעולה הוא האלגוש.

[No. 47] ואם יאמרו לך אלגוש אשר שני שרשיו ושורש חצי האלגוש ושורש שלישיתו (ישאר) [ישוו] האלגוש כמה הוא האלגוש. ומלאכתו שתניח האלגוש שלך אלגוש ותאמר שני שרשים ושורש חצי אלגוש ושורש שלישית אלגוש ישוו אלגוש והדבר ישווה שנים ושורש חצי ושורש שלישית והוא שורש האלגוש והאלגוש ארבעה וחצי ושלישית ושרש שמנה ושרש חמשה ושליש ושרש (שנים) [שני שלישיות].

[No. 48] ואם יאמרו אלגוש אשר שני שרשיו ושורש חציו ושורש שלישיתו עשרים דרהמי כמה הוא האלגוש. מלאכתו שתניח האלגוש אלגוש ותקח שני שרשיו ושרש מחציתו (ושליש) [ושרש] שלישיתו ויהיו שני דברים ושורש חצי האלגוש ושרש

* A marginal gloss reads המאמר השלישי.

$$2y + \sqrt{\tfrac{1}{2}y^2} + \sqrt{\tfrac{1}{3}y^2} = y^2,$$

$$\therefore\ y = 2 + \sqrt{\tfrac{1}{2}} + \sqrt{\tfrac{1}{3}},$$

$$\therefore\ x = 4 + \tfrac{1}{2} + \tfrac{1}{3} + \sqrt{8} + \sqrt{5\tfrac{1}{3}} + \sqrt{\tfrac{2}{3}}.$$

162 $2\sqrt{x} + \sqrt{\tfrac{1}{2}x} + \sqrt{\tfrac{1}{3}x} = x,$

let $x = y^2$, then

$$2y + \sqrt{\tfrac{1}{2}y^2} + \sqrt{\tfrac{1}{3}y^2} = 20,$$

$$\therefore\ 20 - 2y = \sqrt{\tfrac{1}{2}y^2} + \sqrt{\tfrac{1}{3}y^2},$$

$$\therefore\ 400 + 4y^2 - 80y = \tfrac{1}{2}y^2 + \tfrac{1}{3}y^2 + \sqrt{\tfrac{2}{3}(y^2)^2}$$

$$\therefore\ 8y = 400 + 3\tfrac{1}{6}y^2 - \sqrt{\tfrac{2}{3}(y^2)^2}.$$

2 things. Multiply the sum by itself to give 400 plus 4 squares minus 80 things equal to the root of $\frac{1}{2}$ a square plus the root of its $\frac{1}{3}$ multiplied by itself, and it equals $\frac{1}{2}$ a square plus $\frac{1}{3}$ a square plus the root of $\frac{2}{3}$ a square [square]. Solve it to give 80 things equal to 400 plus $3\frac{1}{6}$ a square less the root of $\frac{2}{3}$ a square square. Return all to 1 square. Do as I have related.

[No. 49] If one says that an amount is added to 4 of its roots plus the root of its $\frac{1}{2}$ plus the root of its $\frac{1}{3}$, and then it equals 10,[163] what is the amount ?[164] In this method, make the amount as a square and take the square plus 4 of its roots and the root of its $\frac{1}{2}$, and the root of its $\frac{1}{3}$. It is the square plus 4 things plus the root of $\frac{1}{2}$ the square plus the root of $\frac{1}{3}$ the square equal to 10. Do as I have related.

[No. 50] If one says that to an amount add its root and the root of its $\frac{1}{2}$, and multiply the sum by itself, then it is 5 times the amount.[165] This is the square plus its root plus the root of its $\frac{1}{2}$ equal to the root of 5 squares. One root is equal to the root of 5 minus the root of $\frac{1}{2}$ minus 1. This is the root of the amount; the amount is $6\frac{1}{2}$ plus the root of 2 minus the root of 20 minus the root of 10.

[No. 51] If one says that to an amount is added its root, and the root of its $\frac{1}{2}$, and the sum is multiplied by itself, then this equals 20.[166] This is the square plus a thing plus a root of $\frac{1}{2}$ the square equal to the root of 20. Halve the root and the root of $\frac{1}{2}$ the square; it equals $\frac{1}{2}$ plus the root of $\frac{1}{8}$. Multiply the sum by itself to give $\frac{3}{8}$ plus the root of $\frac{1}{8}$; add it to the root of 20 to give $\frac{3}{8}$ plus the root of 20 plus the root of $\frac{1}{8}$. Take its root and subtract $\frac{1}{2}$ plus the root of $\frac{1}{8}$ from it. What remains is the root of the amount.

[No. 52] If one says that to an amount, the root of its $\frac{1}{2}$ is added and

---

[163] $x + 4\sqrt{x} + \sqrt{\frac{1}{2}x} + \sqrt{\frac{1}{3}x} = 10$,

let $x = y^2$, then

$y^2 + 4y + \sqrt{\frac{1}{2}y^2} + \sqrt{\frac{1}{3}y^2} = 10$.

[164] Arabic text (fol. 48a.) "If one says that an amount to which is added 4 of its roots and the root of its $\frac{1}{2}$ and the root of its $\frac{1}{3}$, then, is equal to 10, what is the amount? It is solved if one makes the amount as a square. Take the squares and add to it 4 of its roots plus the root of its $\frac{1}{2}$ plus the root of its $\frac{1}{3}$. Then it is a square plus 4 things plus the root of $\frac{1}{2}$ the square plus the root of $\frac{1}{3}$ the square and it is equal to 10 dirhams. Then carry on as I have related."

In a simple account such as this, the Arabic text usually is without confusion. This is not always true with more involved expositions. In the latter cases, the Hebrew has proved almost always to possess a greater clarity for the reader.

[165] $\left(x + \sqrt{x} + \sqrt{\frac{1}{2}x}\right)^2 = 5x$,

שלישיתו ישוו עשרים דרהמי תגרע שני דברי׳ מעשרי׳ דרהמי ישאר עשרי׳ דרהמי פחות שני דברי׳ תכם בעצמם ויהיו ת׳ דרהמי וד׳ אלגוש פחות פ׳ דברי׳ ישוו שורש חצי אלגוש ושרש שלישיתו מוכה בעצמו והוא חצי אלגוש ושלישית אלגוש ושרש שני שלישית מאלגוש [אלגוש] ותכוין עמהם ויהיה שמנים דברי׳ ישוו ת׳ דרהמי ושלשה אלגוש (אלגוש) וששית אלגוש פחות שורש שני שלישיות מאלגוש אלגוש ותשיב כל דבר שתחזיק אל אלגוש אחד ותעשה עמו כמו שאמרתי לך.

[No. 49] ואם יאמרו לך אלגוש תוסיף עליו ארבעה שרשיו ושורש חציו ושורש שלישיתו ויהיה עשרה דרהמי כמה הוא האלגוש. מלאכתו שתניח האלגוש אלגוש ותוסיף עליו ארבע׳ שרשיו ושרש חציו ושרש שלישיתו ויהיה אלגוש וארבעה דברים ושורש חצי אלגוש ושורש שני שלישי אלגוש ישוו עשרה דרהמי ותעשה כמו [folio 136b] (כמו) שאמרתי לך.

[No. 50] ואם יאמרו לך אלגוש תוסיף עליו שורשו ושורש חציו ותכה המקובץ על עצמו ויהיה חמשה דימיוני אלגוש, וזהו אלגוש ושרשו ושרש חציו ישוו שרש חמשה אלגוש ויהיה הדבר (שישוה) [ישוה] שורש חמשה אדרהמי פחות אדרהם אחד ופחו׳ שרש חצי דרהם והוא שרש האלגו׳ והאלגוש שש דרהמי וחצי ושרש שנים פחות שורש עשרים ופחות שורש עשרה.

[No. 51] ואם יאמרו לך אלגוש הוסיף עליו שרשו ושורש חציו ותכה המקובץ בעצמו ויהיה עשרי׳ דרהמי זהו אלגוש ודבר ושורש חצי אלגוש וישוו שורש עשרי׳ דרהמי ותחצה הדבר ושורש חצי אלגוש ויהיה חצי ושרש שמינית אחת ותכהו בעצמו יהיה שלשה שמיניות ושורש (משמיניות) [משמינית] אדרהם תוסיפהו על שורש עשרים דרהמי יהיה שלשה שמיניות ושרש עשרים דרהמי ושרש שמינית דרהם. ותקח שרשו ותגרע ממנו חצי ושורש שמינית ומה שישאר הוא שורש האלגוש.

[No. 52] ואם יאמרו לך אלגוש הוספת עליו שורש חציו והכית העולה בעצמו

---

let $x = y^2$, then

$$y^2 + y + \sqrt{\tfrac{1}{2}y^2} = \sqrt{5y^2},$$

$$\therefore\ y = \sqrt{5} - \sqrt{\tfrac{1}{2}} - 1,$$

$$\therefore\ x = 6\tfrac{1}{2} + \sqrt{2} - \sqrt{20} - \sqrt{10}.$$

166 $\left(x + \sqrt{x} + \sqrt{\tfrac{1}{2}x}\right)^2 = 20,$

let $x = y^2$, then

$$y^2 + y + \sqrt{\tfrac{1}{2}y^2} = \sqrt{20},$$

$$\therefore\ \sqrt{x} = \sqrt{3/8 + \sqrt{1/8} + \sqrt{20}} - 1/2 - \sqrt{1/8}.$$

the result multiplied by itself,[167] then it gives 4 times the amount.[168] In its procedure, make the amount a thing and add to it the root of its $\frac{1}{2}$; it gives a thing plus the root of $\frac{1}{2}$ a thing. Multiply the sum by itself to give a square plus $\frac{1}{2}$ a thing plus the root of 2 cubes equal to 4 things. Know that the square is the product of the thing by itself. The cube is the product of the thing by a square. The square square is the product of a square by a square. The cube cube is the product of a cube by a cube.[169] The square plus $\frac{1}{2}$ a thing plus the root of 2 cubes equals 4 things. Subtract the square and a $\frac{1}{2}$ thing from 4 things to get $3\frac{1}{2}$ things minus a square. Multiply the sum by itself to give a square square plus $12\frac{1}{4}$ squares minus 7 cubes equal to 2 cubes. Complete by 7 cubes. Add it to 2 cubes to get a square square plus $12\frac{1}{4}$ squares equal to 9 cubes. Return all to a square to get a square plus $12\frac{1}{4}$ equal to 9 things. Take $\frac{1}{2}$ the things; it is $4\frac{1}{2}$. Multiply it by itself to give $20\frac{1}{4}$. Subtract $12\frac{1}{4}$ from it to give 8. Its root when subtracted from $4\frac{1}{2}$ is the amount. It is $4\frac{1}{2}$ minus the root of 8.

If it is desired, consider the amount as a square and add to it the root of its $\frac{1}{2}$ to give a square plus the root of $\frac{1}{2}$ the square equal to the root of 4 squares, since, as was said, when it is multiplied by itself, it is 4 times the square. One has a square plus the root of $\frac{1}{2}$ a square equal to

---

[167] Arabic text (fols. 48b–49a). "If one says to you that there is an amount [māl which also means 'square'] to which is added the root of its $\frac{1}{2}$. Then the sum is multiplied by itself to give 4 times the first amount. Put the amount you have equal to a thing and to it is added the root of its $\frac{1}{2}$ which is a thing plus the root of $\frac{1}{2}$ a thing, (then multiply it by itself) [latter phrase is redundant]. It gives a thing plus the root of $\frac{1}{2}$ a thing. Then one multiplies it by itself to give a square plus $\frac{1}{2}$ a thing plus the root of 2 cubes [ka'abīn, a dual of ka'ab] equal to 4 things.

"Know that the square is the product of the thing by itself and the cube is the product of the thing by a square. A square square [māl māl] is from the product of a square by a square. The cube cube [ka'ab ka'ab] is from the product of a cube by a cube.

"The square plus $\frac{1}{2}$ a thing plus the root of 2 cubes is equal to 4 things. Subtract [the root of] 2 cubes (and multiply $3\frac{1}{2}$ things and the squares by itself) [Phrase in parens. to be omitted.] [to give] a square and a $\frac{1}{2}$ thing from 4 things. There remains 3 things and a $\frac{1}{2}$ thing less a square equal to the root of 2 cubes. Multiply [the sum] of $3\frac{1}{2}$ things plus the squares by itself to give a square square plus $12\frac{1}{4}$ squares less 7 cubes equal to 2 cubes. Add the 2 of them to the 7 cubes and return it to the cubes to give a square square plus $12\frac{1}{4}$ squares equal to 9 cubes. [Divide so as to] return everything you have to a square to give a square plus $12\frac{1}{4}$ and a dirham equal to 9 things. Halve the things to give $4\frac{1}{2}$ things. Multiply it by itself to give $20\frac{1}{4}$. Then subtract $12\frac{1}{4}$ so that there remains 8. Then its root subtracted from $4\frac{1}{2}$ is what remains and is the amount. It is $4\frac{1}{2}$ less the root of 8."

[168] $\left(x + \sqrt{\frac{1}{2}x}\right)^2 = 4x,$

$\therefore x^2 + \frac{1}{2}x + \sqrt{2x^3} = 4x,$

$\therefore 3\frac{1}{2}x - x^2 = \sqrt{2x^3},$

$\therefore (x^2)^2 + 12\frac{1}{4}x^2 - 7x^3 = 2x^3,$

ויהיה ארבעה דמיוני האלגוש. מלאכתו שתניח האלגוש דבר ותוסיף עליו שורש חציו ויהיה דבר ושרש חצי דבר. תכהו בעצמו ויהיה אלגוש וחצי דבר ושורש שני מעוקבים ישוו ארבעה דברי׳. ודע שהאלגוש הוא מהכאת הדבר בעצמו והמעוקב הוא מהכאת הדבר באלגוש ואלגוש אלגוש הוא מהכאת האלגוש באלגוש, וקוביקא מקובי״קא הוא מהכאת קוביקא בקוביקא. והאלגוש וחצי דבר ושורש שנים מעוקבים ישוו ארבעה דברים ותגרע אלגוש וחצי דבר מארבעה דברים ישאר שלשה דברי׳ וחצי פחות אלגוש ותכם בעצמם ויהיה אלגוש אלגוש וי״ב אלגוש ורביע פחות שבעה מעוקבי׳ ישוו שני מעוקבים. תאספם עם השבעה מעוקבים ותוסיפם על השנים מעוקבים ויהיה אלגוש אלגוש וי״ב אלגוש ורביע ישוו [folio 137a] תשע׳ מעוקבי׳. והשיב כל דבר שתחזיק אל אלגוש יהיה אלגוש וי״ב דרהמי ורביע ישוו תשעה דברי׳ ותחצה הדברי׳ יהיו ארבעה וחצי תכם בעצמם יהיו עשרים ורביע. תגרע מהם הי״ב ורביע ישאר שמנה ושרשו כשיגרע מארב׳ וחצי הנה הוא מה שישאר הוא האלגוש והוא ארבעה וחצי פחות שרש שמנה. ואם תרצה תשים האלגוש שלך אלגוש ותוסיף עליו שורש חציו ויהי׳ אלגו ושורש חצי אלגו ישוה שורש ארבעה אלגוש, בעבור שאמר שכאשר תכהו על עצמו יהיה ארבעה דימיוני האלגוש ויהיה אלגו ושורש חצי אלגו ישוה שורש ארבעה דימיוני האלגו׳ והוא שני דברי׳ ותגרע שורש חצי אלג׳ משורש ארבעה אלגוש ישוה שורש ארבעה אלגוש פחות שורש (חציו) [חצי] (והוא חצי אדרהמיש) אלגוש

$\therefore (x^2)^2 + 12\frac{1}{4}x^2 = 9x^3,$
$\therefore x^2 + 12\frac{1}{4} = 9x,$

$$\therefore x = 4\frac{1}{2} - \sqrt{20\frac{1}{4} - 12\frac{1}{4}} = 4\frac{1}{2} - \sqrt{8}.$$

or let $x = y^2$, then

$$y^2 + \sqrt{\frac{1}{2}y^2} = \sqrt{4y^2} = 2y,$$

$$\therefore y^2 = \sqrt{4y^2} - \sqrt{\frac{1}{2}y^2},$$

$$\therefore y = \sqrt{4} - \sqrt{\frac{1}{2}} = 2 - \sqrt{\frac{1}{2}},$$

$$\therefore x = 4\frac{1}{2} - \sqrt{8}.$$

or let $x = 2y^2$, then
$(2y^2 + y)^2 = 8y,$
$\therefore 4(y^2)^2 + y^2 + 4y^3 = 8y^2,$
$\therefore 4(y^2)^2 + 4y^3 = 7y^2,$
$\therefore (y^2)^2 + y^3 = 1\frac{3}{4}y^2,$
$\therefore y^2 + y = 1\frac{3}{4},$

$$\therefore y = \sqrt{\frac{1}{4} + 1\frac{3}{4}} - \frac{1}{2} = \sqrt{2} - \frac{1}{2},$$

$$\therefore x = 2(\sqrt{2} - \tfrac{1}{2})^2 = 4\frac{1}{2} - \sqrt{8}.$$

169 $x \cdot x = x^2,\ x \cdot x^2 = x^3,\ x^2 \cdot x^2 = (x^2)^2\ [= x^4],\ x^3 \cdot x^3 = (x^3)^2\ [= x^6].$

the root of 4 times the square or it is 2 things. Subtract the root of $\frac{1}{2}$ a square from the root of 4 squares; it is equal to the root of 4 squares minus the root of $\frac{1}{2}$ the square—equal to a square. The root of the number is the root of 4 minus the root of $\frac{1}{2}$. It is 2 minus the root of $\frac{1}{2}$. The amount is $4\frac{1}{2}$ minus the root of 8.

If it is desired, make the amount as 2 squares. Add to it the root of its $\frac{1}{2}$ to get 2 squares plus a thing. Multiply the sum by itself to get 4 square squares plus a square plus 4 cubes equal to 8 squares. Subtract a square from 8 squares; there remains 4 square squares plus 4 cubes equal to 7 squares. Return all to a square square to give a square square plus a cube equal to $1\frac{3}{4}$ squares. Return all to the square by dividing by a square. When you divide a square square by a square, it gives a square. A cube divided by a square is a thing. One and three-quarter squares divided by a square is $1\frac{3}{4}$. Take $\frac{1}{2}$ the roots [and multiply by itself] to give $\frac{1}{4}$; add it to the $1\frac{3}{4}$ to get 2. Subtract $\frac{1}{2}$ from the root of 2; it is the root of $\frac{1}{2}$ the amount. Double its square to get $4\frac{1}{2}$ minus the root of 8.

[No. 53] If one says that 2 amounts are equal, and the root of 3 is added to one of them, and the root of 2 to the other, and one sum is multiplied by the other, then it equals 20.[170] Make each amount a thing and add to each of them the added value; it is then the sum of a thing plus the root of 3 times the sum of a thing plus the root of 2 or equal to a square plus the root of 6 plus the root of 3 squares plus the root of 2 squares— equal to 20. Subtract the root of 6 from 20 to get 20 minus the root of 6 equal to a square plus the root of 3 squares plus the root of 2 squares. Take $\frac{1}{2}$ the root of 3 squares plus the root of 2 squares; it is the root of $\frac{3}{4}$ plus the root of $\frac{1}{2}$. Multiply the sum by itself to get $1\frac{1}{4}$ plus the root of $1\frac{1}{2}$. Add it to 20 minus the root of 6 to give $21\frac{1}{4}$ minus the root of 6 plus the root of $1\frac{1}{2}$. When one gets the root of this and subtracts from it the root of $\frac{3}{4}$ and the root of $\frac{1}{2}$, the remainder is the amount, one of the two. The other is the same as the first.

[No. 54] If one says that 7 is added to an amount, and the sum multiplied by the root of 3 times the amount, then it is equal to 10 times the

---

[170] $(x + \sqrt{3})(x + \sqrt{2}) = 20,$

$\therefore x^2 + \sqrt{6} + \sqrt{3x^2} + \sqrt{2x^2} = 20,$

$\therefore x^2 + \sqrt{3x^2} + \sqrt{2x^2} = 20 - \sqrt{6},$

$\therefore x = \sqrt{1\frac{1}{4} + \sqrt{1\frac{1}{2}} + 20 - \sqrt{6}} - \sqrt{3/4} - \sqrt{1/2}$

$= \sqrt{21\frac{1}{4} - \sqrt{6} + \sqrt{1\frac{1}{2}}} - \sqrt{3/4} - \sqrt{1/2}.$

ישוה אלגוש ויהיה שורש האלגוש שורש ארבעה פחות שורש (חציו) [חצי] והוא שני אדרהמי פחות שורש (חציו) [חצי] (והוא שני אדרהמי פחות שורש דרהם) והאלגו ארבעה וחצי פחות שרש שמנה. ואם תרצה תניח האלגוש שלך שני אלגוש תוסיף עליו שורש חציו ויהיה שני אלגוש ודבר ותכם בעצמ׳ ויהיה ארבעה אלגוש אלגו׳ ואלגו׳ וארבעה מעוקבים ישוו (ימנה) [שמנה] אלגוש ותגרע אלגו משמנה אלגוש ישאר ארבעה אלגוש אלגו׳ וארבע מעוקבי׳ ישוו שבעה אלגוש. ותשב כל דבר שתחזיק אל אלגוש אלגו ויהיה אלגו׳ אלגו׳ ומעקב ישוו אלגו׳ ושלשה רביעי׳ אלגו׳. והשב כל דבר שתחזיק אל אלגוש והוא שתחלק כל דבר שתחזיק על אלגוש בעבור כי כאשר תחלק אלגו׳ אלגו׳ על אלגו׳ יעלה אלגו׳. ותחלק מעוקב על אלגוש ויהיה דבר ותחלק אלגוש ושלשה רביעי׳ אלגוש על אלגוש ויעלה דרהם אחד ושלשה רביעי אדרהם ותחצה השרשים [ותכם על עצמם] ויהיה רביע תוסיפהו על האדרהם ושלשה רביעי׳ ויהיה שני דרהמי. ותגרע משורש שני דרהמי (חציו) [חצי] [folio 137b] ישאר שרש חצי האלגוש. תכהו בעצמו יהיה שני (דברים) דרהמי ורביע פחות שורש שנים והוא חצי האלגוש. ותכפליהו יהיה ארבעה דרהמי וחצי פחות שורש שמנה.

[No. 53] ואם יאמרו לך שני אלגוש שוים תוסיף על אחד מהם שורש שלשה ועל האחר שורש שנים ותכה (האחר) [האחד] באחר ויהיה עשרי׳. תניח כל אחד מהאלגוש דבר ותוסיף על כל אחד מה שהנחת והוא דבר ושרש שלשה בדבר ושרש שנים אדרהמי יהיה אלגו׳ ושרש ששה דרהמי ושרש שלשה אלגוש ושרש שני אלגוש ישוו עשרי׳ דרהמי ותגרע שרש ששה דרהמי מעשרי׳ דרהמי ישאר עשרי׳ דרהמי פחות שורש ששה (ודרהמי) [דרהמי] ישוה אלגוש ושורש שלשה אלגוש ושורש שני אלגוש ותחצה שרש שלשה אלגוש ושרש שני אלגוש ויהיה שרש משלשה רביעית ושרש מחצי תכם בעצמם ויהיה דרהם אחד ורביע ושרש אדרהם וחצי תוסיף אותו על עשרים דרהמי (ורביע ושורש דרהמי וחצי) פחות שורש ששה דרהמיש והוא עשרים ואחד ורִביע פחו׳ [שורש ששה] [ו]שרש אחד (וחציו) [וחצי] ושרש זה כשיגרע ממנו שרש שלשה רביעיות ושורש חצי הנשאר הוא אלגוש אחד מהשנים. והאחר כמו הראשון.

[No. 54] ואם יאמרו לך אלגו׳ תוסיף עליו שבעה דרהמי ותכה המקובץ בשורש שלשה דימיוני האלגוש ויהיה עשרה דימיוני האלגוש. מלאכתו שתניח

amount.[171] In this method, make the amount a thing and add 7 to it to give 7 plus a thing. Multiply the sum by the root of 3 times the amount, or the root of 3 things; it equals the root of 3 cubes plus the root of 147 things equal to 10 times the amount—it is 10 things. Divide everything by the root of 3 things to get a thing plus the root of 49 [equal to the root of $33\frac{1}{3}$ things. You multiply it by itself—a thing plus the root of 49]. The sum multiplied by itself is a square plus 49 plus the root of 196 squares—equal to $33\frac{1}{3}$ [things. Subtract the root of 196 squares; there remains $33\frac{1}{3}$ things] minus the root of [196] squares equal to a square plus 49. If it is desired, take $\frac{1}{2}$ the things minus the root of [196] squares and do as I have related. If it is desired, take the root of 196 squares, or 14 things, and subtract it from $33\frac{1}{3}$; there remains $19\frac{1}{3}$ things equal to a square plus 49. Halve the things to get $9\frac{2}{3}$. Multiply it by itself to give $93\frac{4}{9}$. Subtract from it the 49 to get $44\frac{4}{9}$. Take its root to give $6\frac{2}{3}$. Subtract it from $\frac{1}{2}$ the things, $9\frac{2}{3}$, to get 3, the amount. If it is desired, when the question is confronted regarding the thing plus the root of 49, take the root of 49, or 7, and multiply the thing plus 7 by itself to get exactly $33\frac{1}{3}$ things. Do as I have related and so the amount comes out as 3 or $16\frac{1}{3}$, whichever it is desired.

If it is desired to calculate this problem by another method, make the amount a thing and add 7 to it to give a thing plus 7. One knows that when one multiplies it by the root of 3 things it equals 10 things. Divide 10 things by the root of 3 things to get [the root of] $33\frac{1}{3}$—equal to a thing plus 7. Multiply by itself to get a square plus 49 plus 14 things equal to $33\frac{1}{3}$ things.

If it is desired, make the amount as $\frac{1}{3}$ a square. Add 7 to it to get $\frac{1}{3}$

[171] $(x + 7) \cdot \sqrt{3x} = 10x,$

$\therefore \sqrt{3x^3} + \sqrt{147x} = 10x,$

$\therefore x + \sqrt{49} = x + 7 = \sqrt{33\frac{1}{3}},$

$\therefore x^2 + 49 + \sqrt{196x^2} = x^2 + 49 + 14x = 33\frac{1}{3}x,$

$\therefore x^2 + 49 = 33\frac{1}{3}x - \sqrt{196x^2} = 33\frac{1}{3}x - 14x,$

$\therefore x^2 + 49 = 19\frac{1}{3}x,$

$\therefore x = 9\frac{2}{3} \pm \sqrt{93\frac{4}{9} - 49} = 9\frac{2}{3} \pm \sqrt{44\frac{4}{9}} = 9\frac{2}{3} \pm 6\frac{2}{3} = 3 \text{ or } 16\frac{1}{3}.$

This is a clumsy procedure in that he first multiplies with $\sqrt{3x}$ and then divides by $\sqrt{3x}$. He takes $\sqrt{x^2}$ as x but he operates at first with $\sqrt{49}$ and $\sqrt{196x^2}$ without extracting the roots. Apparently the aim is to let the student practise calculation with the roots. He continues with this neater method:

האלגוש שלך דבר תוסיף עליו שבעה דרהמי יהיה שבעה דרהמי ודבר תכהו
בשרש שלשה דימיוני האלגוש והוא שרש שלשה דברי׳ ויהיה שורש שלשה מעוקבים
ושרש קמ״ז דברי׳ ישוו עשרה דימיוני האלגוש והוא עשרה דברי׳ ותחלק כל דבר
שתחזיק על שרש שלש׳ דברי׳ ויעלה דבר ושרש מ״ט דרהמי [ישוו שרש ל״ג
דברים ושליש ותכם על עצמם ויעלה דבר ושרש מ״ט דרהמי]* בעצמו יהיה
אלגו׳ ומ״ט (בעצמו) ושרש (קצות) [קצ״ו] אלגוש ישוו ל״ג דברים ושליש [ותגרע
מהם שרש קצ״ו אלגוש וישאר ל״ג דברים ושליש]† פחות שורש (קצות) [קצ״ו]
אלגוש ישווה אלגו׳ ומ״ט דרהמי ואם תרצה תחצה הדברי׳ פחות שורש (קצות)
[קצ״ו] אלגוש ותעשה כמו [folio 138a] שאמרתי לך ואם תרצה תקח שורש
(קצות) [קצ״ו] אלגוש והוא י״ד דברי׳ תגרע׳ מל״ג דברי׳ ושליש ישאר י״ט
דברי׳ ושליש ישוה אלגוש ומ״ט דרהמי ותחצה הדברי׳ יהיה תשעה ושני שלישי׳
תכם בעצמם ויהיה צ״ג וארבע תשיעיות [ותקח שורשו] תגרע מהם האדרמי והם
מ״ט ישאר מ״ד וארבע תשיעיות ותקח שורשו והוא ששה ושני שלישיות תגרעם
מחצי הדברי׳ שהם תשעה ושני שלישי׳ ישארו שלשה והם האלגוש.

ואם תרצה כאשר תחׄבׄר‡ מן השאלה אל הדבר ושורש מ״ט דרהמי תקח
שורש מ״ט והוא שבעה ותכה דבר ושבעה בעצמו ותכוין עם מה שיעלה ל״ג
דברים ושליש ותעשה כאשר אמרתי לך ויעלה לך האלגוש שלש׳ או ששה עשר
ושליש איזה מהם שתרצה. ואם תרצה תמנה חשבון זאת השאלה על המעשה האחר
והוא שתניח האלגו׳ שלך דבר ותוסיף עליו שבעה דרהמי יהיה דבר ושבעה
דרהמי וכבר ידעת שכאשר תכהו בשרש שלשה דברי׳ יהיה עשרה דברים ותחלק
עשרה דברים על שורש שלשה דברים ויעלה [שורש] ל״ג דברי׳ ושליש ישוו דבר
ושבעה דרהמי ותכם בעצמם ויהיה אלגוש ומ״ט דרהמי וי״ד דברי׳ ישוו ל״ג
דרהמי ושליש דבר.

ואם תרצה תניח האלגו׳ שלך שליש אלגוש ותוסיף עליו שבעה דרהמי יהיה

* Omitted because of homoioteleuton. † Omitted because of homoioteleuton.

‡ The two dots indicate that a gloss was intended to be given, probably explaining תחבר = תכוין = confront.

$$(x + 7) \cdot \sqrt{3x} = 10x,$$

$$\therefore\ x + 7 = \frac{10x}{\sqrt{3x}} = \sqrt{33\tfrac{1}{3}\,x},$$

$$\therefore\ x^2 + 49 + 14x = 33\tfrac{1}{3}\,x.$$

or let $x = \frac{1}{3}y^2$, then

$(\frac{1}{3}y^2 + 7)y = 10 \cdot \frac{1}{3}y^2,$

$\therefore\ \frac{1}{3}y^3 + 7y = 3\frac{1}{3}y^2,$

$\therefore\ \frac{1}{3}y^2 + 7 = 3\frac{1}{3}y,$

$\therefore\ y^2 + 21 = 10y,$

$$\therefore\ y = 5 \pm \sqrt{25 - 21} = 3 \text{ or } 7$$

$\therefore\ y^2 = 9 \text{ or } 49,$

$\therefore\ x = 3 \text{ or } 16\frac{1}{3}.$

a square plus 7. Multiply by the root of 3 times the amount, a thing, to get $\frac{1}{3}$ a cube plus 7 things equal to $3\frac{1}{3}$ squares —since when it is a square, 10 times the amount is [10 squares] just as when the amount is made as $\frac{1}{3}$ a square, then 10 times it is $3\frac{1}{3}$ squares. Divide by a thing to get $\frac{1}{3}$ a square plus 7 equal to $3\frac{1}{3}$ things. Complete the $\frac{1}{3}$ a square. Complete it by multiplying it by 3 to get a square plus 21 equal to 10 roots. Halve the roots to get 5. Multiply it by itself to get 25. Subtract [21] from it; there remains 4. Its root is 2; subtract from 5 to get 3, the root of the square which is 9. Since we assumed the amount was made as $\frac{1}{3}$ a square, take its $\frac{1}{3}$ to give 3 as the amount. If it is desired, add the 2 to $\frac{1}{2}$ the roots, 5 ,to get 7, the root of the square. The square is 49 and since the number was made as $\frac{1}{3}$ a square, take its $\frac{1}{3}$ to get $16\frac{1}{3}$.

[No. 55] If one says that to an amount is added the root of 3 times it, and the sum multiplied by the root of 2 amounts, it will equal 4 times the amount.[172] In this method, make the amount a thing. Add to it the root of 3 times the amount to give a thing plus the root of 3 things. Multiply it by the root of 2 things to get the root of 2 cubes plus the root of 6 squares equal to 4 things. This is since it is the amount and so it is 4 times the amount. Divide everything by a thing [to get the root of 2 things plus the root of 6 equal to 4. Subtract the root of 6 from 4 and then mul-

[172] $(x + \sqrt{3x}) \cdot \sqrt{2x} = 4x,$

$\therefore \sqrt{2x^3} + \sqrt{6x^2} = 4x,$

$\therefore \sqrt{2x} + \sqrt{6} = 4,$

$\therefore \sqrt{2x} = 4 - \sqrt{6},$

$\therefore 2x = 22 - \sqrt{384},$

$\therefore x = 11 - \sqrt{96}.$

or $4x - \sqrt{6x^2} = \sqrt{2x^3},$

$\therefore 22x^2 - \sqrt{384(x^2)^2} = 2x^3,$

$\therefore 2x^3 + \sqrt{384(x^2)^2} = 22x^2,$

$\therefore 2x + \sqrt{384} = 22,$

$\therefore x = 11 - \sqrt{96}.$

or $22x^2 - 2x^3 = \sqrt{384(x^2)^2},$
$\therefore 484(x^2)^2 + 4(x^3)^2 - 88(x^2)^2 \cdot x = 384(x^2)^2,$
$\therefore 4(x^3)^2 + 100(x^2)^2 = 88(x^2)^2 \cdot x,$
$\therefore (x^3)^2 + 25(x^2)^2 = 22(x^2)^2 \cdot x,$
$\therefore x + 25 = 22x,$

שלישית מאלגו ושבעה דרהמי תכם בשרש(ים) שלשה דימיוניו והוא דבר יהיה שלישית מעוקב ושבעה דבריי׳ ישוו שלשה אלגוש ושליש בעבור כי כאשר הוא אלגוש (מהעשרה) [יהיה עשרה] דימיוני האלגוש [עשרה אלגוש] כמו כן כאשר הנחנו האלגו שלישי׳ מאלגו׳ יהיה עשרה דימיוניו שלשה אלגוש ושליש ותחלק כל דבר שתחזיק על דבר ויעלה שלישית אלגוש ושבעה דרהמי ישוו שלשה דבריי׳ ושליש. ותשלים שלישית האלגו׳ עד שיהיה אלגו׳ (והשאלתך) [והשלמתך] הוא שתכהו בשלשה אחר תכה כל מה שתח זיק בשלשה יהיה אלגו׳ וכ״א דרהמי ישוו עשרה שרשי׳. ותחצה השרשי׳ ויהיו חמשה תכם בעצמם יהיו כ״ה תגרע מהם (הכ״ב) [הכ״א] דרהמי [ישאר ארבעה ושרשו שנים, תגרעם מהחמשה] ישאר שלשה והוא שרש האלגו [folio 138b] והאלגו׳ תשעה. (וכל) [ובעבור] מה שהנחנו האלגו׳ שלישית האלגו׳ תקח שלישיתו יהיה שלשה יהיה האלגו׳. ואם תרצה תוסיף השנים על חצי השרשים שהם חמשה ויהיה שבעה והוא שורש האלגוש והאלגו׳ מ״ט וכן כמו שהנחנו האלגו׳ שלנו שלישי׳ מאלגו׳ תקח שלישי׳ אילו והוא י״ו ושליש.

[No. 55] ואם יאמרו לך אלגוש תוסיף עליו שורש שלשה דימיוניו ותכה המקובץ בשורש [שני] האלגוש יהיה ארבעה דימיוני האלגו׳. ומלאכתו שתניח האלגו׳ שלך דבר ותוסיף עליו שרש שלשה דימיוניו יהיה דבר ושרש שלשה דבריי׳ תכהו בשרש שני דבריי׳ יהיה שורש שני מעוקבי׳ ושרש ששה אלגוש ישוו ארבעה דבריי׳ בעבור כי הוא אלגוש ויהיה ארבעה דימיוני האלגו׳ ותחלק כל דבר שתחזיק על דבר [ויהיה שרש שני דברים ושרש ששה דרהמי ישוה ארבעה ותגרע שרש ששה דרהמי מארבעה ותכם על עצמם] יהיה [ארבעה פחות] שורש ששה דרהמי

$\therefore x = 11 - \sqrt{121 - 25} = 11 - \sqrt{96}.$

or let $x = \frac{1}{2}y^2$, then

$$\left(\frac{1}{2}y^2 + \sqrt{1\tfrac{1}{2}y^2}\right)y = 2y^2,$$

$$\therefore \frac{1}{2}y^3 + \sqrt{1\tfrac{1}{2}(y^2)^2} = 2y^2,$$

$$\therefore \frac{1}{2}y + \sqrt{1\tfrac{1}{2}} = 2,$$

$$\therefore y = 4 - \sqrt{6},$$

$$\therefore y^2 = 22 - \sqrt{384},$$

$$\therefore x = 11 - \sqrt{96}.$$

or $2y^2 - \frac{1}{2}y^3 = \sqrt{1\tfrac{1}{2}(y^2)^2}$,

$\therefore 4(y^2)^2 + \frac{1}{4}(y^3)^2 - 2(y^2)^2 \cdot y = 1\tfrac{1}{2}(y^2)^2,$

$\therefore 1\tfrac{1}{2}(y^2)^2 + 2(y^2)^2 \cdot y = 4(y^2)^2 + \frac{1}{4}(y^3)^2,$

$\therefore \frac{1}{4}(y^3)^2 + 2\tfrac{1}{2}(y^2)^2 = 2(y^2)^2 \cdot y,$

$\therefore (y^3)^2 + 10(y^2)^2 = 8(y^2)^2 \cdot y,$

$\therefore y^2 + 10 = 8y,$

$\therefore y = 4 - \sqrt{6}$, etc.

tiply this by itself] to get [4 minus] the root of 6 multiplied by itself—
22 minus the root of 384—equal to 2 things. The thing is equal to 11
minus the root of [96]. It is the amount. If it is desired, subtract the root
of 6 squares from 4 things to get 4 things minus the root of 6 squares equal
to the root of 2 cubes. Multiply the 4 things minus the root of 6 squares
by itself to get 22 squares less the root of 384 square squares equal to 2
cubes. Add it to the root of 384 square squares [to give 2 cubes plus the
root of 384 square squares] equal to 22 squares. Divide everything by
1 square to get 2 things plus the root of 384 equal to 22. The thing is
equal to 11 minus the root of 96. This is the amount. If it is desired, sub-
tract the 2 cubes from 22 squares to get 22 squares minus 2 cubes equal
to the root of 384 square squares. Multiply 22 squares minus 2 cubes
by itself to get 484 square squares plus 4 cube cubes minus 88 square
squares multiplied by a thing. Subtract 384 square squares from 484
square squares to get 4 cube cubes plus 100 square squares equal to
88 square squares times a thing. Return everything to one cube cube
to give [a cube cube] plus 25 square squares equal to 22 square squares
times a thing. Divide everything by a square [square. Dividing a cube
cube by a square square] comes to a square. Twenty-five square squares
divided by a square square is 25. Twenty-two square squares times a
thing divided by a square square is 22 things. Then, a square plus 25
equals 22 things. Halve the roots to get 11. Multiply it by itself to get 121.
Subtract 25 from it to give 96. The root of this subtracted from 11 is the
amount. It is 11 minus the root of 96.

If it is desired, make the amount as $\frac{1}{2}$ a square. Add to it [the root of]
3 times it to get $\frac{1}{2}$ a square plus the root of $1[\frac{1}{2}]$ squares. Multiply the
sum by the root of the square, a thing, to get $\frac{1}{2}$ a cube plus the root of
$1\frac{1}{2}$ square squares equal to 2 squares—since 2 squares equal 4 times the
amount. Divide everything by a square to get $\frac{1}{2}$ a thing plus the root of
$1\frac{1}{2}$ equal to 2. The thing is equal to 4 minus the root of 6. Multiply it
by itself to give 22 minus the root of 384 equal to a square. Since the
amount was taken as $\frac{1}{2}$ a square, then take its $\frac{1}{2}$ to get 11 minus the root
of [96], the amount. If it is desired, subtract $\frac{1}{2}$ a cube from 2 squares to
give 2 squares minus $\frac{1}{2}$ a cube equal to the root of $1\frac{1}{2}$ square squares.
Multiply the 2 squares minus $\frac{1}{2}$ a cube by itself to give 4 square squares
plus $\frac{1}{4}$ a cube cube minus [2] square squares times a thing equal to $1\frac{1}{2}$
square [squares]. Complete it with the [2] square squares times a thing.
Add it to the $1\frac{1}{2}$ square squares to get $1\frac{1}{2}$ square squares plus 2 square
squares times a thing equal to 4 square squares plus $\frac{1}{4}$ a cube cube.
Subtract $1\frac{1}{2}$ square squares from 4 square squares plus $\frac{1}{4}$ a cube cube
to get $\frac{1}{4}$ a cube [cube plus 2]$\frac{1}{2}$ square squares equal to [2] square squares
times a thing. Complete the $\frac{1}{4}$ a cube cube until it is 1. For its completion,

בעצמו יהיה כ״ב דרהמי פחות שורש שפ״ד דרהמי ישוו שני דברי׳ והדבר ישווה אחד עשר דרהמי פחות שורש (צ״ז) [צ״ו] והוא האלגוש. ואם תרצה תגרע שרש ששה אלגוש מארבע דברי׳ ישאר ארבעה דברי׳ פחות שרש ששה אלגוש ישוו שרש שני מעוקבים ותכה ארבעה דברים פחות שורש ששה אלגוש בעצמו יהיה כ״ב אלגוש פחות שרש שפ״ד אלגוש אלגו ישוה שני מעוקבי׳. ותאספהו עם שרש שפ״ד אלגוש אלגו׳ [ויהיה שני מעוקבים ושרש שפ״ד אלגוש אלגוש] ישוה כ״ב אלגוש ותחליק כל דבר שתחזיק על אלגוש אחד (תחלק שני מעוקבים על אלגו׳) ויעלה שני דברי׳ ושורש שפ״ד דרהמי ישוה כ״ב דרהמי והדבר ישוה אחד עשר דרהמי פחות שורש צ״ו והוא האלגוש. ואם תרצה תגרע השני מעוקבים מכ״ב [אלגוש] ישאר כ״ב אלגוש פחות שני מעוקבים ישוו שורש שפ״ד אלגוש אלגו׳ ותכה כ״ב אלגוש פחות שני מעוקבים בעצמו ויהיה תפ״ד אלגוש אלגו׳ וארבעה מעקבים ממעקב פחות פ״ח אלגוש אלגוש מוכים בדבר ותגרע שפ״ד אלגוש אלגוש מתפ״ד אלגוש אלגו׳ ישאר ארבע מעקבים ממעקב [folio 139a] (ממעקב) ומאה אלגוש אלגוש ישוו פ״ח אלגוש אלגו׳ מוכים בדבר והשיב כל דבר שתחזיק אל מעקב ממעקב [אחד וישאר מעקב ממעקב] וכ״ה אלגוש אלגו ישוו כ״ב אלגוש אלגו מוכים בדבר ותחלק כל דבר שתחזיק (אל) [על] אלגוש [אלגוש ונחלק מעקב ממעקב על אלגוש אלגוש] יעלה אלגו ונחלק כ״ה אלגוש אלגו על אלגו אלגו וישוה כ״ה דרהמי. ותחלק (כ״ה) [כ״ב] אלגוש אלגו מוכים בדבר על אלגו אלגו ויעלה (כ״ה) [כ״ב] דברי׳ ויהיה אלגו׳ וכ״ה דרהמי ישוו כ״ב דברי׳ ותחצה השרשים ויהיו אחד עשר תכם בעצמם יהיה קכ״א תגרע מהם הכ״ה ישאר (כ״ו) [צ״ו] ושרש אילו כשיגרע מאחד עשר הוא האלגו והוא אחד עשר פחות שרש (מ״ו) [צ״ו].

ואם תרצה תשים האלגו׳ שלך חצי אלגו׳ תוסיף עליו (שורש) שלשה דימיוניו יהיה חצי אלגו׳ ושרש מאלגו [וחצי אלגו] תכהו בשורש האלגו׳ והוא דבר יהיה חצי מעוקב ושורש אלגו אלגו וחצי אלגו אלגו ישוו שני אלגו בעבור כי [אם] הוא אלגו יהיה ארבעה דימיוני האלגו והנה אלגו חצי אלגו ויהיו ארבעה דימיוני האלגו שני אלגוש ותחלק כל דבר שתחזיק אל אלגו יהיה חצי דבר ושורש מאדרהם וחצי ישוו שני דרהמי. והדבר ישווה ארבעה פחות שורש ששה תכהו בעצמו יהיה כ״ב (אלגוש) פחות שורש שפ״ד והוא אלגוש. וכמו שהנחנו האלגוש שלנו חצי אלגו כן תקח חציו ויהיה אחד עשר פחות שורש (מכ״ו) (מצ״ו) והוא האלגו.

ואם תרצה תגרע חצי מעקב משני אלגוש ישאר שני אלגוש פחות חצי מעוקב ישוה שורש אלגו אלגו וחצי אלגו אלגו תכה שני אלגוש פחות חצי מעוקב בעצמו ויהיה ארבעה אלגוש (וה)אלגו ורביע מעוקב ממעוקב פחות [שני] אלגו׳ אלגו מוכה בדבר ישוה אלגו אלגו וחצי אלגו [אלגו] ותאספהו עם [השני] אלגו אלגו מוכה בדבר ותוסיפיהו על אלגו אלגו וחצי אלגו אלגו ויהיה אלגו אלגו וחצי אלגו [folio 139b] אלגו (ואלגו) (ושני אלגו) אלגו מוכה [בדבר ישוו ארבעה אלגוש אלגוש ורביע מעוקב ממעוקב] (באלגו אלגו) [ותגרע אלגוש אלגוש וחצי אלגו אלגו] מארבעה אלגוש אלגו ורביע מעוקב ממעוקב ישאר רביע מעוקב [ממעוקב ושני] (ו)אלגוש אלגו וחצי אלגו אלגו (ישוה אלגו אלגו (ו)אלגו אלגו מוכה בדבר). ותשלים רביע מעוקב ממעוקב עד שהיה מעוקב (ומעוקב) [ממעוקב] והשלמתו הוא שתכה בארבע ותכה על דבר שתחזיק בארבעה ויהיה מעוקב ממעוקב ועשרה אלגוש אלגו ישוה שמנה אלגוש מאלגו מוכה בדבר. ותחלק כל דבר

multiply everything by 4 to get a cube cube plus 10 square squares equal to 8 square square things. Divide everything by a square square to get a square plus 10 equal to 8 things. Halve the things to get 4. Multiply it by itself to get 16. Subtract 10 from it to get 6. Take its root and subtract it from 4. The remainder is the thing. It is 4 minus the root of 6. The square is 22 minus the root of 384. It is the desired square, or [the amount is] 11 minus the root of 96.[173]

[No. 56] If one says that 3 is added to the root of $\frac{1}{2}$ an amount, and to the root of its $\frac{1}{3}$, 2 is added, then the multiplication of one by the other is 20.[174] In this method, make the amount a thing. Add [3 to the] root of its $\frac{1}{2}$; it gives 3 plus the root of $\frac{1}{2}$ a thing. Add 2 to the root of its $\frac{1}{3}$ to give 2 plus the root of $\frac{1}{3}$ a thing. Multiply the 3 plus the root of $\frac{1}{2}$ a thing by 2 plus the root of $\frac{1}{3}$ a thing. When this is desired, multiply the root of $\frac{1}{2}$ a thing by the root of $\frac{1}{3}$ a thing to give the root of $\frac{1}{6}$ a square. Multiply 3 by the root of $\frac{1}{3}$ a thing to give the root of 3 things. Multiply 2 by the root of $\frac{1}{2}$ a thing to give the root of 2 things. Multiply 3 by 2 to get 6. The sum of all this is [6] plus the root of $\frac{1}{6}$ a square plus the root of 3 things plus the root of 2 things [equal to 20]. Subtract the root of $\frac{1}{6}$ a square from 14; there remains 14 minus the root of $\frac{1}{6}$ a square equal to the root of 3 things plus the root of 2 things. Multiply 14 minus the root of $\frac{1}{6}$ a square by itself to give 196 plus $\frac{1}{6}$ a square minus the root of 130 squares plus $\frac{2}{3}$ a square equal to the root of 3 things plus the root of

---

[173] This last piece of information is given in a marginal gloss.

[174] $(3 + \sqrt{\frac{1}{2}x})(2 + \sqrt{\frac{1}{3}x}) = 20,$

$\therefore \sqrt{\frac{1}{6}x^2} + \sqrt{3x} + \sqrt{2x} + 6 = 20,$

$\therefore 14 - \sqrt{\frac{1}{6}x^2} = \sqrt{3x} + \sqrt{2x},$

$\therefore 196 + \frac{1}{6}x^2 - \sqrt{130\frac{2}{3}x^2} = 5x + \sqrt{24x^2},$

$\therefore 5x + \sqrt{24x^2} + \sqrt{130\frac{2}{3}x^2} = 196 + \frac{1}{6}x^2,$

$\therefore x^2 + 1{,}176 = 30x + \sqrt{864x^2} + \sqrt{4{,}704x^2},$

$\therefore x = 15 + \sqrt{1{,}176} + \sqrt{216}$

$\qquad - \sqrt{1{,}617 + \sqrt{1{,}058{,}400} + \sqrt{1{,}016{,}064} + \sqrt{194{,}400} - 1{,}176},$

$\therefore x = 15 + \sqrt{1{,}176} + \sqrt{216} - \sqrt{441 + \sqrt{1{,}058{,}400} + \sqrt{1{,}016{,}064} + \sqrt{194{,}400}}.$

or $5x + \sqrt{24x^2} + \sqrt{130\frac{2}{3}x^2} = 196 + \frac{1}{6}x^2,$

$\therefore 5x + \sqrt{266\frac{2}{3}x^2} = 196 + \frac{1}{6}x^2,$

שתחזיק על אלגו אלגו יהיה אלגו ועשרה דרהמי ישוו שמנה דברי' ותחצה הדברי' ויהיו ארבעה תכם בעצמם יהיו שש עשרה תגרע מהם העשרה דרהמיש ישאר ששה תקח שרשו ותגרעהו מארבע והנשאר הוא הדבר והוא ארבעה פחות שרש ששה ויהיה האלגו כ״ב דרהמי פחות שורש (שפ״ד דרהמי וכמו שהנחנו האלגו שלנו (ו)חצי אלגו כן תקח חצי זה והוא י״א דרהמי פחות שורש)* (כ״ו) [צ״ו] והוא האלגוש הנשאל.

[No. 56] ואם יאמרו לך אלגוש תוסיף על שורש חציו שלשה דרהמי ועל שרש שלישיתו שני דרהמי ותכה האחד באחר ויהיה עשרים דרהמי. מלאכתו שתשים האלגו שלך דבר ותוסיף על שורש (חצי) [חציו] שלשה דרהמי [יהיה שלשה דרהמי ו]שורש חצי דבר ותוסיף על שורש שלישיתו שני דרהמי יהיה שני דרהמי ושרש שלישית דבר ותכה שלשה דרהמי ושרש חצי דבר בשני דרהמי ושורש שלישית דבר. וכאשר תרצה זה תכה שורש חצי דבר בשורש שלישית דבר ויהיה שורש ששית אלגו' ותכה שלשה דרהמי בשרש שלישית דבר ויהיה שורש שלשה דברים ותכה (שורש) שני דרהמי בשורש חצי דבר ויהיה שורש שני דברי' ותכה שלשה דרהמי בשני דרהמי יהיה ששה דרהמי ותקבץ כל זה ויהיה (שלשה) [ששה] דרהמי ושרש ששית אלגו ושורש משלשה דברים [folio 140a] ושורש משני דברים [ישווה עשרים]. ותגרע שורש מששית אלגוש (מידת) [מי״ד] דרהמי ישאר י״ד דרהמי פחות שורש ששית אלגוש ישוה שרש שלשה דברים ושרש שני דברי' תכה י״ד דרהמי פחות שורש ששית אלגו בעצמו יהיה קצ״ו דרהמי וששית אלגו פחות

* Written on the margin.

$$\therefore\ x^2 + 1{,}176 = 30x + \sqrt{9{,}600x^2}$$

$$\therefore\ x = 15 + \sqrt{2{,}400} - \sqrt{2{,}625 + \sqrt{2{,}160{,}000} - 1{,}176}$$

$$\therefore\ x = 15 + \sqrt{2{,}400} - \sqrt{1{,}149 + \sqrt{2{,}160{,}000}}.$$

or let $x = 2y^2$, then

$$(y + 3)\left(2 + \sqrt{\tfrac{2}{3}y^2}\right) = 20,$$

$$\therefore\ 2y + 6 + \sqrt{\tfrac{2}{3}(y^2)^2} + \sqrt{6y^2} = 20,$$

$$\therefore\ 14 = 2y + \sqrt{\tfrac{2}{3}(y^2)^2} + \sqrt{6y^2},$$

$$\therefore\ \sqrt{(y^2)^2} + \sqrt{6y^2} + \sqrt{9y^2} = \sqrt{294},$$

$$\therefore\ y^2 + \sqrt{6y^2} + 3y = \sqrt{294},$$

$$\therefore\ y = \sqrt{3\tfrac{3}{4} + \sqrt{13\tfrac{1}{2} + \sqrt{294}}} - 1\tfrac{1}{2} - \sqrt{1\tfrac{1}{2}},$$

$$\therefore\ y = \sqrt{3\tfrac{3}{4} + \sqrt{433\tfrac{1}{2}}} - 1\tfrac{1}{2} - \sqrt{1\tfrac{1}{2}},$$

$$\therefore\ x = 2\left(\sqrt{3\tfrac{3}{4} + \sqrt{433\tfrac{1}{2}}} - 1\tfrac{1}{2} - \sqrt{1\tfrac{1}{2}}\right)^2.$$

2 things — multiplied by itself — [it gives 5 things plus the root of 24 squares]. Complete the 196 plus $\frac{1}{6}$ a square by the root of 130 squares plus $\frac{2}{3}$ a square. Add it to 5 things plus the root of 24 squares to give 5 things plus the root plus the root of 24 squares plus the root of $130\frac{2}{3}$ squares equal to 196 and $\frac{1}{6}$ squares. Complete the $\frac{1}{6}$ a square until it is a whole 1. To complete it, multiply everything by 6 to get a square plus 1,176 equal to 30 things and the root of 864 squares plus the root of 4,704 squares. Halve the things and the root of 4,704 squares and the root of 864 squares to get 15 plus the root of 1,176 plus the root of 216. Multiply by itself to get 1,617 plus the root of 1,058,400 [plus the root of 1,016,064 plus the root of 194,400]. Subtract 1,176 from it to give 441 plus the root of 1,058,400 plus the root of 1,016,064 plus the root of 194,400. Take the root of this and subtract it from 15 plus the root of 1,176 and the root of 216. The difference is the amount.

If desired, do as told. For example, take 5 things plus the root of 24 squares plus the root of $130\frac{2}{3}$ squares equal to 196 plus $\frac{1}{6}$ a square. Add the root of 24 squares and the root of $130\frac{2}{3}$ squares as explained, to get 5 things plus the root of $266\frac{2}{3}$ squares equal to 196 plus $\frac{1}{6}$ a square. Complete the square. Multiply by 6 to get a square plus 1,176 equal to 30 things plus the root of 9,600 squares. Halve the things and the root of 9,600 squares to get 15 plus the root of 2,400. Multiply by itself to get 2,625 plus the root of 2,160,000. From it, subtract 1,176 which is with the square; there remains 1,449 plus the root of 2,160,000. Take the root of all this and subtract it from 15 plus the root of 2,400. The difference is the amount.

If desired, make the amount as 2 squares. Add 3 to the root of its $\frac{1}{2}$ to get a thing plus 3. Add 2 to the root of its $\frac{1}{3}$ to get 2 plus the root of [$\frac{2}{3}$] a square. Multiply a thing plus 3 by 2 plus the root of $\frac{2}{3}$ a square to get 2 things plus 6 plus the root of $\frac{2}{3}$ a square square plus the root of 6 squares equal to 20. Subtract 6 from 20 to get 14 equal to 2 things plus the root of $\frac{2}{3}$ a square square plus the root of 6 squares. Complete the root of $\frac{2}{3}$ a square square until it is the root of 1 square square. For completion, multiply it by the root of $1\frac{1}{2}$. Multiply everything by the root of $1\frac{1}{2}$ to get the root of a square square plus the root of 6 squares plus the root of 9 squares, or 3 things, equal to the root of 294. The root of a square square is a square. Then, it is a square plus the root of 6 squares plus the root of 9 squares, or 3 things, equal to the root of 294. Halve the 3 things and the root of 6 squares to get $1\frac{1}{2}$ plus the root of $1\frac{1}{2}$. Multiply this sum by itself to get $3\frac{1}{2}$ plus $\frac{1}{4}$ plus the root of $13\frac{1}{2}$. [Add it] to the root of 294 to get $3\frac{1}{2}$ plus $\frac{1}{4}$ plus the root of 294 plus the root of $13\frac{1}{2}$. The root of $13\frac{1}{2}$ plus the root of 294 is the root of $433\frac{1}{2}$. It comes to $3\frac{1}{2}$ plus $\frac{1}{4}$ plus the root of $433\frac{1}{2}$. Take the root of all this and from the

שרש ק״ל אלגו ושני שלישית מאלגו ישוה שרש משלשה דברים ושרש משני דברי׳ מוכים בעצמם והוא חמשה דברים ושרש כ״ד אלגוש. ותאסוף הקצ״ו דרהמי וששית אלגו עם שרש ק״ל אלגו ושני שלישיות מאלגו׳ ותוסיפיהו על חמשה דברים ושורש כ״ד אלגוש [ויהיה חמשה דברים ושורש כ״ד אלגוש] ושרש ק״ל אלגוש ושני שלישי אלגו ישוה קצ״ו וששית אלגו. ותשלים הששית אלגו עד שיהיה אלגו (והשאלתך) [והשלמתך] הוא שתכהו בששה אחר זה תכה כל דבר שתחזיק בששה ויהיו אלגו ואלף קע״ו דרהמי ישוו (שלשה) [שלשים] דברים ושרש תתס״ד אלגוש ושורש ארבעת אלפים תש״ד אלגוש ותחצה הדברים ושרש ארבעת אלפי׳ תש״ד אלגוש ושרש תתס״ד אלגוש ויהיה ט״ו ושרש אלף קע״ו ושורש כי״ו תכם בעצמם יהיה אלף תרי״ז ושרש אלף אלפי׳ ונ״ח אלפי׳ ות׳ ושרש אלף אלפים וי״ו אלפים וס״ד ושרש מאה וצ״ד (אלף) אלפי׳ ות׳ ותגרע מהם אלף (קס״ו) [קע״ו] ישאר תמ״א דרהמי ושורש אלף אלפים ונ״ח אלפי׳ ות׳ [ושרש אלף אלפים וי״ו אלפים וס״ד ושרש מאה וצ״ד אלפים רת׳] ותקח שרש זה וההווה תגרעהו מט״ו ושרש אלף קע״ו ושרש (מ״ו) [רי״ו] ומה שישאר הוא האלגוש.

ואם תרצה תעשה כמו שאומר לך עתה והוא שכאשר תכה [תכוין] ממספר זאת השאלה בחמשה דברי׳ ושרש כ״ד אלגוש ושרש ק״ל אלגוש ושני שלישי אלגוש ישוו קצ״ו דרהמי וששית אלגוש. תקבץ שורש כ״ד אלגוש ושרש ק״ל אלגוש ושני שלישי אלגו כאשר ביארתי לך ויהיה אז חמשה דברי׳ ושורש רס״ו אלגוש ושני שלישי אלגוש ישוו קצ״ו דרהמי וששית אלגוש. ותשלים האלגוש שלך והוא שתכהו בששה ויהיה אלגו׳ ואלף וקע״ו דרהמי ישוה שלשי׳ דברים ושרש תשעה אלפים [folio 140b] ות״ר אלגוש. ותחצה הדברי׳ ושרש ט׳ אלפי׳ ות״ר אלגוש ויהיה ט״ו ושרש אלפיים ות׳. תכם בעצמם יהיה אלפיים ותרכ״ה ושרש (אלף) [שני אלפי] אלפים וק״ס אלף. ותגרע מהם האלף קע״ו שהם עם האלגו ישאר אלף ותמ״ט ושרש (אלף) [שני אלפי] אלפים וק״ס אלף תקח שרש זה והעולה תגרעהו מט״ו ושרש אלפיים ות׳ ומה שישאר לך הוא האלגו.

ואם תרצה תניח האלגו שלך שני אלגוש ותוסיף על שורש חציו שלשה ויהיה דבר ושלשה דרהמי ותוסיף על שרש (שלישית) [שלישיתו] שני דרהמי ויהיה שני דרהמי ושורש (אלגו) [שני שלישי] אלגו ותכה דבר ושלשה דרהמי בשני דרהמי ושורש שני שלישי אלגו ויהיה שני דברי׳ וששה ושרש שני שלישי׳ אלגו׳ (ו)אלגוש ושרש ששה אלגוש ישוו עשרים דרהמי. ותגרע ששה דרהמי מעשרי׳ דרהמי ישאר י״ד דרהמי ישוה שני דברי׳ ושרש שני שלישי׳ אלגו אלגו׳ ושרש ששה אלגוש. ותשלים שרש שני שלישי אלגוש [אלגוש] עד שיהיה שורש אלגו׳ אלגו והשלמתך הוא כשתכה אותו בשורש אחד וחצי ותכה כל דבר שתחזיק בשורש אחד וחצי (וחצי) ויהיה (שורשי) [שורש] אלגו׳ אלגו׳ ושרש ששה אלגוש (וששה) [ושורש] תשעה אלגוש והוא שלשה דברי׳ ישוו שרש רצ״ד דרהמי ושורש אלגוש אלגוש הוא אלגו ויהיה אלגו ושרש ששה אלגוש ושרש תשעה אלגוש והוא שלשה דברי׳ ישוו שורש רצ״ד דרהמי ותחצה השלשה דברי׳ ושרש ששה אלגוש ויהיה אחד וחצי ושרש אחד וחצי ותכם בעצמם יהיה שליש [שלשה] (אחד) וחצי ורביע ושורש י״ג אדרהמי וחצי [תוסיפיהו] על שרש רצ״ד ויהיה שלשה וחצי ורביע ושרש רצ״ד דרהמי ושרש י״ג וחצי. [ושרש י״ג וחצי] ושורש רצ״ד הוא שרש תל״ג וחצי ויהיה (חצי ושליש) [שלשה וחצי] ורביע ושרש תל״ג וחצי ותקח שורש אלו ומה שעלה תגרע ממנו אחד וחצי ושרש אחד וחצי ומה שישאר הוא חצי שרש האלגוש

answer subtract $1\frac{1}{2}$ plus the root of $1\frac{1}{2}$. The difference is $\frac{1}{2}$ the root since the amount was made as 2 squares. Multiply it by itself to give $\frac{1}{2}$ the amount. Double it to give the amount.

[No. 57] One says that an amount is multiplied by the root of 10 and then divided by the sum of 2 plus the root of 3,[175] then it comes to the amount less 10.[176] In the procedure, make the amount a thing and multiply it by the root of 10 to get the root of 10 squares. Divide the root of 10 squares by 2 plus the root of 3 to get the root of 40 squares less the root of 30 squares. When it is desired to know the origin of the root of 40 squares minus the root of 30 squares, say that the division of the root of 10 by 2 plus the root of 3 is 1 thing. Multiply the thing by 2 plus the root of 3 to get the root of 10. Subtract 2 things from the root of 10 to

[175] Arabic text (fol. 54a). "If you wish, the purchase is done [i.e. multiplied] by the root of 10 and sold by [the sum of] 2 plus the root of 3, then it is held so. What is the 'head of the amount' [i.e. $10 - x$; translated almost exactly so in the Hebrew but remains obscure as to its real meaning in both texts].

"Let the division of the root of 10 by 2 plus the root of 3 be a thing. Then multiply the thing by 2 plus the root of 3 to give the root of 10. Then multiply the thing by 2 plus the root of 3 to give 2 [things] plus the root of 3 things ['squares' in Arabic text]. It equals the root of 10. Subtract the 2 [things] from the root of 10; there remains the root of 10 less 2 [things] equal to the root of 3 things ['squares' in Arabic text]. Multiply the root of 10 less 2 [things] by itself to give 10 dirhams and 4 squares less the root of 160 squares. It is equal to 3 squares. Add the root of 160 squares and return it to the 3 squares; then subtract 3 squares from 4 squares to get a square plus 10 dirhams. This is equal to the root of 160 squares. Halve the root of 160 squares to get the root of 40. Multiply it by itself to get 40 and subtract 10 from it. There remains 30 (plus) [omit], its root subtracted from the root of 40. The remainder is a thing. It is the quotient which is the root of 40 less the root of 30 . . . ."

[176] $\dfrac{x \cdot \sqrt{10}}{2 + \sqrt{3}} = x - 10.$

Let $\dfrac{\sqrt{10}}{2 + \sqrt{3}} = y$, then

$$2y + \sqrt{3y^2} = \sqrt{10},$$

$$\therefore \sqrt{10} - 2y = \sqrt{3y^2},$$

$$\therefore 10 + 4y^2 - \sqrt{160y^2} = 3y^2,$$

$$\therefore y^2 + 10 = \sqrt{160y^2},$$

$$\therefore y = \sqrt{40} - \sqrt{40 - 10} = \sqrt{40} - \sqrt{30},$$

$$\therefore \frac{\sqrt{10x^2}}{2 + \sqrt{3}} = \sqrt{40x^2} - \sqrt{30x^2},$$

$$\therefore \sqrt{40x^2} - \sqrt{30x^2} = x - 10,$$

בעבור שהנחנו [האלגוש] שני אלגוש תכהו בעצמו וההווה הוא חצי האלגוש כפלהו ויהיה האלגוש.

[No. 57] ואם יאמרו לך אלגו תכהו בשרש עשרה ותחלק [folio 141a] מה שיעלה על שנים ושרש שלשה ויעלה לאחד כל כך כמו שהוא האלגוש פחות עשרה. (ואם תרצה תאמר אדם קנה לחשבון שורש עשרה ומכר לחשבון שנים ושרש חמשה עשר* כמה שיהיה אלגוש מהקרן). מלאכתו הוא שתשים אלגו׳ שלך דבר תכהו בשרש עשרה ויהיה שרש עשרה אלגוש ותחלק שורש עשרה אלגוש על שנים ושרש שלשה ויעלה שרש ארבעים אלגוש פחות שורש שלשים אלגוש. וכאשר תרצה לדעת כיצד עלה שורש ארבעים אלגוש פחות שורש שלשים אלגוש תאמר חלקת שורש עשרה על שנים ושרש שלשה ועלה דבר וכאשר נכה דבר בשנים ושרש שלשה (אלגוש) ישוה שורש עשרה תגרע שני דברים משרש עשרה וישאר שורש עשרה פחות שני דברי׳ ישוה שורש שלשה אלגוש תכה (שורש נ׳) [שורש י׳] פחדת שני דברי׳ בעצמו יהיה י׳ דרהמי וד׳ אלגוש פחות שרש ק״ס אלגוש ישוו שלשה אלגוש ותאספהו עם שורש ק״ס אלגוש ותוסיפיהו על שלשה אלגוש ותגרע שלשה אלגוש. ותגרע שלשה אלגוש מארבעה אלגוש ישאר אלגוש ועשרה דרהמ׳ ישווה שרש ק״ס אלגוש. ותחצה שורש ק״ס יהיה שרש ארבעים תכהו בעצמו יהיה ארבעי׳ תגרע ממנו עשרה ישאר שלשי׳ ושרשו תגרעהו (השרש) [משרש] ארבעי׳ ומה שישאר הוא הדבר והוא מה שיעלה לאחר [לאחד] והוא שורש ארבעי׳ פחות שרש שלשי׳. וכבר התבאר (שכבר) [שכאשר] חלקנו שורש עשרה (דרהמי

* Read, perhaps ושרש שלשה. The text of this sentence is corrupt and remains obscure.

$$\therefore\ x^2 + 100 - 20x = 70x^2 - \sqrt{4{,}800(x^2)^2},$$

$$\therefore\ 100 + \sqrt{4{,}800(x^2)^2} = 69x^2 + 20x,$$

$$\therefore\ 20x = 100 + \sqrt{4{,}800(x^2)^2} - 69x^2,$$

$$\therefore\ x^2 + 176\,\frac{36}{39} + \sqrt{31{,}558\,\frac{282}{1{,}521}} = 35\,\frac{15}{39}\,x + \sqrt{1{,}262\,\frac{498}{1{,}521}\,x^2},$$

$$\therefore\ x = 17\,\frac{27}{39} + \sqrt{315\,\frac{885}{1{,}521}}$$

$$+ \sqrt{451\,\frac{1{,}029}{1{,}521} + \sqrt{395{,}130\,\frac{2{,}057{,}670}{2{,}313{,}441}} - \sqrt{31{,}588\,\frac{282}{1{,}521}}}.$$

get the root of 10 minus 2 things equal to the root of 3 squares. Multiply the root of 10 minus 2 things by itself to give 10 plus 4 squares minus the root of 160 squares equal to 3 squares. Complete it by the root of 160 squares and add it to 3 squares and subtract 3 squares. Subtract 3 squares from 4 squares to get a square plus 10 equal to the root of 160 squares. Halve the root of 160 to get the root of 40. Multiply it by itself to get 40. Subtract 10 from it to get 30 and its root. Subtract it from the root of 40; what remains is a thing. It is the quotient and is the root of 40 minus the root of 30. Thus is the explanation that when the root of 10 [squares] is divided [by 2] plus the root of 3, the quotient is the root of 40 squares minus the root of 30 squares since every number divided by a number is the dividend. When this is multiplied by a certain number, and the product divided by the first number which is the divisor, then the quotient equals the first quotient multiplied by the certain number. Divide the root of 10 squares by 2 plus the root of 3 to get the root of 40 squares less the root of 30 squares.

It was already explained that when the root of 10 squares is divided by 2 plus the root of 3, it gives the root of 40 squares minus the root of 30 squares equal to a thing minus 10 since it was originally set as an amount minus 10. The amount is a thing. Multiply the thing minus 10 by itself to give a square plus 100 minus 20 things equal to the root of 40 squares minus the root of 30 squares—the sum multiplied by itself. It is, then, 70 squares minus the root of 4,800 [square] squares. Subtract the square from 70 squares to give 69 squares. Complete the one hundred by 20 things and add it to the 69 squares. Complete [the 69 squares] by the root of 4,800 square squares and add it to the 100 to get 100 plus the root of 4,800 square squares equal to 69 squares plus 20 things. Subtract the 69 squares from 100 and the root of 4,800 square [squares]; there remains 20 things equal to 100 plus the root of 4,800 square squares minus 69 squares. Return everything to [1] square. Multiply everything by $1\frac{30}{39}$ plus the root of $3\frac{237}{1,521}$. If 1 is divided by the root of 4,800 less 69, then the quotient comes to $1\frac{30}{39}$ plus the root of $3\frac{237}{1,521}$. One knows from what was said that when a square is divided by the root of 4,800 square squares less 69 squares, the result is $1\frac{30}{39}$ plus the root of $3\frac{237}{1,521}$. [When the root of 4,800 square squares minus 69 squares is multiplied by $1\frac{30}{39}$ plus the root of $3\frac{237}{1,521}$, it equals a square.] Multiply 100 by $1\frac{30}{39}$ and the root of $3\frac{237}{1,521}$ to give [176]$\frac{36}{39}$ and the root of $31,558\frac{282}{1,521}$. Multiply 20 things by $1\frac{30}{39}$ and the root of $3\frac{237}{1,521}$ to give $35\frac{15}{39}$ things plus the root of $1,262\frac{498}{1,521}$ squares. It is equal to a square plus $176\frac{36}{39}$ [plus the root of $31,558\frac{282}{1,521}$] equal to 35 things plus $\frac{15}{39}$ things and the root of 1,262

על עשרה) [אלגוש על שנים] ושרש שלשה יהיה העולה לאחד שורש ארבעים (אלגוש) פחות שורש שלשי׳ אלגוש בעבור כי כל מספר שיחלק על מספר יהיה המספר חנחלק כאשר נכהו במספר מהמספרי׳ איזה מספר שיהיה ונחלק מה שיתהווה מההכאה על המספר הראשון והוא [folio 141b] המחלק יהיה העולה לחלק כמו מה שיעלה מהחלק הראשון כאשר תכהו במספר שהכית בו המספר הנחלק ואנחנו חלקנו שורש עשרה דרהמי על שני דרהמי ושרש שלשה וכאשר נחלק שורש עשרה אלגוש על שנים ושרש שלשה יהיה מה שיעלה שרש ארבעים אלגוש פחות שרש שלשים אלגוש.

וכבר התבאר שכאשר נחלק שרש עשרה אלגוש על (דבר) [שנים] ושרש שלשה יהיה מה שיעלה לאחד שורש ארבעים אלגוש פחות שרש שלשי׳ אלגוש ישוה דבר פחות עשרה בעבור שאמר ועלה לאחד כמו אותו (אחד) [אלגוש] פחות עשרה. והאלגוש הוא דבר ותכה דבר פחות עשרה בעצמו ויהיה אלגוש ומאה דרהמי פחות עשרי׳ דברי׳ ישוה שרש ארבעים אלגוש פחות שרש שלשי׳ אלגוש מוכה בעצמו והוא שבעים אלגוש פחות שרש ד׳ אלפי׳ ת״ת אלגוש [אלגוש] ותגרע אלגוש משבעים אלגוש ישאר ס״ט אלגוש (ותאסוף המאה דרהמי עם עשרים דברי׳ ותוסיפם על הס״ט אלגוש) ותאסוף המאה דרהמי עם עשרים דברי׳ ותוסיפם על הס״ט אלגוש ותאסוף (המאה דרהמי) [הס״ט אלגוש] עם שרש ד׳ אלפים ות״ת אלגוש אלגו ותוסיפם על המאה דרהמי יהיה מאה דרהמי ושורש ד׳ אלפים ות״ת אלגוש אלגו (ותוסיפם על המאה דרהמי יהיה מאה דרהמי ושורש ד׳ אלפים ות״ת אלגוש) ישוו ס״ט אלגוש ועשרים דברים ותגרע הס״ט אלגוש ממאה דרהמי ושורש ארבעת אלפים ת״ת אלגוש [אלגו] ישאר עשרים דברי׳ ישוה מאה דרהמי ושרש ארבעת אלפי׳ ת״ת אלגוש אלגו (ועשרים דברי׳) פחות ס״ט אלגוש והשב כל דבר שתחזיק אל אלגוש [אחד] והוא שתכה כל דבר שתחזיק באדרהם אחד (ושלשה) [ושלשים] חלקים מל״ט חלקי׳ אדרהם [ושורש שלשה דרהמי ורל״ז חלקים מאלף תקכ״א חלקי׳ אדרהם]* בעבור (שחלקנו) [שאם חלקנו] אדרהם אחד על שורש ד׳ אלפים (ותתצ״ו) [ות״ת פחות ס״ט] יהיה העולה לאחד [folio 142a] אדרהם אחד [ושלישי׳] (ושלושי׳) חלק מל״ט חלקי׳ מאדרהם ושרש שלשה דרהמי (ורל״ד) [ורל״ז] (תל) חלקי׳ מאלף תקכ״א מדרהם. והוא ידוע ממה שאמרנו שכאשר נחלק [אלגוש] אחד על שרש ד׳ אלפים ות״ת אלגוש אלגו פחות ס״ט אלגוש יהיה העולה אל (האלגוש) [האחד] דרהם אחד ושלשים חלק מל״ט חלקים מאדרהם ושרש שלשה דרהמי ורל״ז חלקים מאלף תקכ״א חלקים מאדרהם [וכאשר תכה שרש ד׳ אלפים ות״ת אלגוש אלגו פחות ס״ט אלגוש על אחד ושלשים חלק מל״ט חלקים מאדרהם ושרש שלשה דרהמי ורל״ז חלקים מאלף תקכ״א חלקים מאדרהם] יהיה אלגו. ותכה מאה אדרהמיש באדרהם (ושלישית) [ושלושים] חלק מל״ט חלקי׳ מאדרהם ושרש שלשה ורל״ז חלקי׳ מאלף תקכ״א חלקים מאחד ויהיה (קמ״ו) [קע״ו] דרהמי ול״ו חלקים מל״ט חלקים מדרהם ושרש ל״א אלפים (מתקנ״ח) [ותקנ״ח] דרהמי ורפ״ב חלקים מאלף תקכ״א חלקים מדרהם ותכה עשרים דברי׳ באדרהם (ושלישית) [ושלושים] חלק מל״ט חלקים מאדרהם ושרש שלשה דרהמיש ורל״ז חלקים מאלף תקכ״א חלקי׳ מאחר [מאחד] ויהיה ל״ה דברי׳ וט״ו חלקי׳ משלשי׳ ותשע חלקי׳ מדבר

* Written on the margin, and בעבור is the catchword from the text.

squares and $\frac{498}{1,521}$ a square. Halve the 35 things and $\frac{15}{39}$ a thing and the root of 1,262 squares and $\frac{498}{1,521}$ a square. It is equal to $17\frac{1}{2}$ and $\frac{7^1/_2}{39}$ things plus the root of 315 squares and $\frac{885}{1,521}$ a square. Multiply it by itself to give $628\frac{912}{1,521}$ things, and the root of $395,130\frac{2,0[5]7,670}{[2,313,441]}$. Subtract the number which is with the square from it; this is $[176]\frac{36}{39}$ and the root of $31,558\frac{282}{1,521}$. There then remains $451\frac{1,029}{1,521}$ plus the root of $395,130\frac{2,05[7],670}{[2,313,441]}$, minus the root of $[31,558]\frac{282}{1,521}$. Take the root of this and add $17\frac{27}{39}$ plus the root of $315\frac{885}{1,521}$. The result of this is the amount.

[No. 58] If one says that there are two amounts, and that one is 3 times the other—add to each one its root and then multiply the sums, then it will equal 10 times the larger square.[177] In the procedure, make one amount a thing, and the other as 3 things. Add its root to the thing [to get a thing plus the root of a thing; to the other 3 things add its root to get] 3 things plus the root of 3 things. Multiply one sum by the other to get 3 squares plus the root of 3 squares plus the root of 9 cubes plus the root of 3 cubes equal to 10 times the large square, or 30 things. Divide everything by a thing to get 3 things plus the root of 3 plus the root of 9 things plus the root of 3 things equal to 30. Subtract 3 things and the root of 3 from 30 to get 30 minus 3 things plus the root of 3 equal to the root of 9 things plus the root of 3 things. Multiply the sum of 30 minus 3 things plus the root of 3 by itself to get 903 plus 9 squares plus the root of 108 squares minus 180 things minus the root of 10,800 equal to [the sum of the root of 9 things plus the root of 3 things multiplied by itself. This is,] then, 12 things plus the root of 108 squares. [Subtract the root of 108 squares;] there remains 903 plus 9 squares minus 180 things minus the root of 10,800 equal to 12 things. Complete it by 180 things. Add it to the 12 things to get 192 things equal to 903 plus 9 squares minus the root of 10,800. Carry on as I have explained.

[177] $(x + \sqrt{x})(3x + \sqrt{3x}) = 10 \cdot 3x,$

$\therefore\ 3x^2 + \sqrt{3x^2} + \sqrt{9x^3} + \sqrt{3x^3} = 30x,$

$\therefore\ 3x + \sqrt{3} + \sqrt{9x} + \sqrt{3x} = 30,$

$\therefore\ 30 - (3x + \sqrt{3}) = \sqrt{9x} + \sqrt{3x},$

$\therefore\ 903 + 9x^2 + \sqrt{108x^2} - 180x - \sqrt{10,800} = 12x + \sqrt{108x^2},$

$\therefore\ 903 + 9x^2 - 180x - \sqrt{10,800} = 12x,$

$\therefore\ 192x = 903 + 9x^2 - \sqrt{10,800}.$

ושרש אלף (רכ״ב) [רס״ב] אלגוש ותצ״ח חלקים מאלף תקר״א חלקי׳ מאלגו אחד. ויהיה אלגו וקע״ו דרהם ול״ו חלקי׳ מל״ט חלקי׳ מדרהם [ושרש ל״א אלפים ותקנ״ח דרהמי ורפ״ב חלקים מאלף תקכ״א חלקים מדרהם] ישוו ל״ה (לדבר) [דברים] וט״ו חלקים מל״ט חלקים מדבר ושרש מאלף רס״ב אלגוש ותצ״ח חלקים מאלף תקכ״א חלקי׳ מאלגוש. ותחצה ל״ה דברים וט״ו חלקים מל״ט חלקים מדבר ושרש מאלף רס״ב אלגוש ותצ״ח (אלפים) [חלקים] מן 1521 חלקים מאלגוש ויהיה י״ז דברים וחצי ושבעה חלקים וחצי מל״ט חלקים בדבר ושורש (מששית) [משט״ו] אלגוש (ותתס״ה) [ותתפ״ה] [מאלף תקכ״א חלקים מאלגו. תכם בעצמם יהיה 628 דרהמי (ותקי״בה [ותתקי״ב] חלקי׳ מן 1521 חלקים (מדבר) [מדרהם ושרש] משצ״ה אלפים וק״ל דרהמי (ואלף אלפי׳ (ונ״ד) [ונ״ז] אלפי׳ ותר״ע חלקים מן (1300441) [2313441] חלקים מאדרהם ותגרע מהם האדרהמי שהם עם האלגוש הם (קצ״ו) [קע״ו] דרהמי ול״ו [folio 142b] חלקי׳ מל״ט חלקי׳ בדרהם ושרש 31558 דרהמי ורפ״ב חלקי׳ מן (1531) [1521] חלקי׳ מדרהם ישאר תנ״א דרהמי ואלף ב״ח חלקים מן 1521 חלקים מדרהם ושרש מן 395130 (דרהמי ואלף) [ושני אלף] אלפים (ונ״ט) [ונ״ז] אלפים ותר״ע חלקים מן (1515441) [2313441] חלקים מדרהם פחות שורש מן (31778) [31558] דרהמי ורפ״ב חלקים מן 1521 חלקים מדרהם אחד. ותקח שרש זה וההוא תוסיף עליו י״ז וכ״ז חלקים מל״ט חלקים מדרהם ושורש (משטות) [משט״ו] דרהמי (ותחל״ו) [ותתפ״ה] חלקים מן אלף תקכ״א חלקים מדרהם ומה שיהיה הוא האלגוש.

[No. 58] ואם יאמרו לך שני אלגוש והאחר שלשה דמיוני האחד הוספת על כל אחד מהם שרשו שלו והכית האחר [האחד] באחר והיה עשרה דמיוני האלגוש הגדול. מלאכתו שתניח האלגוש האחד דבר והאחר שלשה דברי׳ ותוסיף על הדבר שרשו ויהיה [דבר ושרש דבר ותוסיף על השלשה דברים שרשם ויהיה]* שלשה דברים ושרש שלשה דברים [ותכה האחד באחר] יהיה שלשה אלגוש ושרש שלשה אלגוש ושרש תשעה מעוקבים ושרש שלשה מעוקבי׳ ישוו עשרה דמיוני האלגוש הגדול והוא (שלישית) [שלושים] דברי׳. תחלק כל דבר שתחזיק על דבר ויהיה שלשה דברים ושרש שלשה דרהמי ושרש תשעה דברי׳ ושרש שלשה דברי׳ ישוו שלשי׳ דרהמי. תגרע שלשה דברי׳ ושורש שלשה דרהמי משלשים דרהמי ישאר (שלישית) [שלושים] דרהמי פחות שלשה דברים ושרש השלשה דרהמי ישוה שרש תשעה דברי׳ ושרש שלשה דברי׳ ותכה שלשים דרהמי פחות שלשה דברים ושרש שלשה דרהמי בעצמו יהיה תתק״ג דרהמי ותשעה אלגוש ושרש מק״ח אלגוש פחות ק״פ דברי׳ ופחות שורש עשרת אלפי׳ ות״ת דרהמי ישוו [שרש תשעה דברים ושרש שלשה דברים מוכים בעצמם והם] י״ב דברים ושורש מק״ח אלגוש [ותגרע מהם שורש מק״ח אלגוש]† ישארו תתק״ג דרהמי ותשעה אלגוש פחות ק״פ דברי׳ ופחות שרש עשרת אלפי׳ ות״ת דרהמי ישוה שני עשר דברים. ותאספם עם הק״פ דברי׳ (ותאספם עם הק״ב דברי׳) ותוסיפם על הי״ב דברים ויהיה קצ״ב דברים ישוו תתק״ג דרהמי ותשעה אלגוש פחות שרש מעשרת אלפים ת״ת דרהמי ותעשה כאשר ביארתי לך.

* Homoioteleuton.

† Homoioteleuton.

[No. 59] If one says to take an amount then its root plus the root of its root plus the root of 2 of its roots plus the root of 5 times the amount is equal to 10.[178] In the procedure, make the amount as a square. Take its root which is a thing plus the root of a thing plus the root of 2 things plus the root of 5 squares—equal to 10. Subtract a thing plus the root of 5 [squares] from 10 to give 10 minus a thing minus the root of 5 squares equal to the root of a thing plus the root of 2 things. Multiply 10 minus a thing minus the root of 5 squares by itself, to get 100 plus 6 squares plus the root of 20 square squares minus 20 things minus the root of 2,000 squares equal to the root of a thing plus the root of 2 things multiplied by itself to give 3 things plus the root of 8 squares. Carry out this process exactly to give 23 things plus the root of 2,000 squares plus the root of 8 squares equal to 100 plus 6 squares plus the root of 20 square squares. Return everything to 1 square. Multiply by $\frac{3}{8}$ minus the root of $\frac{5}{8}$ of $\frac{1}{8}$. [Multiply 100 by $\frac{3}{8}$ minus the root of $\frac{5}{8}$ of $\frac{1}{8}$] to give $37\frac{1}{2}$ minus the root of $781\frac{1}{4}$. Multiply 23 things by $\frac{3}{8}$ minus the root of $\frac{5}{8}$ of [$\frac{1}{8}$] to give 8 things plus $\frac{5}{8}$ a thing minus the root of $41\frac{1}{4}$ squares plus $\frac{5}{8}$ of $\frac{1}{8}$ of a square. Multiply the root of 2,000 squares by $\frac{3}{8}$ minus the root of $\frac{5}{8}$ of $\frac{1}{8}$ to give the root of $281\frac{1}{4}$ squares minus $12\frac{1}{2}$ things. Multiply the root of 8 squares by $\frac{3}{8}$ minus the root of $\frac{5}{8}$ [of $\frac{1}{8}$ to give the root of $1\frac{1}{8}$ squares] minus the root of $\frac{5}{8}$ a square. Altogether, it is a square plus $37\frac{1}{2}$ minus the root of $781\frac{1}{4}$ equal to the root of $281\frac{1}{4}$ squares plus the root of $1\frac{1}{8}$ squares minus $3\frac{7}{8}$ things minus the root of $41\frac{1}{4}$ and $\frac{5}{8}$ of $\frac{1}{8}$ squares minus the root of $\frac{5}{8}$ a square. Carry on as I have shown.

[No. 60] If one says that there are three unequal amounts and if the small one is multiplied by itself and the middle one multiplied by itself is added, it equals the large one by itself, and if the small one is multiplied by the large one it equals the middle one multiplied by itself, and if the small one is multiplied by the middle one it equals 10.[179] In the solution, make the small one a thing. The middle one is 10 divided by a thing; the large one is 100 divided by a cube since when the square of the middle is divided by the small one, it comes to the large one. Also, the square of

[178] $x + \sqrt{x} + \sqrt{2x} + \sqrt{5x^2} = 10,$

$\therefore 10 - x - \sqrt{5x^2} = \sqrt{x} + \sqrt{2x},$

$\therefore 100 + 6x^2 + \sqrt{20(x^2)^2} - 20x - \sqrt{2,000x^2} = 3x + \sqrt{8x^2},$

$\therefore 23x + \sqrt{2,000x^2} + \sqrt{8x^2} = 100 + 6x^2 + \sqrt{20(x^2)^2},$

Multiplying by $(\frac{3}{8} - \frac{1}{8}\sqrt{5})$:

$x^2 + 37\frac{1}{2} - \sqrt{781\frac{1}{4}} = \sqrt{281\frac{1}{4}x^2} + \sqrt{1\frac{1}{8}x^2} - 3\frac{7}{8}x - \sqrt{41\frac{21}{64}x^2} - \sqrt{\frac{5}{8}x^2}.$

[No. 59] ואם [folio 143a] יאמרו לך אלגו' אשר שרשו ושורש שרשו ושרש
שתי שרשיו ושורש חמשה דימיוני האלגוש יהיה עשרה דרהמי. מלאכתו שתניח
האלגוש שלך [אלגוש] תקח שרשו ושרש דבר ושרש שני דברים ושרש חמשה אלגוש
ישוו י' דרהמי. ותגרע דבר ושרש חמשה [אלגוש] מעשרה דרהמי ישאר עשרה
דרהמי פחות דבר ופחות שרש מחמשה אלגוש ישוה שורש מדבר ושורש משני
דברים. ותכה עשרה דרהמי פחות דבר ופחות שורש מחמשה אלגוש בעצמו
ויהיה מאה דרהמי וששה אלגוש ושרש מעשרים אלגוש אלגו פחות עשרי' דברי'
ופחות שורש אלפיי' אלגוש (אלגו) ישוה שורש מדבר ושורש משני דברי' מוכה
בעצמו והוא שלשה דברי' ושורש משמנה אלגוש. ותכוין עמהם ויהיה אחר (הכאן)
[הכיוון] כ״ג דברי' ושרש אלפיים אלגוש ושורש משמנה אלגוש ישוו מאה דרהמי
וששה אלגוש ושרש מכ' אלגוש אלגו והשב כל דבר שתחזיק אל אלגוש (אחר)
[אחד] והוא שתכהו בשלשה שמיניות מדרה' פחות שורש מחמשה שמיניות שמיניות
[ותכה המאה דרהמי בשלשה שמיניות פחות שורש מחמשה שמיניות שמיניות]*
ויהיה שלשי' ושבעה דרהמי וחצי פחות שורש תשפ״א דרהם ורביע. ותכה כ״ג
[דברים] בשלשה שמיניות פחות שרש מחמשה שמיניות שמיניות יהיה שמנה דברים
וחמשה שמיניות מדבר פחות שורש ממ״א אלגוש ורביע מאלגוש וחמשה שמיניות
משמינית אלגוש. ותכה שרש אלפים אלגוש בשלשה שמיניות פחות שורש חמשה
שמיניות [משמינית] ויהיה שורש רפ״א אלגוש ורביע פחות י״ב דברים וחצי.
ותכה שרש משמנה אלגוש בשלשה (שמיניו) [שמיני'] פחות שורש חמשה שמיניות
[משמינית ויהיה שרש מאלגוש אחד ושמינית] פחות שרש מחמשה שמיניות מאלגוש
ויהיה זה כולו אלגוש ול״ז דרהמי וחצי פחות שרש תשפ״א דרהמי ורביע ישוה
שורש מרפ״א אלגוש ורביע ושורש מאלגוש ושמינית פחות שלשה דברים ושבעה
שמיני' [folio 143b] מדבר פחות שורש ממ״א אלגוש ורביע וחמשה שמיניות
משמינית מאלגוש ופחות שורש מחמשה שמיניות מאלגו' ותעשה כמו שהראתיך.

[No. 60] ואם יאמרו שלשה אלגוש בלתי שוים אם תכה הקטן בעצמו והאמצעי
בעצמו יהיה כמו הגדול בעצמו ואם תכה הקטן בגדול יהיה כמו אמצעי בעצמו
ואם תכה הקטן באמצעי יהיה עשרה דרהמי. מלאכתו שתניח הקטן דבר ויהיה
האמצעי עשרה דרהמי (נחלקם) [נחלקים] על דבר ויהיה הגדול מאה דרהמי
(נחלקם) [נחלקים] על מעוקב בעבור כי מרובע האמצעי כאשר חולק על הקטן
ועלה הגדול ומרובע האמצעי מאה אדרהמי (נחלקם) [נחלקים] על אלגו' וכאשר
חולקו על הקטן והוא דבר יעלה האלגו הגדול והוא מאה דרהמי (נחלקם)
[נחלקים] על מעוקב. וכבר התבאר כי האלגו הקטן כאשר הונח דבר יהיה האלגו

* Homoioteleuton.

[179] $x < y < z,\ x^2 + y^2 = z^2,\ xz = y^2,\ xy = 10,$

$\therefore y = 10/x,\ z = 100/x^3,$

$$\therefore x^2 + \frac{100}{x^2} = \left(\frac{100}{x^3}\right)^2,$$

$$\therefore \frac{(x^2)^2 + 100}{x^2} = \left(\frac{100}{x^3}\right)^2,$$

$$\therefore \frac{(x^2)^2 \cdot (x^2)^2 + 100(x^2)^2}{x^2 \cdot (x^2)^2} = \left(\frac{100}{x^3}\right)^2,$$

$$\therefore \frac{(x^2)^2 \cdot (x^2)^2 + 100(x^2)^2}{(x^3)^2} = \frac{10{,}000}{(x^3)^2},$$

$$\therefore 10{,}000 = (x^2)^2 \cdot (x^2)^2 + 100(x^2)^2,$$

$$\therefore (x^2)^2 = \sqrt{2{,}500 + 10{,}000} - 50,$$

$$\therefore x = \sqrt[4]{\sqrt{12{,}500} - 50}.$$

the middle is 100 divided by a square. When it is divided by the small one which is a thing, the large one equals 100 divided by a cube. The explanation is that when the small square is made a thing, the middle square is 10 divided by a thing, then the large square will be 100 divided by a cube. Multiply the small one which is a thing by itself to give a square. Multiply the middle one which is 10 divided by a thing by itself to give 100 divided by a square. Add them to give a square plus 100 divided by a square. [One knows that when one multiplies the dividend and the divisor by any number, then the quotient is as it was.] Multiply the square by a square [and divide it by a square] to give a square of a square [plus 100 divided by a square. Multiply all by a square square and divide it by a square square to give a square square square square plus 100 square squares divided by a cube cube]. The explanation is that when a square square square square plus 100 square squares is divided by a cube cube, it comes to the square of the middle plus the square of the small number. Multiply the large square, or 100 divided by a cube, by itself to get [the square] of the large number, or 10,000 divided by the cube cube equal to the square of the middle plus the square of the small, or the square square square square plus 100 square squares [divided by a cube cube. Multiply all of it by a cube cube to get 10,000 equal to a square square square square plus 100 square squares]. Halve the 100 square squares to give 50 and multiply it by itself to get 2,500. Add it to the 10,000 to get 12,500. Take its root and then subtract 50 from it. Take the root of the remainder, [and the root of its root]. The answer is the small number.

[No. 61] One says that 10 is divided into three parts, and if [the small one is multiplied by itself and added to the middle one multiplied by itself, it equals the large one multiplied by itself], and when the small is multiplied by the large, it equals the middle multiplied by itself. For solution, make the small one equal to 1, and the middle one, a thing.[180]

---

[180] $x + y + z = 10$, $x < y < z$, $x^2 + y^2 = z^2$, $xz = y^2$,
Let $x = 1$ (Here the text appears to be corrupt but, as the working proceeds, it seems that what is really being proposed here is: let $x = 1 \cdot c$, where c is a constant.), $\therefore z = y^2$,
$\therefore 1^2 + y^2 = (y^2)^2$,

$$\therefore y^2 = z = \tfrac{1}{2} + \sqrt{1\tfrac{1}{4}},$$

$$\therefore y = \sqrt{\tfrac{1}{2} + \sqrt{1\tfrac{1}{4}}},$$

$$\therefore x + y + z = 1\tfrac{1}{2} + \sqrt{1\tfrac{1}{4}} + \sqrt{\tfrac{1}{2} + \sqrt{1\tfrac{1}{4}}},$$

$$\therefore \frac{10}{1\tfrac{1}{2} + \sqrt{1\tfrac{1}{4}} + \sqrt{\tfrac{1}{2} + \sqrt{1\tfrac{1}{4}}}} = c,$$

האמצעי עשרה דרהמי נחלקים על הדבר והאלגו הגדול מאה דרהמי נחלקי׳ על מעוקב. ותכה הקטן והוא דבר על עצמו ויהיה אלגוש ותכה האמצעי והוא עשרה דרהמי נחלקים על דבר בעצמו ויהיה מאה דרהמי נחלקים על אלגו׳ ותחברם ויהיה אלגו׳ ומאה דרהמי נחלקי׳ על אלגו. [והוא ידוע שכאשר תכה את הנחלק ואת המחלק על איזה מספר ישאר החלק כמו שהיה] ותכה האלגו׳ באלגו׳ [ותחלקהו על אלגו׳] יהיה אלגו׳ מאלגו׳ [ומאה דרהמי נחלקים על אלגוש ותכה את הכל על אלגו אלגו ותחלקם על אלגו אלגו וישאר בידך אלגו אלגו אלגו אלגו ומאה אלגוש מאלגוש נחלקים על מעוקב ממעוקב]. וכבר התבאר שכאשר נחלק אלגו אלגו אלגו ומאה אלגוש מאלגוש על מעוקב ממעוקב יעלה מרובע האלגוש האמצעי ומרובע האלג׳ הקטן. ותכה האלגו׳ הגדול והוא מאה דרהמי נחלקים על מעוקב בעצמו ויהיה (מרעבע) [מרובע] האלגוש הגדול עשרת אלפים דרהמים נחלקים על מעוקב ממעוקב וישוה כמו מרובע האמצעי וכמו מרובע הקטן והוא אלגו אלגו אלגו ומאה אלגו אלגו [נחלקים על מעוקב מעוקב] [ותכה את הכל על מעוקב ממעוקב וישאר בידך עשרת אלפים דרהמי ישוו אלגו אלגו אלגו ומאה אלגו אלגו] ותחצה המא׳ אלגו אלגו ויהיה חמשי׳ ותכם בעצמם ויהיה אלפיים ת״ק [folio 144a] ותוסיפם על העשרת אלפים ויהיה י״ב אלפים ת״ק תקח שרשו וההווה תגרע מהם החמישים דרהמי ומה שישאר תקח שרשו [ושורש שרשו] ומה שיעלה הוא האלגו׳ הקטן.

[No. 61] ואם יאמרו לך עשרה תחלקהו לשלשה חלקים (ותכה הקטן בגדול ויהיה כמו האמצעי בעצמו) [ותכה הקטן בעצמו והאמצעי נעצמו כמו הגדול בעצמו] (ואמור עתה העשרה דרהמי) ואמור ככה אמרו לך שלשה אלגוש בלתי שוים אם הכית הקטן בעצמו והאמצעי בעצמו יהיה כמו (האלגוש) [הגדול] בעצמו (והאמצעי בעצמו) וכאשר הכית הקטן בגדול יהיה כמו האמצעי בעצמו. ומלאכתו שתניח

$$\therefore\ 1\tfrac{1}{2}c + \sqrt{1\tfrac{1}{4}c^2} + \sqrt{\tfrac{1}{2}c^2\sqrt{1\tfrac{1}{4}(c^2)^2}} = 10,$$

$$\therefore\ 10 - 1\tfrac{1}{2}c - \sqrt{1\tfrac{1}{4}c^2} = \sqrt{\tfrac{1}{2}c^2 + \sqrt{1\tfrac{1}{4}(c^2)^2}},$$

$$\therefore\ 100 + 3\tfrac{1}{2}c^2 + \sqrt{11\tfrac{1}{4}(c^2)^2} - 30\,c - \sqrt{500\,c^2} = \tfrac{1}{2}c^2 + \sqrt{1\tfrac{1}{4}(c^2)^2}$$

$$\therefore\ 100 + 3c^2 + \sqrt{5(c^2)^2} = 30c + \sqrt{500c^2},$$

$$\therefore\ c^2 + 75 - \sqrt{3{,}125} = 10c,$$

$$\therefore\ c = 5 - \sqrt{\sqrt{3{,}125} - 50} = x.$$

or let $z = 1$ (really $= 1 \cdot a$, where a is a const.), $\therefore\ y = \sqrt{x}$,

$$\therefore\ x^2 + x = 1^2,$$

$$\therefore\ x = \sqrt{1\tfrac{1}{4}} - \tfrac{1}{2},$$

$$\therefore\ y = \sqrt{\sqrt{1\tfrac{1}{4}} - \tfrac{1}{2}},$$

$$\therefore\ x + y + z = \tfrac{1}{2} + \sqrt{1\tfrac{1}{4}} + \sqrt{\sqrt{1\tfrac{1}{4}} - \tfrac{1}{2}},$$

The [large] one will be a square since when the small one is multiplied by the large, it equals the middle by itself. Multiply the small by itself and the middle by itself, then their sums will equal a square plus 1, equal to a square square which equals the product of the large by itself. Do as I have shown and the square equals $\frac{1}{2}$ plus the root of $1\frac{1}{4}$. This is the large square. The root of it is the middle square. It is the root of the sum of $\frac{1}{2}$ plus the root of $1\frac{1}{4}$. The small square is 1. Add the 3 amounts to get $1\frac{1}{2}$ plus the root of $1\frac{1}{4}$ plus the root of the sum of the root of $1\frac{1}{4}$ [plus $\frac{1}{2}$]. Return to the 10 and say that 10 is divided by $1\frac{1}{2}$ plus the root of $1\frac{1}{4}$ [plus the root of the sum of the root of $1\frac{1}{4}$ and $\frac{1}{2}$]; it comes to a thing. One knows that when one multiplies the quotient by the divisor, it is 10. Multiply the thing by $1\frac{1}{2}$ plus the root of $1\frac{1}{4}$ [plus the root of the sum of the root of $1\frac{1}{4}$ and $\frac{1}{2}$]; it equals a thing plus $\frac{1}{2}$ a thing plus the root of $1\frac{1}{4}$ squares plus the root of the sum of $\frac{1}{2}$ a square plus the root of $1\frac{1}{4}$ square squares—equal to 10. Subtract $1\frac{1}{2}$ things plus the root of $1\frac{1}{4}$ squares from 10 to give 10 minus $1\frac{1}{2}$ things minus the root of $1\frac{1}{4}$ squares —equal to the root of the sum of $\frac{1}{2}$ a square plus the root of $1\frac{1}{4}$ square squares. [Multiply every one of the sides by itself to give 100 plus $3\frac{1}{2}$ squares plus the root of $11\frac{1}{4}$ square squares] minus 30 things minus the root of 500 squares—equal to $\frac{1}{2}$ a square plus the root of $1\frac{1}{4}$ square squares. Complete the 100 by 30 things and by the root of 500 squares. Add them to $\frac{1}{2}$ a square plus the root of $1\frac{1}{4}$ square squares. Subtract $\frac{1}{2}$ a square from $3\frac{1}{2}$ squares. Subtract $1\frac{1}{4}$ square squares from the root of $11\frac{1}{4}$ square squares; there remains 100 plus 3 squares plus the root of 5

$$\therefore \frac{10}{\frac{1}{2}+\sqrt{1\frac{1}{4}}+\sqrt{\sqrt{1\frac{1}{4}}-\frac{1}{2}}} = a,$$

$$\therefore \frac{1}{2}a +\sqrt{1\frac{1}{4}a^2}+\sqrt{\sqrt{1\frac{1}{4}(a^2)^2}-\frac{1}{2}a^2} = 10,$$

$$\therefore 10 - \frac{1}{2}a -\sqrt{1\frac{1}{4}a^2}=\sqrt{\sqrt{1\frac{1}{4}(a^2)^2}-\frac{1}{2}a^2},$$

$$\therefore 100 + 1\frac{1}{2}a^2 +\sqrt{1\frac{1}{4}(a^2)^2} - 10a -\sqrt{500\,a^2}=\sqrt{1\frac{1}{4}(a^2)^2}-\frac{1}{2}a^2,$$

$$\therefore 100 + 2a^2 = 10a + \sqrt{500a^2},$$

$$\therefore a^2 + 50 = 5a + \sqrt{125\,a^2},$$

$$\therefore a = 2\frac{1}{2} +\sqrt{31\frac{1}{4}} -\sqrt{\sqrt{781\frac{1}{4}} - 12\frac{1}{2}} = z,$$

now $x = 5 - \sqrt{\sqrt{3,125} - 50}$, $y = 10 - z - x$,

$$\therefore y = 2\frac{1}{2} +\sqrt{\sqrt{781\frac{1}{4}} - 12\frac{1}{2}} +\sqrt{\sqrt{3,125} - 50} -\sqrt{31\frac{1}{4}}.$$

הקטן דרהם (אחר) [אחד] והאמצעי דבר והגדול אלגו' בעבור כי כאשר הכינו
הקטן בגדול יהיה כמו האמצעי בעצמו ותכה הקטן בעצמו והאמצעי בעצמו
ויהיה חיבורם אלגוש ודרהם אחת [אחד] ישוו אלגו אלגו שהוא כמו הכאת הגדול
בעצמו ותעשה כמו (שאראתי) [שהראתי] לך ויהיה האלגו חצי דרהם ושרש מאחד
ורביע והוא אלגו' הגדול ושורש הוא [ושורשו] זה האלגוש האמצעי והוא חצי
דרהם ושרש ורביע הנלקח שרשו והאלגו' הקטן הוא דרהם אחד ותקבץ השלשה
אלגוש ויהיה אדרהם וחצי ושורש מאחד ורביע (וחצי דרהם) ושרש אחד ורביע
[וחצי דרהם] הנלקח שרשו. ותשוב אל העשרה דרהמי ותאמר חלקנו עשרה
דרהמי על דרהם וחצי ושרש אחד ורביע [ושרש אחד ורביע וחצי דרהם] הנלקח
ממנו שרשו ויעלה דבר וכבר ידעת כי כאשר תכה מה שעלה לחלק על המחלק
יהיו י' דרהמי. ותכה דבר באדרהם וחצי ושורש אחד ורביע [ועל חצי דרהם
ושרש אחד ורביע] הנלקח שרשו יהיה דבר וחצי דבר ושרש מאלגו' ורביע וחצי
אלגו ושרש מאלגו' אלגו' ורביע אלגו אלגו' הנלקח ממנו שרשו ישוו י' דרהמי
ותגרע הדבר וחצי ושרש האלגוש ורביע מי' דרהמי וישאר י' דרהמי פחות דבר
וחצי פחות שורש מאלגוש ורביע ישוה חצי אלגוש ושורש מאלגו' אלגו' ורביע
אלגו' אלגו' [הנלקח ממנו שרשו] [ותכה כל אחד בעצמו ויעלה מאה דרהמי
ושלשה אלגוש וחצי ושורש מי"א אלגוש אלגוש ורביעית אלגוש אלגוש] [Folio 144b]
פחות ל' דברי' ופחות שורש מת"ק אלגוש ישוה חצי אלגו ושורש מאלגו אלגו
ורביע אלגו אלגו. ותאסוף הק' דרהמי עם ל' דברי' ועם שרשת"ק אלגוש ותוסיפם

---

or let $y = 2$ (really $= 2 \cdot b$ where b is a const.), $\therefore\ z = \sqrt{x^2 + 4}$,

$$\therefore\ \sqrt{(x^2)^2 + 4x^2} = 4,$$

$$\therefore\ 16 = (x^2)^2 + 4x^2,$$

$$\therefore\ x^2 = \sqrt{20} - 2.$$

$$\therefore\ x = \sqrt{\sqrt{20} - 2},$$

$$\therefore\ z = \sqrt{2 + \sqrt{20}},$$

$$\therefore\ x + y + z = 2 + \sqrt{\sqrt{20} - 20} + \sqrt{2 + \sqrt{20}},$$

$$\therefore\ \frac{20}{2 + \sqrt{\sqrt{20} - 2} + \sqrt{2 + \sqrt{20}}} = 2 \cdot b = y,$$

$$\therefore\ 20 = 2y + \sqrt{\sqrt{20(y^2)^2} - 2y^2} + \sqrt{2y^2 + \sqrt{20(y^2)^2}},$$

$$\therefore\ 20 - 2y = \sqrt{2y^2 + \sqrt{20(y^2)^2}} + \sqrt{\sqrt{20(y^2)^2} - 2y^2},$$

$$\therefore\ 400 + 4y^2 - 80y = 8y^2 + \sqrt{80(y^2)^2},$$

$$\therefore\ 400 = 4y^2 + 80y + \sqrt{80(y^2)^2},$$

$$\therefore\ y^2 + \sqrt{125y^2} - 5y = \sqrt{3{,}125} - 25,$$

$$\therefore\ y = \sqrt{12\tfrac{1}{2} + \sqrt{781\tfrac{1}{4}}} - \left(\sqrt{31\tfrac{1}{4}} - 2\tfrac{1}{2}\right) = 2\tfrac{1}{2} + \sqrt{12\tfrac{1}{2} + \sqrt{781\tfrac{1}{4}}} - \sqrt{31\tfrac{1}{4}}.$$

square squares equal to 30 things plus the root of 500 squares. Return it all to 1 square; multiply by $\frac{3}{4}$ minus the root of $\frac{1}{4}$ and $\frac{1}{2}$ of $\frac{1}{8}$ to give a square plus 75 minus the root of 3,125 equal to 10 things. Multiply $\frac{1}{2}$ the things by itself to give 25 and subtract the 75 minus the root of 3,125 from it. There remains the root of 3,125 minus 50. Subtract the root of this from 5; what remains is the smallest part of the three parts which total 10.

Should one wish to know the large part of the three unequal parts, make it equal to 1; the small one is a thing, and the middle a root of a thing. The three amounts are made this way since the product of the small by the large is equal to the middle multiplied by itself. Multiply the small one by itself to give a square, the middle by itself to give a thing. Add them together; it is equal to the large multiplied by itself which is 1. The thing is equal to the root of $1\frac{1}{4}$ minus $\frac{1}{2}$—this is the small part. The middle one is the root of this, or the root of the difference of the root of $1\frac{1}{4}$ minus $\frac{1}{2}$, the large part is 1. Add the three to give $\frac{1}{2}$ plus the root of $1\frac{1}{4}$ plus the root of the difference of the root of $1\frac{1}{4}$ minus $\frac{1}{2}$. Do as was done with the small part and return to the 10. Divide 10 by $\frac{1}{2}$ plus the root of $1\frac{1}{4}$ and the root of the difference of the root of $1\frac{1}{4}$ minus $\frac{1}{2}$; it is 1 thing. The quotient multiplied by the divisor gives [10]. Thus, multiply the thing by $\frac{1}{2}$ [plus the root of $1\frac{1}{4}$], plus the root of the difference of the root of $1\frac{1}{4}$ minus $\frac{1}{2}$. It is, then, a $\frac{1}{2}$ thing plus the root of $1\frac{1}{4}$ squares plus the root of the difference of $1\frac{1}{4}$ square squares minus a $\frac{1}{2}$ square—equal to [10]. Subtract a $\frac{1}{2}$ thing plus the root of $1\frac{1}{4}$ squares from 10; it gives 10 minus a $\frac{1}{2}$ thing minus the root of $1\frac{1}{4}$ squares equal to the root of the difference of the root of $1\frac{1}{4}$ square squares minus a $\frac{1}{2}$ square. Multiply 10 minus $\frac{1}{2}$ a thing minus the root of $1\frac{1}{4}$ squares by itself to give 100 plus $1\frac{1}{2}$ squares plus the root of $1\frac{1}{4}$ square squares minus 10 things minus the root of 500 squares equal to the root of $1\frac{1}{4}$ square squares minus $\frac{1}{2}$ a square. Complete the 100 by the 10 things and the root of 500 squares. Add them to the root of $1\frac{1}{4}$ square squares minus $\frac{1}{2}$ a square. Complete the root of $1\frac{1}{4}$ square squares by $\frac{1}{2}$ a square and add it to the $1\frac{1}{2}$ squares. Subtract the root of $1\frac{1}{4}$ square squares from the root of $1\frac{1}{4}$ square squares; there remains 100 plus 2 squares equal to 10 things plus the root of 500 squares. Return the 2 squares to 1. One knows that 1 of 2 squares is its $\frac{1}{2}$. Take $\frac{1}{2}$ everything to give a square plus 50 equal to 5 things and the root of 125 squares. Halve the things and the root of 125 squares to get $2\frac{1}{2}$ plus the root of $31\frac{1}{4}$. Multiply by itself to give $37\frac{1}{2}$ plus the root of $781\frac{1}{4}$. Subtract 50 from it; there remains the root of $781\frac{1}{4}$ minus $12\frac{1}{2}$. The root of this when subtracted from $2\frac{1}{2}$ plus the root of $31\frac{1}{4}$ gives the remainder as the large part. It has already been explained that the small part is the root of the difference of the root of

עם חצי אלגוש ושורש אלגו אלגו ורביע אלגו אלגו ותגרע חצי אלגוש משלשה אלגוש
וחצי ותגרע שורש מאלגו אלגו ורביעית אלגו אלגו משורש י״א אלגו אלגו ורביעית
אלגו אלגו' (ישאר מאה דרהמי ושלשה אלגוש ושורש מחמשה אלגוש אלגו ורביעי'
אלגו אלגו) ישאר מאה דרהמי ושלשה אלגוש ושורש מחמשה אלגוש אלגו ישוה ל'
דברים ושורש מת״ק אלגוש ותשיב כל דבר שתחזיק אל אלגוש [אחד] והוא שתכם
בשלשה רביעית פחות שורש רביע וחצי שמינית ויהיה אלגו וע״ה דרהמי פחות
שורש משלשת אלפים וקכ״ה דרהמי ישוה י' דברי'. ותחצה הדברים ותכם
בעצמם יהיה כ״ה ותגרע מהם הע״ה פחות שורש מג' אלפי' וקכ״ה דרהמי נשאר
שורש מג' אלפי' וקכ״ה דרהמי פחות נ' דרהמי ותגרע (מזה שרשו) [שרשו של
זה] [מחמשה] ומה שישאר הוא החלק הקטן מהשלשה חלקי' שהם כלם י' דרהמי.
וכאשר תרצה לדעת החלק הגדול תניח האלגו' הגדול מהשלשה אלגוש הבלתי
שוים דרהם אחד והקטן דבר והאמצעי שורש מדבר. והנחנו אלו השלשה אלגוש
כאשר אמרנו בעבור כי הכאת הקטן בגדול הוא כמו האמצעי בעצמו ותכה הקטן
בעצמו ויהיה אלגו והאמצעי בעצמו ויהיה דבר ותקבצם ויהיה כמו הגדול בעצמו
והוא דרהם אחד. ודבר ישוה שרש מאחד ורביע פחות חצי דרהם והוא האלגו'
הקטן והאמצעי, והוא שורש (זה, ושורש) [הוא שורש] מאחד ורביע פחות (הנלקח)
חצי הנלקח שרשו והגדול דרהם אחד ותקבץ השלשה אלגוש ויהיו חצי דרהם
ושורש מאחד ורביע ושורש מאחד ורביע פחות חצי (גרע) [דרהם הנלקח] שרשו
ותעשה כמו שעשית בחלק הקטן והוא שתשוב אל הי' דרהמי [folio 145a] ותאמר
חלקנו י' דרהמי [אחר כן] על חצי דרהם ושורש מאחד ורביע ושורש מאחד
ורביע פחות חצי גרוע [לקוח] שרשו ועלה דבר וכאשר נכה מה שעלה לחלק
במחלק יהיה (ז') [י'] דרהמי. אחר כן תכה דבר בחצי דרהם [ושורש מאחד
ורביע] ושורש מאחד ורביע פחות חצי לקוח שורשו ויהיה חצי דבר ושרש מאלגו
ורביע ושורש מאלגו אלגו ורביע אלגו אלגו פחות חצי אלגו (אלגו) לקוח (שרשיו)
[שרשו] ישוה [י'] דרהמי ותגרע חצי דבר ושורש מאלגו ורביע אלגו מי' דרהמי
ישאר י' דרהמי פחות חצי דבר ופחות שורש מאלגו ורביע ישוה שורש מאלגו
אלגו ורביע אלגו אלגו פחות חצי אלגו לקוח (שרשיו) [שרשו]. ותכה י' פחות חצי
דבר ופחות שורש מאלגוש ורביע בעצמו ויהיה ק' דרהמי ואלגו וחצי אלגו ושורש
מאלגו אלגו ורביע אלגו אלגו פחות י' דברי' ופחות שורש מת״ק אלגוש ישוה
שורש מאלגו אלגו ורביע אלגו אלגו פחות חצי אלגו. ותאסוף הק' דרהמי עם הי'
דברי' ושרש מת״ק אלגוש ותוסיפם על שורש מאלגו אלגו ורביע אלגו אלגו פחות
חצי אלגו ותאסוף שורש מאלגו אלגו ורביע אלגו אלגו עם החצי אלגו ותוסיפם
על האלגו וחצי ותגרע שורש מהאלגו אלגו ורביע אלגו אלגו (אלגו) משורש מאלגו
אלגו ורביע אלגו אלגו ישאר מאה דרהמי ושני אלגוש ישוה י' דברי' ושרש מת״ק
אלגוש. ותשב השני אלגוש (אלגו) אחד וכבר ידעת שאלגו אחד משני אלגוש הוא
חציו ותקח מכל דבר שתחזיק מחציתו ויהיה אלגו וחמישי' דרהמי ישוו ה' דברי'
ושרש מקכ״ה אלגוש ותחצה הדברי' ושורש מקכ״ה אלגוש ויהיה שנים וחצי
ושרש מל״א ורביע תכם בעצמם ויהיה ל״ז וחצי ושרש מן תשפ״א ורביע ותגרע
מהם הנ' דרהמי ישאר שורש מתשפ״א ורביע פחות י״ב וחצי ושרש זה כשנגרע
משנים וחצי ושרש מל״א ורביע הנה מה שישאר הוא החלק [folio 145b] הגדול
האמור וכבר ביארנו כי החלק הקטן הוא שורש משלשת אלפי' וקכ״ה פחות נ'

3,125 minus 50; it is subtracted from 5. One knows that the middle part is what remains from 10; it is $2\frac{1}{2}$ plus the root of the difference of the root of $781\frac{1}{4}$ minus $12\frac{1}{2}$, plus the root of the difference of the root of 3,125 minus 50, and the root of $31\frac{1}{4}$ subtracted.

This part comes about separately, aside from this answer; it comes to 1 thing when one says that the middle part is the root of the sum of $12\frac{1}{2}$ plus the root of $781\frac{1}{4}$ minus the difference of the root of $31\frac{1}{4}$ less $2\frac{1}{2}$. If it is desired, say, $2\frac{1}{2}$ plus the root of the sum of $12\frac{1}{2}$ and the root of $781\frac{1}{4}$ with the root of $31\frac{1}{4}$ subtracted from it all. If desired, carry out the procedure with the middle part as was done with the small part and the large part. Make the middle amount of the three unequal amounts as 2. The small one is a thing and the large one is the root of a square plus 4. Multiply a thing by the root of the sum of a square plus 4 to give the root of the sum of a square square plus 4 squares equal to 4. Multiply 4 by itself to give 16 equal to a square square plus 4 squares. The square is equal to the root of 20 minus 2. The root of it all is the small amount. The middle is 2, and the large is the root of the sum of 2 plus the root of 20. Divide 20 by the three amounts, as was stated. It is so since it was 20, and no other number, which was divided, also since the middle amount is 2. Multiply a thing by 2 and by the root of the sum of 2 plus the root of 20, and by the root of the difference of the root of 20 minus 2. It comes to 2 things plus the root of the difference of 20 square squares minus 2 squares, plus the root of the sum of 2 squares plus the root of 20 square squares equal to 20. Subtract 2 things from 20 to give 20 minus 2 things equal to the root of the sum of 2 squares plus the root of 20 square squares plus the root of the difference of the root of 20 square squares minus 2 squares. Multiply by itself to get 8 squares plus the root of 80 square squares equal to 400 plus 4 squares minus 80 things. Complete the 400 and the 4 squares by the 80 things. Add it to the 8 squares and the root of 80 square squares and subtract 4 squares from 8 squares to get [400] equal to 4 squares plus 80 things plus the root of 80 square squares. Return all to 1 square; multiply everything by the root of the sum of $\frac{1}{8}$ of $\frac{1}{8}$ plus $\frac{1}{4}$ of $\frac{1}{8}$ of $\frac{1}{8}$, minus $\frac{1}{2}$ of $\frac{1}{8}$ to get a square plus the root of 125 squares minus 5 things equal to the root of 3,125 minus 25. Halve the things to get the root of $31\frac{1}{4}$ minus $2\frac{1}{2}$. Multiply it by itself to get $37\frac{1}{2}$ minus the root of $781\frac{1}{4}$. Add to it the root of 3,125 minus 25 to get $12\frac{1}{2}$ plus the root of $781\frac{1}{4}$. And the root of all this with the sum of $31\frac{1}{4}$ minus $2[\frac{1}{2}]$ subtracted gives the middle part; or $2\frac{1}{2}$ plus the root of $781\frac{1}{4}$ when $12\frac{1}{2}$ is added to it and the root of the sum is taken, then the root of $31\frac{1}{4}$ is subtracted from all this to give the same answer.

[No. 62] One says that 10 is divided into two parts. Add 2 of its roots to one part and subtract 2 of its roots from the other part. The

דרהמי לקוח שורשו ונגרע מחמשה והוא ידוע כי החלק האמצעי הוא מה שישאר מן העשרה והוא שני דרהמי וחצי ושורש מתשפ״א ורביע פחות י״ב וחצי לקוח שרשו ושורש מג׳ אלפי׳ וקכ״ה דרהמיש פחות נ׳ דרהמיש לקוח שרשו (הנגרע) [ונגרע] שרש מל״א ורביע.

וזה החלק יהיה מלבד זאת התשובה והוא מה שיגיע לדבר אחד.* והוא שאומר שהחלק האמצעי הוא י״ב וחצי ושורש מתשפ״א ורביע לקוח שרשו ונגרע ממנו שורש מל״א ורביע פחות שני דרהמי וחצי. ואם תרצה אמר שני דרהמי וחצי, וי״ב דרהמי וחצי (ושרשו ותשפ״א) [ושרש מתשפ״א] ורביע לקוח שרשו וגרוע מכל זה שרש מל״א ורביע. ואם תרצה לעשות בחלק האמצעי כמו שעשית בחלק הקטן ובחלק הגדול תשים האלגו האמצעי מהשלשה אלגוש הבלתי שוים שני דרהמי והאלגוש הקטן דבר והגדול שורש (מאה אלגוש) [מהאלגוש] וארבעה דרהמי ותכה דבר בהשורש (מאה אלגוש) [מהאלגוש] וארבע דרהמי ויהיה שורש מאלגו אלגו וארבעה אלגוש ישוה ארבעה דרהמי ותכה ארבעה דרהמי בעצמו ויהיה י״ו דרהמי ישוה אלגו אלגו וארבעה אלגוש והאלגו ישוה שורש מכ׳ (פחות) פחות שני דרהמי ושורש זה כולו הוא האלגו הקטן והאלגו האמצעי הוא שני דרהמי והאלגו׳ הגדול הוא שני דרהמי ושרש מעשרים לקוח שרשו. ותחלק עשרים על אלו שלשה אלגו׳ שאמרנו, והסבה אשר (בעבור) [בעבורה] חלקנו עשרים ולא מספר אחר בעבור שהנחנו האלגו׳ האמצעי שני דרהמי, ועלה דבר ותכה דבר בשני דרהמי ושרש עשרי׳ לקוח שורשו, ושני דרהמי, ושורש מעשרי׳ פחות שני דרהמי לקוח שורשו ויהיה שני דברי׳ ושורש עשרי׳ אלגו׳ אלגו׳ (פחות) [folio 146a] פחות שני אלגוש לקוח שרשו ושני אלגוש ושרש מעשרי׳ אלגוש אלגו לקוח שרשו ישוה כ׳ דרהמי ותגרע שני דברי׳ מעשרי׳ דרהמי ישאר עשרי׳ דרהמי פחות שני דברי׳ ישוה שני אלגוש ושורש מעשרי׳ אלגוש מאלגו לקוח שרשו ושרש עשרי׳ אלגוש מאלגו פחות שני אלגוש לקוח שורשו. ומוכה בעצמו והוא שמנה אלגוש ושרש משמנים אלגוש מאלגו ישוה ת׳ דרהמי וארבעה אלגוש פחות שמונים דברי׳. ותאסוף הארבעה מאות והד׳ אלגוש עם הפ׳ דברי׳ ותוסיפם על השמונה אלגוש ושרש משמונים אלגוש מאלגו ותגרע ארבעה אלגוש משמנה אלגוש ישאר [ת׳] אדרהמיש ישוה ארבעה אלגוש ופ׳ דברים ושורש מפ׳ אלגוש מאלגו. ותשיב כל דבר שתחזיק אל אלגו אחד והוא שתכה כל דבר שתחזיק בשרש משמינית השמינית ורביעית משמינית השמינית פחות חצי שמינית מדרהם ויהיה אלגוש ושורש מקכ״ה אלגוש וגרוע ממנו חמשה דברים ישוה שרש משלשה אלפי׳ וקכ״ה פחות כ״ה, ותחצה הדברי׳ ויהיו שורש מל״א ורביע פחות שני (דברים) וחצי ותכהו בעצמו יהיה ל״ז וחצי פחות שורש מתשפ״א ורביע תוסיף עליהם שורש משלשת אלפי׳ וקכ״ה דרהמי פחות כ״ה יהיה י״ב וחצי ושרש מן 781 ורביע ושרש זה גרוע ממנו שורש מל״א ורביע פחות שנים [וחצי] וישאר החלק האמצעי והוא שני דרהמי וחצי ושורש מתשפ״א ורביע ומוסיף עליו י״ב וחצי לקוח שורשו וגרוע מכל זה שורש מל״א ורביע.

[No. 62] ואם יאמרו לך עשרה חלקת אותם לשני חלקים והוספת על החלק האחד שני שרשיו וגרעת מן החלק האחר שני שרשיו והשתוו החלקי׳. ומלאכתו

* I.e., you may find *y* by a special method.

results are equal.[181] For the procedure, make one 5 plus a thing, and the other 5 minus a thing. Add 2 of its roots to 5 minus a thing to get 5 minus a thing plus the root of 20 minus 4 things. [Subtract from 5 plus a thing 2 of its roots to get 5 plus a thing minus the root of 20 plus 4 things.] There remains 5 plus a thing minus the root of 20 plus 4 things equal to 5 minus a thing plus the root of 20 minus 4 things. Complete the 5 plus a thing by the root of 20 plus 4 things. Add them to the 5 minus [a thing plus the root of 20 minus] 4 things; [there is then 5 minus a thing plus the root of 20 minus 4 things plus the root of 20 plus 4 things] equal to 5 plus a thing. Complete the 5 minus a thing plus the root of 20 plus 4 things, and the root of 20 minus 4 things [by a thing. Subtract 5 from 5; there remains 2 things equal to the root of 20 plus 4 things plus the root of 20 minus 4 things]. Multiply 2 things by 2 things to get 4 squares. Multiply the root of 20 plus 4 things and the root of 20 minus 4 things by itself. If you wish, multiply the root of 20 minus 4 things by itself to get 20 minus 4 things. Multiply the root of 20 plus 4 things

[181] $5 - x + \sqrt{20 - 4x} = 5 + x - \sqrt{20 + 4x}$,

$\therefore 5 - x + \sqrt{20 - 4x} + \sqrt{20 + 4x} = 5 + x$,

$\therefore 2x = \sqrt{20 + 4x} + \sqrt{20 - 4x}$,

$\therefore 4x^2 = 40 + 2\sqrt{400 - 16x^2}$,

$\therefore 4x^2 = 40 + \sqrt{1,600 - 64x^2}$,

$\therefore 4x^2 - 40 = \sqrt{1,600 - 64x^2}$,

$\therefore 16(x^2)^2 + 1,600 - 320x^2 = 1,600 - 64x^2$,
$\therefore 16(x^2)^2 = 256x^2$,
$\therefore (x^2)^2 = 16x^2$,
$\therefore x^2 = 16$,
$\therefore x = 4$,
$\therefore 5 + x = 9$ and $5 - x = 1$.

This method uses the fact that $(5 + x) + (5 - x) = 10$. Had he used the usual method of $x + (10 - x) = 10$, he would have ended with an equation of the 4th degree which he could not have solved:

$x + 2\sqrt{x} = 10 - x - 2\sqrt{10 - x}$,

$\therefore 5 - x = \sqrt{x} + \sqrt{10 - x}$,

$\therefore (15 - 10x + x^2)^2 = 4(10x - x^2)$, etc.

or $5 - x + 2\sqrt{5 - x} = 5 + x - 2\sqrt{5 + x}$,

$\therefore 5 - x + 2\sqrt{5 + x} + 2\sqrt{5 - x} = 5 + x$

$\therefore 2x = 2\sqrt{5 - x} + 2\sqrt{5 + x}$,

שתשים (האחר) [האחד] (ו)חמשה ודבר והאחר חמשה פחות דבר ותוסיף על חמשה פחות דבר שני שרשיו ויהיו חמשה פחות דבר ושרש עשרי’ [פחות ארבעה דברים] [ותגרע מן חמשה ודבר שני שרשיו ויהיו חמשה ודבר פחות שרש מעשרים דרהמי וארבעה דברים] וישאר חמשה ודבר פחות שורש מעשרים דרהמי וארבעה דברי’ ישוה חמשה פחות דבר ושורש מעשרי’ פחות ארבעה דברי’ ותאסוף החמשה ודבר עם שורש [folio 146b] עשרים (ועם ארבעה) [דרהמי וארבעה] דברים ותוסיפם על החמשה פחות [דבר ושרש עשרים פחות] ארבעה דברים [וישאר חמשה פחות דבר ושרש עשרים פחות ד’ דברים ושרש עשרים דרהמי וארבעה דברים] ישוה חמשה ודבר. ותאסוף החמשה פחות דבר ושרש מעשרים דרהמי וארבעה דברי’ ושרש מעשרי’ פחות ארבעה דברי’ [בדבר] [ותגרע חמשה מחמשה וישארו שני דברים ישוו שרש מעשרים דרהמי וארבעה דברי’ ושרש מעשרי’ פחות ארבעה דברי’]. תכה שני דברי’ בשני דברי’ ויהיה ארבעה אלגוש ותכה שורש מעשרי’ דרהמי וארבעה דברי’ ושרש מעשרי’ פחות ארבעה דברי’ בעצמו. וכאשר תרצה זה* תכה שורש מעשרים פחות ארבעה דברי’ בעצמו ויהיו עשרים פחות ארבעה דברים ותכה שורש מעשרי’ וארבע דברי’ בעצמו יהיה עשרי’ וארבעה דברי’ ותקבצם ויהיה ארבעים דרהמי ותכה [שורש מ]עשרי’ פחות

* I.e., if you prefer this procedure.

$\therefore x = \sqrt{5+x} + \sqrt{5-x}$,

$\therefore x^2 = 10 + \sqrt{100 - 4x^2}$,

$\therefore x^2 - 10 = \sqrt{100 - 4x^2}$,

$\therefore x = 4$,

$\therefore 5 + x = 9$ and $5 - x = 1$.

or $x = \sqrt{5+x} + \sqrt{5-x}$,

$\therefore x - \sqrt{5+x} = \sqrt{5-x}$,

$\therefore x^2 + 5 + x - \sqrt{20x^2 + 4x^3} = 5 - x$,

$\therefore x^2 + 2x = \sqrt{20x^2 + 4x^3}$,

$\therefore (x^2)^2 + 4x^2 + 4x^3 = 20x^2 + 4x^3$,

$\therefore (x^2)^2 = 16x^2$,

$\therefore x^2 = 16$,

$\therefore x = 4$,

$\therefore 5 + x = 9$ and $5 - x = 1$.

or Generally, if $n > m$, $a =$ const., $n - a\sqrt{n} = m + a\sqrt{m}$, then

$n - m = a(\sqrt{n} + \sqrt{m})$,

$\therefore (\sqrt{n} - \sqrt{m})(\sqrt{n} + \sqrt{m}) = a(\sqrt{n} + \sqrt{m})$,

$\therefore \sqrt{n} - \sqrt{m} = a$.

by itself to get 20 plus 4 things. Add them to get 40. Multiply [the root of] 20 minus 4 things by [the root of 20 plus 4 things] to get the root of 400 minus 16 squares. Double it to get the root of 1,600 minus 64 squares. This root when added to 40 gives the amount of the root of 20 plus 4 things, plus the root of 20 minus 4 things when multiplied by itself; it is 40 plus the root of 1,600 minus 64 squares equal to 4 squares. Subtract 40 from 4 squares to get 4 squares minus 40 equal to the root of 1,600 minus 64 squares. Multiply 4 squares minus 40 by itself to get 16 square squares plus 1,600 minus 320 squares equal to 1,600 minus 64 squares. Carry it out to get 16 squares [squared] equal to 256 squares. A square square is equal to 16 squares; a square equals 16; the thing equals 4. Add it to the 5 and subtract it from 5 since one part was made 5 plus a thing, and the other, 5 minus a thing. One part is then 9, and the other is 1.

If desired, use this procedure; make one part 5 plus a thing, and the other 5 minus a thing. Add 2 of its roots to the small one to give 5 minus a thing plus 2 of the roots of 5 minus a thing. Subtract 2 of its roots from the other part to get 5 plus a thing minus 2 roots of 5 plus a thing. Add the 5 plus a thing to 2 roots of 5 plus a thing; add 2 roots of 5 plus a thing to 5 minus a thing plus 2 roots of 5 minus a thing. It gives 5 minus a thing plus 2 roots of 5 plus a thing plus 2 roots of 5 minus a thing equal to 5 plus a thing. Complete the 5 by the thing and add it to 5 plus a thing. Subtract 5 from 5; there remains 2 things equal to 2 roots of 5 minus a thing, plus 2 roots of 5 plus a thing. The 1 root is equal to the root of 5 plus a thing plus the root of 5 minus a thing. Multiply a thing by a thing to get a square. Multiply the root of 5 plus a thing and the root of 5 minus a thing by itself to get 10 plus the root of 100 minus 4 squares equal to a square. Subtract 10 from the square to get a square minus 10 equal to the root of 100 minus 4 squares. Multiply the square minus 10 by itself to get a square square plus 100 minus 20 squares equal to 100 minus 4 squares. Carry it out to get the thing equal to 4. Add it to 5 and subtract it from 5 to get one part as 9, and the other as 1.

If desired, when the thing is equal to the root of 5 plus a thing added to the root of 5 minus a thing, then subtract the root of 5 plus a thing from a thing to get a thing minus the root of 5 plus a thing—[equal to the root of 5 minus a thing. Multiply it] by itself. When desired, multiply everything by itself to get a square. Multiply the root of 5 plus a thing by itself to get 5 plus a thing. Adding all, it gives a square plus 5 plus a thing minus the root of 20 squares plus 4 cubes equal to 5 less 1 thing. Complete the square plus 5 plus a thing by the root of 20 squares plus 4 cubes, and add it to the 5. Then, subtract 5 from 5 to give a square plus 2 things equal to the root of 20 squares plus 4 cubes. Multiply the

ארבעה דברי׳ [בשורש מעשרים דרהמי וארבעה דברים] ויהיה שורש מד׳ מאות פחות ששה עשר אלגוש ותכפלם ויהיה שורש מאלף ות״ר פחות ס״ד אלגוש, ושורש זה כשיתוסף על הארבעי׳ הוא שורש מעשרי׳ דרהמי וארבעה דברי׳ ושרש מעשרים פחות ארבעה דברי׳ על עצמו, ויהיה ארבעים דרהמי ושרש מאלף ות״ר פחות (כ״ד) [ס״ד] אלגוש ישוה ארבעה אלגוש. ותגרע ארבעי׳ דרהמי מארבעה אלגוש וישאר ארבעה אלגוש פחות ארבעי׳ דרהמי ישוה שורש מאלף ות״ר פחות ס״ד אלגוש. ותכה ארבעה אלגוש פחות (ארבעה) [ארבעים] דרהמי בעצמו ויהיה ששה עשר אלגוש מאלגו ואלף ות״ר דרהמי פחות ש״כ אלגוש ישוה אלף ות״ר פחות ס״ד אלגוש ותכוין עמהם ויהיה ששה עשר אלגוש [מאלגוש] ישוה רנ״ו אלגוש והאלגוש והאלגו מהאלגו ישוה ששה עשר אלגוש והאלגו ישוה ששה עשר דרהמי והדבר ישוה ארבעה דרהמי תוסיפם על החמשה ותגרעם מחמשה בעבור שהנחת החלק האחד חמשה ודבר והחלק האחר חמשה פחות דבר. ויהיה החלק האחד תשעה והאחר אחד.

ואם תרצה* תעשה לפי זה המעשה והוא שתשים החלק האחד חמשה ודבר והאחר חמשה פחות דבר ותוסיף על הקטן שני שרשיו ויהיה חמשה פחות דבר ושני שרשים [folio 147a] בחמשה [מחמשה] פחות דבר. תגרע מהחלק האחר שני שרשיו וישאר חמשה ודבר פחות שני שרשים מחמשה ודבר ותאסוף חמשה ודבר עם שני שרשי׳ מחמשה ודבר ותוסיף שני שרשי׳ מחמשה ודבר (ועל) [על] חמשה פחות דבר ושני שרשים מחמשה פחות דבר, ויהיה חמשה פחות דבר ושני שרשים מחמשה ודבר ושני שרשי׳ מחמשה פחות דבר ישוה חמשה ודבר ותאסוף החמשה עם הדבר ותוסיפהו על חמשה ודבר ותגרע חמשה מחמשה ישאר שני דברי׳ ישוה שני שרשי׳ מחמשה פחות דבר ושני שרשי׳ מחמשה ודבר והדבר האחד ישוה שורש מחמשה ודבר ושורש מחמשה פחות דבר. ותכה דבר בדבר ויהיה אלגוש ותכה שורש מחמשה ודבר ושורש מחמשה פחות דבר בעצמו ויהיה עשרה דרהמי ושורש ממאה דרהמי פחות ארבעה אלגוש ישוה אלגוש. ותגרע עשרה דרהמי מאלגו ישאר אלגו׳ פחות עשרה דרהמי ישוה שורש ממאה דרהמי פחות ארבעה אלגוש (ישוה אלגוש אלגוש. ותגרע עשרה מדרהמי אלגו פחות עשרה דרהמי ישוה שורש ממאה דרהמי פחות ארבעה אלגוש) ותכה אלגו פחות עשרה דרהמי בעצמו ויהיה אלגו אלגו ומאה דרהמי פחות עשרי׳ אלגוש ישוה מאה דרהמי פחות ארבעה אלגוש ותכוין עמהם ויהיה (הדברי׳) [הדבר] ישוה ארבעה דרהמי תוסיפם על חמשה ותגרעם מחמשה ויהיה החלק האחד תשעה והאחר אחד.

ואם תרצה כאשר הגעת אל הדבר ישוה שורש מחמשה ודבר ושורש מחמשה פחות דבר שתגרע שורש מחמשה ודבר מדבר ישאר דבר פחות שורש מחמשה ודבר [ישוה שורש מחמשה פחות דבר ותכה כל אחד] בעצמו. וכאשר תרצה זה תכה דבר בעצמו ויהיה אלגוש ותכה שורש מחמשה ודבר בעצמו ויהיה חמשה ודבר נוסף ותקבצם ויהיה אלגוש וחמשה דרהמי ודבר פחות שורש מעשרי׳ אלגוש וארבעה מעוקבי׳ ישוה חמשה דרהמי ודבר פחות. ותאסוף החמשה דרהמי פחות דבר עם הדבר ותוסיפיהו על האלגוש וחמשה ודבר. ותאסוף האלגוש והחמשה [folio 147b] והדבר עם שורש מעשרי׳ אלגוש וארבעה מעוקבים ותוסיפיהו על

* I.e., if you prefer this procedure.

square plus 2 things by itself to give a square square plus 4 squares plus 4 cubes equal to 20 squares plus 4 cubes. Subtract 4 cubes from 4 cubes and 4 squares from 20 squares to get a square square equal to 16 squares; the square is equal to 16. The thing is equal to 4. Add it to 5 and subtract it from 5 to give one part as [9]. The other is 1.

If desired, carry out this procedure for solution. In the case of two unequal numbers, if you subtract its root from the larger, and if you add its root to the smaller, then they are equal. The root of the large number is greater than the root of the small number by 1. If one says that 2 of its roots be subtracted from the large one, then add 2 of its roots to the small, and they will be equal. Then the root of the large number will be greater than the root of the small number by 2. If one says 3 roots, then for 3 roots, the root of the large number is [greater] than the root of the small number by 3, and so on. It is always equal to the number of the roots—so with 2 roots of the number—so with more or less when the roots are equal in the addition and subtraction according to what was stated.

The example for this is: Construct the two numbers as squares *ABGD* and *HDWZ* on a common line which is line *GDZP*.

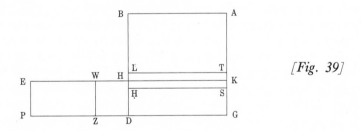

[Fig. 39]

Make the large number as square *AGBD* and the small number as square *HDWZ*. Make the large square such that when 2 of its roots are subtracted from it, then it equals it. One knows that the side of the square *ABGD* is greater in length than the side of the square *HDWZ*, as the measure of *BH*. Line *HB* is 2. It is impossible to make it more or less than 2. First make it more than 2 and make line *BL* of it 2. Draw line *LT* equal to line *GD*. Surface *AL* will be 2 roots of the surface *AD*. Add line *WE*, [equal to 2], to line *HW*. [Add line *ZP* to line *DZ*.] There is then surface *HP*; it is equal to surface *WP* and square *HZ*. Surface *LG* and *HP* are equal. Line *DL* is greater in length than line *HD*. Line *HD* equals line *DZ* and *BL* equals line *ZP*. Line *BD* is greater in length than line *DP*. *DL* is greater in length than line *DH*. Surface *LG* is greater than surface *HP*. But they should be equal and so it cannot be greater

החמשה ותגרע חמשה מחמשה ישאר אלגו ושני דברי׳ ישוה שורש מעשרים אלגוש וארבע מעוקבי׳ ותכה אלגוש ושני דברים בעצמו ויהיה אלגו אלגו וארבע אלגוש וארבעה מעוקבי׳ ישוה עשרים [אלגוש] (דרהמי) וארבעה מעוקבי׳ ותגרע ארבעה מעוקבי׳ מארבעה מעוקבי׳ וארבעה אלגוש (מארבע) [מעשרים] אלגוש ישאר אלגוש מאלגוש ישוה שש עשרה אלגוש והאלגוש ישוה ששה עשר דרהמי והדבר ישוה ארבעה דרהמי תוסיפם על חמשה ותגרעם מן החמשה ויהיה החלק האחד [תשעה] והאחר אחד.

ואם תרצה תעשה כמעשה הזה והוא שכל שני מספרי׳ בלתי שוים שתגרע מהגדול שרשו ותוסיף על הקטן שרשו ויהיה (שנים) [שוים] הנה שורש מהמספר הגדול יותר מהשורש מהמספר הקטן כאחד לעולם בעבור (שאח׳) [שאמר] שרש ושרש. ואם אמר תגרע מן הגדול שני שרשיו ותוסיף על הקטן שני שרשיו ויהיה שוים אז יהיה שורש המספר הגדול יותר משורש המספר הקטן בשנים ואם אמר שלשה שרשי׳ ושלשה שרשים יהיה שורש המספר הגדול [יותר] משורש המספר הקטן בשלשה וכן יהיה לעולם כפי כמות מספרי השרשי׳ שישוו עמהם וכן עם השני שרשי׳ מהמספר וכן כל אשר יוסיפו ויגרעו כאשר ישוו השרשי׳ בתוספת ובמגרעת כפי זה אשר אמרנו.

והמשל בזה שאשים השני אלגוש מרובעי׳ א׳ב׳ג׳ד׳ ה׳ד׳ו׳ז׳ על קו אחד והוא קו ג׳ד׳ ז׳פ׳ ואשים האלגוש הגדול מרובע א׳ג׳ב׳ד׳ והאלגו הקטן מרובע ה׳ד׳ו׳ז׳ ואשי׳ המרובע הגדול כאשר יגרע ממנו שני שרשיו שאז ישתוו והוא ידוע שצלע מרובע א׳ב׳ג׳ד׳ יותר ארוך מצלע מרובע ה׳ד׳ו׳ז׳ כשיעור קו ב״ה. ואומר שקו ה׳ב׳ שנים. (ואם) [ואשר] לא יוכל יהיה יותר או פחות משנים ותנחיהו ראשונה יותר [folio 148a] משנים ותניח קו ב״ל ממנו שנים ותוציא קו ל״ט שוה לקו ג״ד ויהיה שטח (ל׳) [א״ל] שני שרשים משטח א״ד ותוסיף על קו ה״ו קו ו״ע [דומה לשנים ותוסיף על קו ד״ז קו ז״פ] וישאר שטח (ו״פ) [ה״פ] ויהיה [כמו] שטח ו״פ [ו]מרובע ה״ז. ויהיה שטח ל״ג (ו״ה) [וה״פ] שוים וקו ד״ל יותר ארוך מקו ה״ד וקו ה״ד שוה לקו [ד״ז וב״ל שוה לקו] ז״פ ויהיה קו ב״ד יותר ארוך מקו ד״פ וד״ל יותר ארוך מקו ד״ה ויהיה שטח ל״ג [*Fig. 39*] גדול משטח ה״פ אבל כבר הנחנום שוים הנה לא יתכן (שיהיו) [שיהיה] יותר משנים. ואומ׳ שלא

than 2.[182] It cannot also be less than 2. In construction, if *BḤ* is made equal to 2 and surface *AḤ* is 2 of the roots of square *AD*, surface *SD* equals surface [*DE*], and line *DH* equals line *DZ*. Line *DZ* will be greater in length than line *ḤD*. Line *BḤ* equals line *ZP* since each of them is 2. Line [*DP*] is greater in length than line *DB* and line *BD* equals line *GD*. Line *DP* is greater in length than line *GD*. Line *GS* is less than line [*GK*]. Surface [*DE*] is greater than surface *DS*. They were equal and so line *BH* cannot be less than 2. Nor can it be greater than 2. Thus, line *BH* is only 2. Line *HB* is perpendicular to line *DG*. Surface *AH* is 2 of the roots of the square *AD*. Line *BH* equals line [*ZP*], and [*DB*] equals line *DG*. *BD* equals *DP*, and *GK* equals *DH*. Surface *DK* equals surface *DE*. Thus the explanation, that when one subtracts 2 of its roots from a large square, and one adds 2 of its roots to a small one, then the large root will be greater than the small one by 2.

By this rule, one knows that when 3 of its roots are subtracted from a large one, and 3 of its roots added to a small one, then there will be a difference between the large and small ones of 3. The number will be equal to the quantity [of roots] added and subtracted. The arrangement of this is that the confrontations [two sides of the equation] are different and thus subtracted.

This may be explained algebraically.[183] In the case of two squares where the root of one is greater than the root of the other by 1, when 1 of its roots is subtracted from one, and its root is added to the small one, then they are equal, as was said.[184] One may make one root as 1 thing, and the other as a thing plus 1. Multiply each of them by itself to give the small square and the large square plus 2 things plus 1. When the root of the small one, a thing, is added, subtract its root from the large one, a thing plus 1; there remains from the large one, a square plus a thing. The small one comes to a square plus a thing. Thus, they are equal.

Likewise, if the root of the small one is made as a thing, and the other as a thing plus 2. Multiply each of them by itself to get the small square and the large square plus 4 things plus 4. When 2 of its roots are added to the small one, it is 2 things. And 2 of its roots when subtracted from the other is 2 things plus 4. There then remains of the larger, a square plus 2 things; the small one comes to a square plus 2 things. They

[182] I.e. *BH*.

[183] This sentence is in Judaeo–Old Spanish. See M. Steinschneider, *Zeit. Dtsch. Morgenländ. Ges.* **25**, 407, note 1 (1871).

[184] (Cf. fol. 146a).

We have $n = m + 1$, then $n^2 - n = m^2 + m$, as $n^2 - n = (m + 1)^2 - (m + 1)$ $= m^2 + 2m + 1 - (m + 1) = m^2 + m$.

or $n = m + 2$, then $n^2 - 2n = m^2 + 2m$, as $(m + 2)^2 - 2(m + 2)$ $= m^2 + 4m + 4 - 2(m + 2) = m^2 + 2m$.

יתכן היותו פחות משנים ואם אפשר נחיהו ויהיה קו ב״ח שנים (ויהיה שטח אחד שני שבשנים ממרובע א״ד) ויהיה שטח א׳ח׳ שני שרשי׳ ממרובע א׳ד׳ ויהיה שטח ס׳ד׳ כמו שטח (ת״ו) [ד׳ע׳] וקו ד׳ה׳ כמו קו ד׳ז׳ ויהיה קו ד׳ז׳ יותר ארוך מקו ח׳ד׳ וקו ב׳ח׳ הוא כמו קו ז׳פ׳ בעבור כי כל אחד מהם הוא שנים וקו (ד׳ת׳) [ד׳פ׳] יותר ארוך מקו ד׳ב׳ וקו ב׳ד׳ כמו קו ג׳ד׳ ויהיה קו ד׳פ׳ יותר ארוך מקו ג׳ד׳ וקו ג׳ס׳ פחות מקו (ג׳ד׳) [ג׳כ׳] ויהיה שטח (ד׳ג׳) [ד׳ע׳] גדול משטח ד׳ס׳ וכבר היו שוים הנה אין קו ב׳ה׳ פחות משנים ולא יותר משנים ולכן אם כן יהיה אז קו (ב׳ת׳) ב׳ה׳ שנים. וכאשר נוציא קו ה׳ב׳ על יושר קו ד׳ג׳ יהיה שטח א׳ה׳ שני שרשי מרובע א׳ד׳ וקו ב׳ה׳ הוא [כמו] קו (ד׳ה׳) [ז׳פ׳] (וד׳) [וד׳ב׳] הוא כמו קו ד׳ג׳ ויהיה ב׳ד׳ כמו ד׳פ׳ וג׳כ׳ כמו ד׳ה׳ ויהיה שטח ד׳כ׳ כמו שטח ד׳ע׳ ובזה התבאר שכאשר תגרע מהאלגוש הגדול שני שרשיו ותוסיף על הקטן שני שרשיו שיהיה שרש הגדול יותר משורש הקטן משנים [בשנים].

ועם זה המעשה תדע שכאשר תגרע מהגדול שלשה שרשיו ותוסיף על הקטן שלשת שרשיו ויהיה [ויהיו] שוים שיהיה בין הגדול והקטן שלשה דרהמי ויהיה כפי מספר כמות (האנשים) [השרשים] כאשר ישתוו בתוספת ובגרעון. וסבת זה יפרד מהקוברואמיינטו שאנא אישון ליבאנטימדה והוא כן כי כל שני אלגוש שיהיה שורש (האחר הגדול) [האחד גדול] משורש (האחד) [האחר] [folio 148b] באדרהם אחד כאשר תגרע מהאחד שרשו ותוסיף על הקטן שרשו שישתוו כאמור וכן הוא שתניח האלגוש האחד דבר והאחר דבר ודרהם אחד ותכה כל אחד מהם בעצמו ויהיה הקטן אלגו׳ והגדול אלגו׳ ושני דברים ודרהם אחד. וכאשר תוסיף על הקטן שרשו והוא דבר ותגרע מהגדול שרשו והוא דבר ודרהם אחד ישאר מן הגדול אלגו׳ ודבר ויעלה הקטן אלגו ודבר והשתוו. וכן אם נניח שורש הקטן דבר והאחר דבר ושני דרהמי ונכה על [כל] אחד מהם בעצמו ויהיה הקטן אלגו והגדול אלגו וארבע דברי׳ וארבעה אדרהמי. וכאשר נוסיף על הקטן שני שרשי׳ והם שני דברי׳ ונגרע מהאחר שני שרשיו והוא שני דברי׳ וארבעה דרהמי ישאר מהגדול אלגו׳ ושני דברים ועלה הקטן אלגו ושני דברי׳ והשתוו. וכן כל מה שתניח מזה רב או מעט תשוב אל אשר אמרתי אחר שישתוו השרשים בתוספם ובגרעונם. וכאשר הנחנו

---

e.g. let $\sqrt{x} = n$, $\therefore\ x = n^2$ and $\sqrt{10 - x} = n + 2$, $\therefore\ 10 - x = n^2 + 4n + 4$,

$\therefore\ 2n^2 + 4n + 4 = 10$,

$\therefore\ n = 1 = \sqrt{x}$,

$\therefore\ \sqrt{10 - x} = n + 2 = 3$,

$\therefore\ 10 - x = 9$ and $x = 1$.

are equal. Whether the value is made larger or smaller, go back to what I stated that they are equal after their addition and their subtraction. When this is done, so make the root of the small part of 10, which is divided into two parts, as a thing. The small part is then a square. Make the root of the large part, or what remains of 10, as a thing plus 2. Multiply it by itself to get a square plus 4 things plus 4. It is the large part. Add it to the small part which is a square to get 2 squares plus 4 roots plus 4 equal to 10. Solve it as I have explained to get a thing equal to 1, or the root of the small part. The root of the large part is greater by 2, or 3. The large part is 9, and the small, 1.[185]

[No. 63] One says that 10 is divided into two parts, and that 10 is divided by each of them. Their sum is $6\frac{1}{4}$.[186] Subtract 2 from $6\frac{1}{4}$ to give $4\frac{1}{4}$. It is equal to the two parts of 10, the sum of the fraction of each divided by the other—to equal $4\frac{1}{4}$. Carry on as I have demonstrated. The arrangement of this in the subtraction of the 2 is that they are subtracted because of the separateness of their signs.[187] It is so since one already knows that when one divides one part by the other part, one gets a thing. When one divides 10 by each part, it comes to a thing plus 1 since 10 is equal to the sum of the dividend and divisor. So it is with the other part. Thus, when 10 is divided by one of the parts, the quotient is greater than the quotient of the division of 10 by its other part by 1. From this, one explains that when 10 is divided by each of its two parts, then the result is greater by 2 than that result of the division of each part by the other. This is explained by geometry where for every number which is divided into two parts, and one of the two parts is divided into the number, then the quotient is 1 larger than the result of the division of one part by the first.

In explanation, divide number AG into two parts by point B; its divisions are AB and BG. Divide AG by BG to get DH.

[Fig. 40]

[185] Fols. 149a,b are blank although the text has no lacunae.

[186] $10/x + 10/(10 - x) = 6\frac{1}{4}$,

$\therefore (10 - x)/x + 1 + x/(10 - x) + 1 = 6\frac{1}{4}$,

$\therefore (10 - x)/x + x/(10 - x) = 4\frac{1}{4}$.

[187] This sentence is in Judaeo–Old Spanish.

זה כן ניח שרש החלק הקטן משני (חלקי') [חלקי] העשרה דבר ויהיה החלק
הקטן אלגו' ונניח שרש החלק הגדול והוא מה שנשאר מעשרה דבר ושני דרהמי
ותכהו על עצמו ויהיה אלגו' וארבע דברי' וארבעה דרהמי והוא החלק הגדו'
תחברהו אל החלק הקטן שהוא אלגוש יהיו שני אלגוש וארבעה שרשי' וארבע
דרהמי ישוו עשרה דרהמי ותכוונהו כפי אשר ביארתי ויהיה הדבר אחד והוא
שורש החלק הקטן ויהיה שרש החלק הגדול יותר ממנו שני דרהמי והוא שלשה
דרהמי ויהיה החלק הגדול תשעה והקטן אחד.

[No. 63] ואם יאמרו לך חלקת י' לשני חלקים וחלקת הי' על כל חלק מהם
ועלה ו' ורביע ותגרע מהו' ורביע שנים לעולם ישאר ד' ורביע. והוא כמו שאמר
חלקת י' לשני חלקי' וחלקת כל חלק על האחר ועלה ד' ורביע ותעשה כמו
שאמרתי לך.

[folio 150a]* (ואם יאמרו לך חלקת עשרה לשני חלקי' וחלקת העשרה על
כל חלק מהם ועלה ששה ורביע הנה תגרע מהששה ורביע שנים לעולם וישאר
ארבעה ורביע ויהיו כאילו אמר עשרה חלקת אותו לשני חלקי' וחלקת כל חלק
(האחר) [האחד] על האחר ועלה ארבע ורביע ותעשה כמו שאמרתי). וסבת זה
בגרעון השנים שאנא אישון ליבאנטארה די פרטי די לאש שי נייאש הוא בעבור
כי כבר ידעת כי כאשר תחלק החלק האחד על האחר יעלה מהחלוקה דבר
וכאשר תחלק העשרה על אותו (הדבר) [החלק] יעלה לחלק דבר ואדרהם
בעבור כי העשרה הם כמו אותו החלק הנחלק והמחלק. וכן יעלה מהחלק האחר.
והנה כאשר תחלק העשרה על אחד החלקי' יהיה מה שיעלה לחלק יעדיף על
מה שיעלה לחלק מחלוקת החלק האחר על זה החלק שחלקת העשרה באחד.
ומזה יתבאר כי כאשר נחלק העשרה על כל אחד משני החלקי' יהיה מה שיעלה
יעדיף בשנים על מה שיעלה מחלוקת כל אחד משני החלקי' האחד על האחר.
ונבאר זה מחלק הגימטרי״א וזה שאומר כל מספר שיהא נחלק לשני חלקי' וחלקנו
המספר ההוא על אחד מן החלקי' הנה מה שיעלה לחלק יעדיף באחד על מה
שיעלה לחלק [האחר] מחלוקת החלק הזה שעליו חלקנו המספר. דמיון זה
שחלקנו מספר א״ג לשני חלקי' על נקודת ב' וחלקיו א'ב' ב'ג' וחלקנו א'ג' על
ב'ג' [ועלה ד'ה' וא'ב' על ב'ג'] (ועל) [ועלה] ז'ה' וד'ה' הוא גדול מה'ז' בשיעור
ד'ז' ואומר שד'ז' הוא אחד. מופת זה שא'ג' נחלק על ב'ג' ועלה ד'ה' ומהכאת
ד'ה' על ב'ג' הוא א'ג' כמבואר [*Fig. 40*] למעלה. וא'ב' כבר נחלק על ב'ג'

* Folios 149a and 149b are blank.

AB by *BG* is *ZH*. *DH* is greater than *HZ*, in measure, *DZ*. *DZ* is 1. The proof of this is that *AG* divided by *BG* is *DH*. The product of *DH* by *BG* is *AG*, as explained above. *AB* divided by *BG* is *ZH*. The product of *ZH* by *BG* is *AB*, and the double is *AG*, the product of *DH* and *BG*. *DZ* times *BG* is *BG*. Then *DZ* is equal to 1. This is what it was desired to know. One knows that the product of *DH* by *BG* is *AG*. Therefore, *AG* divided by *BG* is related to units of *DH*. Because of this *DZ* is 1. It is what was desired in the explanation. In this procedure, you know that when you divide *AG* by *BG*, the quotient is greater by 1 than the quotient of the division of [*AB* by *BG*]. Thus one explains that for every number divided into two parts, each of which is divided by the other, the sum of the quotients of the number divided by each of the parts is greater by 2, always, than the sum of the quotients of the two parts, one by the other.

[No. 64] One says that 10 is divided into two parts, and 10 is divided by each of the parts, then the quotients are multiplied one by the other to get $6\frac{1}{4}$.[188] The product of the quotients, of 10 divided by its two parts, when multiplied one by the other, is equal to the sum of the two of these quotients. The cause of this is that they are raised from the separateness of their signs.[189] This is that, as I have already explained, that when 10 is divided by one of the two parts, the quotient is one greater than the quotient formed from the two parts of 10, each divided by the other. It was stated that the two quotients of the two parts [of 10], one divided by the other equals $4\frac{1}{4}$. When one quotient is made a thing, and the other quotient, [$4\frac{1}{4}$ minus a thing], then the quotients made up from the two parts of 10 equal a thing plus 1, the other $5\frac{1}{4}$ minus a thing. The product, then, of 1 plus a thing by $5\frac{1}{4}$ minus a thing is equal to the product of a thing by $4\frac{1}{4}$ minus a thing, plus 1 and a thing plus $4\frac{1}{4}$ minus a thing. It is known that if one multiplies a thing by $4\frac{1}{4}$ minus a thing, and a thing plus 1 by 1, and $4\frac{1}{4}$ minus a thing by 1, their sum is $6\frac{1}{4}$.

I shall explain this by geometry. One may say that for every number which is divided into two parts, each of which is divided into 10, the product of their quotients is equal to their sum. The example of this is

$$^{188}\ \frac{10}{x} \cdot \frac{10}{(10-x)} = 6\frac{1}{4} = \frac{10}{x} + \frac{10}{(10-x)},$$

$$\therefore \left(\frac{(10-x)}{x}+1\right)\left(\frac{x}{(10-x)}+1\right) = 6\frac{1}{4},$$

$$\therefore \frac{(10-x)}{x} + \frac{x}{(10-x)} = 4\frac{1}{4},$$

let $(10-x)/x = y$, $\quad \therefore x/(10-x) = 4\frac{1}{4} - y$,

$\therefore (1+y)(5\frac{1}{4}-y) = y(4\frac{1}{4}-y) + (1+y) + (4\frac{1}{4}-y) = 6\frac{1}{4}$.

[189] This sentence is in Judaeo–Old Spanish.

ועלה ז׳ה׳ ויהיה הכאת ז׳ה׳ על ב׳ג׳ הוא א׳ב׳ וכבר היה כפל ד׳ה׳ בב׳ג׳ א׳ג׳ וישאר כפל ד׳ז׳ בב׳ג׳ הוא ב׳ג׳ הנה [folio 150b] יהיה (ב׳ז׳) [ד׳ז׳] שוה לאחד והוא משל.

ואם תרצה כבר ידעת כי כפל ד׳ה׳ בב׳ג׳ הוא א׳ג׳ ויהיה מפני זה א׳ג בב׳ג׳ כמנין אחדי ד׳ה׳ (וכל ז׳ה׳ בב׳ג׳ הוא א׳ב׳) [וכפל ד׳ז׳ בב׳ג׳ הוא ב׳ג׳] ויהיה מפני זה ד׳ז׳ הוא אחד והוא מה שרצינו ביאורו. ועם המעשה הזה תדע כי כאשר תחלק א׳ג׳ על ב׳ג׳ יהיה העולה לחלק יעדיף באחד על מה שיעלה לחלק מחלוקת (ב׳ג׳ על א׳ב׳) [א׳ב׳ על ב׳ג׳]. ועם זה יתבאר שכל מספר שנחלק לשני חלקי׳ וחלקו המספר ההוא על [כל] אחד משני החלקי׳ יהיה העולה יעדיף בשנים לעולם על מה שיעלה מחלוקת כל אחד משני החלקי׳ האחד על האחר.

[No. 64] ואם יאמרו לך חלקנו עשרה לשני חלקי׳ וחלקנו העשרה לכל חלק מהם והכינו מה שעלה לכל חלק (האחר) [האחד] על האחר והיה ששה ורביע ואומר שכהית [שהכית] העולה לחלק מחלוקת העשרה לשני החלקים (האחר) [האחד] על האחר הוא שוה לנקבץ שני אילו החלקים. וסבת זה שאנא אישון ליבאנטארא מפארטי דילאש שיטיאש. וזה כי כבר ביארתי לך כי כאשר תחלק העשרה על כל אחד משני החלקי׳ יהיה מה שיעלה לחלק (יעדיף על כל אחד מהם)* על מה שיעלה לחלק מחלוקת שני חלקי העשרה כל אחד מהם על (האחר) [האחד] אדרהם אחד. והוא מבואר ממה שאמרנו כי מה שיעלה לחלקי׳ מחלוקת שני [חלקי] העשרה (האחר) [האחד] על האחר הוא ארבעה ורביע וכאשר נניח חלק אחד (מן העשרה) דבר והחלק האחר ארבעה ורביע פחות דבר יהיה מה שיעלה לחלק מחלוקת העשרה על כל אחד משני החלקי׳ [מן העשרה] האחד דבר ואדרהם והאחר חמשה ורביע פחות דבר. ואומר שהכאת אדרהם ודבר על חמשה ורביע פחות דבר הוא כמו הכאת דבר בארבעה ורביע פחות דבר ואדרהם בדבר ואדרהם באדרהם [וארבעה ורביע פזות דבר באדרהם]. וכבר ביארנו† שאם הכינו דבר בארבעה ורביע פחות דבר ואדרהם בדבר ואדרהם באדרהם [וארבעה ורביע פחות דבר באדרהם] וקבצנום יהיה ששה ורביע.

ואבאר זה עם חלק הגימטריי״א והוא שאמר כי [folio 151a] כל מספר שיהיה נחלק לשני חלקים וחולק כל (מספר) [המספר] עם כל אחד משני החלקי׳ הנה הכאת מה שיעלה לחלק מחלוקת שני החלקי׳ האחד על (האחד) [האחר] יהיה

* Transfer the words and read על כל אחד מהם יעדיף

† He seems to refer to one of the passages missing in the text.

the number a which was divided into two parts, b and g.[190] Divide a by b to get h. Divide further a by g to get d.

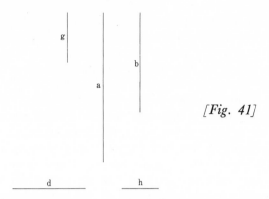

[Fig. 41]

Then one says that the product of h by d equals the sum of h and d. The proof of this is that a divided by b equals h. Because of this, the product of h times b is a; d times g is a, h times b equals d times g, or a. The product of 1 times a is a. The product of 1 times a is equal to the product of d by g. Then 1 is related to d as g is related to a; a is equal to b plus g; 1 is to d as g is to b plus g. It is as h to h plus d, for, as already explained, g is to b as h is to d. When g is related to b plus g as h is related to h plus d, then 1 is related to d as h is to h plus d. The product of 1 by h plus d is equal to the product of h by d; it is h plus d and is what we wished to show.

One says further that for every number divided into two parts, and each of them is divided by a number, and then one multiplies the quotients of the two numbers, one by the other, then the product is equal to the quotient of the product of the two dividends, one by the other, by the product of the two divisors.[191] An example of this is when a and

---

[190] If $a/b = h$, $a/g = d$, then $h \cdot d = h + d$, as,
$h \cdot b = d \cdot g = a = 1 \cdot a$,
$\therefore 1/d = g/a = g/(b + g) = h/(h + d)$,
$\therefore h \cdot d = h + d$.
[191] If $a/g = h$, $b/d = z$, $h \cdot z = m$, $g \cdot d = l$, $a \cdot b = h$, then $h/l = m$, as $g \cdot h = a$,
$h \cdot z = m$,
$\therefore g \cdot h \cdot h \cdot z = a \cdot m$,
$\therefore g/a = z/m$,
$\therefore z/g = m/a$,
$\therefore z \cdot a = m \cdot g$,
$\therefore z \cdot a \cdot d = m \cdot g \cdot d = g \cdot d \cdot m = m \cdot l = a \cdot b = h$.

כמו מה שיעלה נקבץ שני החלקים יחד. ודימיון זה כי מספר א׳ חלקנוהו לשני חלקי׳ והם מספר ב׳ ומספר ג׳ וחלקנו א׳ על ב׳ ועלה ה׳ (נחלקנו) [וחלקנו] עוד א׳ על ג׳ ועלה ד׳ ואומר כי הכאת ה׳ בד׳ הוא כמו ה׳ וד׳ מקובצים. מופת זה כי א׳ [*Fig. 41*] נחלק על ב׳ (ועל) [ועלה] ה׳ ומפני זה יהיה הכאת ה׳ בב׳ א׳ ובעבור כי זה יהיה הכאת ד׳ בג׳ א׳ ויהיה אם כן הכאת ה׳ בב׳ ישוה להכאת ד׳ בג׳ הוא א׳. [ויהיה אם כן יחס ג׳ אל ב׳ כיחס ה׳ אל ד׳]. והכאת האחד בא׳ הוא א׳ והכאת האחד (באחד) [בא׳] ישוה להכאת ד׳ בג׳ ויצדק שיהיה יחס האחד אל ד׳ כיחס ג׳ אל א׳ וא׳ שוה לב׳ וג׳ ויחס (האחר) [האחד] אל ד׳ כיחס ג׳ אל ב׳ וג׳ (הוא) [והוא] כיחס ה׳ אל ה׳ וד׳ כי כבר ביארנו כי יחס ג׳ אל ב׳ כיחס ה׳ אל ד׳. וכאשר יחס ג׳ אל ב׳ וג׳ כיחס ה׳ אל ה׳ וד׳ והיה החס האחד אל ד׳ כיחס ה׳ אל ה׳ וד׳ יהיה הכאת האחד בה׳ וד׳ ישוה להכאת ה׳ בד׳ והוא ה׳ והוא מה שרצינו ביאורו.

ואומר עוד כי כל מספר שיחלק לשני חלקי׳ ונחלק כל אחד מהם על מספר (הוכה) [והוכה] מה שעלה לחלק מחלוקת שני המספרי׳ על שני המספרים (האחר) [האחד] על האחר יהיה מה שיעלה מן ההכאה ישוה אל מה שיעלה מחלוקת הכאת שני המספרי׳ הנחלקים האחד באחד על הכאת שני המספרי׳ (הנחלקים) [המחלקים] באחד באחר. דמיון זה (מה) שנחלק מספר א׳ ומספר ב׳ על מספר ג׳ וד׳ וחלקנו א׳ על ג׳ ועלה ה׳ וחלקנו ב׳ על ד׳ ועלה ז׳ והכינו א׳ על ב׳ ועלה ח׳ והכינו ה׳ על ז׳ ועלה מ׳ והכינו ג׳ בד׳ ועלה ל׳ ואומר כי כאשר נחלק ח׳

b are divided by *g* and *d*. Divide *a* by *g* to get *h*; *b* divided by *d* gives *z*. Multiply *a* by *b* to get *ḥ*; *h* times *z* is *m*; *g* times *d* is *l*.

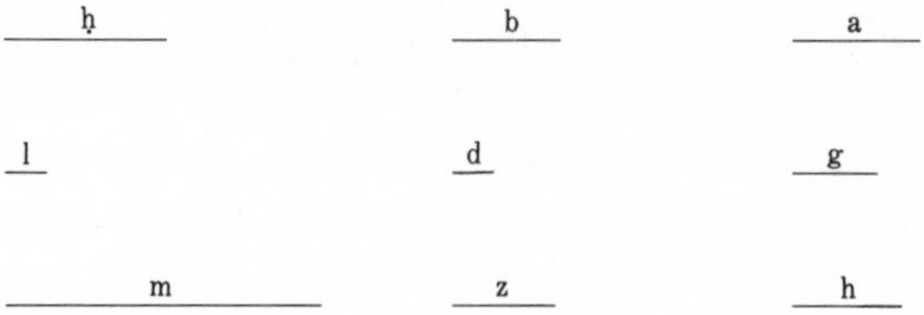

$$\underline{\text{ḥ}} \qquad\qquad \underline{\text{b}} \qquad\qquad \underline{\text{a}}$$

$$\underline{\text{l}} \qquad\qquad \underline{\text{d}} \qquad\qquad \underline{\text{g}}$$

[*Fig. 42*]

$$\underline{\text{m}} \qquad\qquad \underline{\text{z}} \qquad\qquad \underline{\text{h}}$$

One says that when *ḥ* is divided by *l*, it comes to *m*. The proof of this is that *a* divided by *g* is *h*, *g* times *h* is *a*, *h* times *z* is [*m*]. Multiply *g* [times *h*] and *z* [times *h*] to get the product of *a* and *m*. Because of this, *g* is to *a* as *z* is to *m*; *z* is to *g* as *m* is to *a*; *z* times [*a*] is *m* times *g*. Make *d* the mean in the multiplication. Multiply *z* by *a*, then the product by *d*; it equals the product of *m* by *g*, and the product by *d*. But the product of *m* by *g*, and the result by *d* equals the product of *g* by *d*, and the result by *m*. The product of *g* by *d* is *l*; it equals the product of *m* by *l*, equal to the product of *g* by *d*, and by *m*. The product of *g* by *d*, and by *m* equals the product of *m* by *g* by *d*; *m* times *g* times *d* equals *z* times *a* times *d*; it equals the product of *m* by *l*, equal to *z* times *a* times *d*; *z* times *a* times *d* equals *a* times *b*; it is equal to *m* times *l*, equal to *a* times *b*. But *a* times *b* is *ḥ*; the product of *m* by *l* is *ḥ*. The explanation is that when *ḥ* is divided by *l*, it gives *m* since when one multiples each of two numbers by the other, the result of the multiplication when divided by one number comes out to the other number. This is what it was desired to show.

In accordance with the explanation, when 10 is divided into two parts, and 10 is divided by each of the two parts, the sum comes to $6\frac{1}{4}$. When one of the quotients is multiplied by the other, and then by $6\frac{1}{4}$, it equals the product of 10 by itself [divided by the product of the parts multiplied one by the other, and then the products squared].[192]

When 10 is divided into two parts, and 20 is divided by each of

---

[192] $10/x + 10/(10 - x) = 6\frac{1}{4}$,

$$\therefore \frac{10}{x} \cdot \frac{10}{(10 - x)} \cdot 6\frac{1}{4} = \frac{100^2}{x^2(10 - x)^2}.$$

Now $\dfrac{10}{x} + \dfrac{x}{(10 - x)} = \dfrac{10}{x} \cdot \dfrac{10}{(10 - x)} = 6\frac{1}{4}$, so also

$$\frac{20}{x} + \frac{20}{(10 - x)} = 12\frac{1}{2};$$

על ל' יעלה מ'. מופת זה כי א' נחלק על ג' [folio 151b] ועלה ה' הנה הכאת ג' בה' הוא א' והכאת ה' בז' הוא (א') [מ'] הנה הכינו [*Fig. 42*] בשני מספרי' והם ג' וז' ועלה (מהכאת) [מהכאה] א' ומ' ומפני זה יהיה יחס ג' אל (ה') [א'] כיחס ז' אל מ'. אמור יחס ז' על ג' כיחס (א') [מ'] אל א' וכפל ז' בא' ככפל (א') [מ'] בג'. ונשים ד' משותף בהכאה ונכה ז' (ז') בא' ומה שיעלה נכה בד' ויהיה כמו הכאת (א') [מ'] בג' והעולה בד' אבל הכאת (א') [מ'] בג' והעולה בד' יהיה כמו הכאת ג' בד' והעולה במ' והכאת ג' בד' הוא ל' ויהיה הכאת מ' בל' כמו הכאת ג' בד' ובמ'. והכאת ג' בד' ובמ' כמו הכאת (א') [מ'] בג' ובד' והכאת (א') [מ'] בג' ובד' כמו הכאת ז' בא' ובד' ויהיה הכאת מ' בל' (כמו) כהכאת ז' בא' ובד'. והכאת ז' בא' ובד' כמו הכאת א' (בל') [בב'] ויהיה הכאת מ' בל' כמו הכאת א' בב'. אבל הכאת א' בב' הוא ח' הנה הכאת (א') [מ'] בל' הוא ח'. וכבר התבאר כי כאשר נחלק ח' על ל' יעלה מ' בעבו' כי כל שני מספרי' שנכה האחד באחד הנה העולה מן ההכאה כאשר חלקנוהו על המספר (האחר) [האחד] יעלה המספר האחר ומשל.

וכבר התבאר ממה שאמרנו שכאשר נחלק עשרה לשני חלקי' וחלקנו העשרה [על] כל אחד משני החלקים ועלה ששה ורביע וכאשר נכה שיעור (אחר) [אחד] החלקי' (באחד) [באחר] ונכה העולה בששה ורביע יהיה כמו הכאת העשרה בעצמו [מחולק על העולה מן הכאת אחד החלקים באחר מוכה בעצמו]. ויתחייב שיהיה ממה שאמרנו שכאשר תחלק העשרה לשני חלקי' וחלקת עשרי' אדרהמי על כל חלק משני החלקי' ועלה י״ב וחצי יהיה כאשר תחלק העשרה על כל חלק משני החלקים (ועלה י״ב וחצי יהיה כאשר תחלק העשרה על כל חלק משני החלקים) העולה החצי משנים עשר וחצי והוא ששה ורביע בעבור כי העשרה

$$\frac{5}{x} + \frac{5}{(10 - x)} = 3\tfrac{1}{8};$$

$$\frac{20}{x} \cdot \frac{20}{(10 - x)} = 25;$$

$$\frac{30}{x} \cdot \frac{30}{(10 - x)} = 56\tfrac{1}{4};$$

$$\frac{5}{x} \cdot \frac{5}{(10 - x)} = 1\tfrac{9}{16}.$$

these two, it equals, when added, $12\frac{1}{2}$. When you divide 10 by each of the two parts, the sum is $\frac{1}{2}$ the $12\frac{1}{2}$, or $6\frac{1}{4}$, since 10 is $\frac{1}{2}$ of 20.

When 10 is divided into two parts, and 5 is divided by each of the two parts, it comes to $3\frac{1}{8}$; it is as when 10 is divided by each of the two parts to get the result double of $3\frac{1}{8}$—or $6\frac{1}{4}$—since 10 is the double of 5.

When 10 is divided into two parts, and 20 is divided by each of the two parts, the product of the one quotient by the other is 25. When 10 is divided by each of its parts, then it comes to $\frac{1}{4}$ of 25, or $6\frac{1}{4}$, since 10 is $\frac{1}{2}$ of 20 and $\frac{1}{2}$ when one multiplies it by itself is $\frac{1}{4}$.

When one divides 10 into two parts, then 30 is divided by each of the two parts, and then the quotients are multiplied, it equals $56\frac{1}{4}$. Thus, when 10 is divided by each of the two parts, you multiply the one quotient by the other [and by] $\frac{1}{9}$ of $56\frac{1}{4}$; it is $6\frac{1}{4}$ since 10 is $\frac{1}{3}$ of 30, and $\frac{1}{3}$ multiplied by itself is $\frac{1}{9}$.

When 10 is divided into two parts, then 5 is divided by each of the parts, and then the quotients multiplied one by the other, then it comes to $1\frac{1}{2}$ plus $\frac{1}{2}$ of $\frac{1}{8}$. When 10 is divided by each of the two parts, and then you multiply the quotients one by the other, it comes to 4 times one plus $\frac{1}{2}$ plus $\frac{1}{2}$ of $\frac{1}{8}$, or $6\frac{1}{4}$. This is since 10 is the double of 5, and the double of a thing when multiplied by itself is 4 times the $\frac{1}{2}$ multiplied by itself. It has been explained that when a number is divided into two parts, and then the number is divided by each of the two parts, and then the quotients are multiplied, then the product is equal to the sum of the quotients.

When one carries this out according to what was said, it is known that when 10 is divided into two parts, then 10 is divided by each of the two, and then the quotients are multiplied, one by the other, it equals $6\frac{1}{4}$, or equal to the sum of the quotients when each part is divided by the other.

[No. 65] It is known from what was said that when 10 is divided into two parts, and 40 is divided by each of the two parts, and then the quotients are multiplied, one by the other, it will equal [100]. Make one part, 5 plus a thing, and the other part as 5 minus a thing;[193] it gives 25 minus a square. Multiply this by 100 to give 2,500 minus 100 squares equal to 40 [multiplied by itself]. Multiply it by itself to give 1,600. Carry on as was stated to give a square equal to 9 and the thing which is its root, is 3. Add it to 5, and subtract it from 5 to give one part as 8 and the other as 2. This is since, as already explained, for every two numbers in the form of quotients, their product equals the product of the numerators divided by the product of the denominators. It was said that one part of the two parts of 10 is 8, and the other is 2. When 40 divided by 8, and 40

הם חצי עשרים. וגם כן יחוייב שיהיה שכאשר תחלק [folio 152a] עשרה לשני חלקים וחלקת (כל) חמשה על כל חלק משני החלקי' ועלה שלש' ושמינית יהיה כאשר תחלק העשרה על כל אחד משני החלקי' יהיה העולה הכפול משלשה ושמינית והוא ששה ורביע בעבור כי העשר' כפל החמשה. ויתחייב שיהיה כאשר נחלק עשרה לשני חלקים וחלקת עשרי' על כל אחד משני החלקי' והכית העולה לחלק האחד באחר והיה העולה עשרים וחמשה יהיה כאשר תחלק העשרה על כל אחד מהחלקי' יעלה הרביע מעשרים וחמשה והוא ששה ורביע בעבור כי (עשרים הוא חצי עשרה) [עשרה הוא חצי עשרים] והחצי כאשר יוכה בעצמו יהיה כמו הרביע מהדבר שלקחו חציו כאשר הוכה בעצמו. ויתחייב שיהיה כאשר תחלק עשרה לשני חלקי' ותחלק (שלישי') [שלושים] על כל חלק מהשני חלקי' ותכה מה שיעלה לחלק האחד באחד ויצא חמישי' וששה ורביע, יהיה כאשר תחלק העשרה על כל חלק מהשני חלקי' ותכה מה שיעלה לחלק (האחר) [האחד] באחר יעלה התשיעית מחמישי' וששה ורביע והוא ששה ורביע בעבור כי עשרה שלישי' (שלישי') [שלושים] ושלישי' הדבר כאשר יוכה בעצמו יהיה כמו תשיעית הדבר ההוא כאשר הוכה בעצמו. ויחוייב שיהיה כאשר תחלק עשרה לשני חלקי' וחלקת (כל) חמשה על כל חלק משני החלקי' ותכה העולה לחלק האחד (באחד) [באחר] ויצא אדרהם וחצי וחצי (ושמינית) [שמינית] שיהיה כאשר תחלק העשרה על כל אחד משני החלקי' ותכה העולה לחלק האחד באחר יעלה ארבעה דימיוני אדרהם וחצי וחצי שמיניות והוא ששה ורביע בעבור כי עשרה כפל חמשה וכפל הדבר כאשר יוכה בעצמו יהיה ארבעה דימיוני החצי מוכה בעצמו. וכבר ביארנו כי כאשר נחלק מספר לשני חלקי' ונחלק המספר על כל אחד משני החלקי' והכינו העולה לחלק האחד באחר שהעולה ישוה לנקבץ מן החלקים.

[folio 152b] וכאשר נניח זה כפי אשר אמרנו יהיה ידוע כי כאשר נחלק עשרה לשני חלקי' וחלקת העשרה על כל חלק מהשנים והכית העולה לחלק (האחר) [האחד] באחר והיה ששה ורביע ומה שיעלה לחלק מחלוקת כל חלק מהשנים על האחר יהיה ששה ורביע.

[No. 65] והוא ידוע ממה שאמרנו כי כאשר אמרו חלקת עשרה לשני חלקי' וחלקת ארבעים על כל חלק מהשנים והכית מה שעלו אל החלקים (האחר) [האחד] על האחר והיה (דומה) [מאה] אדרהמיש. שניח החלק האחד חמשה ודבר (והחלק האחר חמשה ודבר) והחלק האחר חמשה פחות דבר ויהיה כ״ה אדרהמיש פחות אלגוש (ישוה ארבעי' אדרהמי) ותכה זה במאה אדרהמיש ויהיה אלפים ות״ק פחות מאה אלגוש ישוה ארבעי' אדרהמיש [מוכה בעצמו] ותכה אותו על עצמו ויהיה אלף ות״ר ותעשה כאשר אמרנו ויהיה האלגוש ישוה תשעה אדרהמיוהדבר יהיה שרש! והוא שלשה אדרהמי תוסיפם על חמשה ותגרעם מחמשה ויהיה החלק האחד שמנה והאחר שנים. ועשינו זה ככה בעבור כי כבר ביארנו שכל שני מספרי'

193 $\frac{40}{(5+x)} \cdot \frac{40}{(5-x)} = 100,$

$\therefore \frac{40^2}{(25-x^2)} = 100,$

$\therefore 2{,}500 - 100x^2 = 1{,}600,$

$\therefore x^2 = 9,$

$\therefore x = 3,$

$\therefore 5 + x = 8 \quad \text{and} \quad 5 - x = 2.$

divided by 2 are multiplied, 40 and 40 are the two numerators, and 8 and 2 are the two denominators.

[No. 66] If 10 is divided into two parts, and 50 is divided by one part, and 40 by the other, it equals 125. It is that the one part of 10 is made 5 plus a thing, and the other as 5 minus a thing.[194] Multiply one by the other to get 25 minus a square. Multiply it by 1[25] to give 3,125 minus 125 squares equal to 50 times 40, or 2,000. Carry this out as stated to give a square equal to 9, and the thing equal to a root of 9, or 3. Add it to 5 and subtract it from 5 to give one part as 8 and the other as 2. If desired, one knows that when 10 is divided by each of the two parts and then multiplied one by the other, the product is $\frac{1}{2}$ of $\frac{1}{10}$ of 125, or $6\frac{1}{4}$, since 10 is $\frac{1}{4}$ of 40 and $\frac{1}{5}$ of 50, and when $\frac{1}{4}$ is multiplied by $\frac{1}{5}$, the result is $\frac{1}{2}$ of $\frac{1}{10}$ the thing when multiplied by itself. One knows it from what was stated earlier in the explanation. Divide 10 into two parts; each is divided by the other. It comes to $4\frac{1}{4}$. Add 2 to the $4\frac{1}{4}$ to get $6\frac{1}{4}$. Make one part 5 plus a thing, and the other 5 minus a thing. Multiply one by the other to get 25 minus a square. Multiply this by $6\frac{1}{4}$ to equal $156\frac{1}{4}$ minus $6\frac{1}{4}$ squares equal to 100. Then the square is equal to 9 and the thing, its root, is 3. Add it to 5 and subtract it from 5 to give one part as 8, and the other as 2.

[No. 67] One says that 10 is divided into two parts; 10 is divided by each of them. Multiply one quotient by the other, then by itself; it is equal to $20\frac{1}{4}$.[195] Its root is the product of the quotients, or $4\frac{1}{2}$. This example has already been explained.

$$[194] \quad \frac{50}{(5 + x)} \cdot \frac{40}{(5 - x)} = 125,$$

$$\therefore \frac{50 \cdot 40}{(25 - x^2)} = 125,$$

$$\therefore 3{,}125 - 125x^2 = 2{,}000,$$
$$\therefore x^2 = 9,$$
$$\therefore x = 3,$$
$$\therefore 5 + x = 8 \quad \text{and} \quad 5 - x = 2.$$

$$or \quad \frac{10}{(5 + x)} \cdot \frac{10}{(5 - x)} = \frac{1}{5} \cdot \frac{1}{4} \cdot 125 =$$

$$\frac{1}{2} \cdot \frac{1}{10} \cdot 125 = 6\frac{1}{4}.$$

$$or \quad \frac{(5 - x)}{(5 + x)} + \frac{(5 + x)}{(5 - x)} = 4\frac{1}{4},$$

$$\therefore \frac{10}{(5 + x)} \cdot \frac{10}{(5 - x)} = 6\frac{1}{4},$$

$$\therefore \frac{10^2}{(25 - x^2)} = 6\frac{1}{4},$$

$$\therefore 156\frac{1}{4} - 6\frac{1}{4}x^2 = 100,$$
$$\therefore x^2 = 9,$$
$$\therefore x = 3,$$
$$\therefore 5 + x = 8 \quad \text{and} \quad 5 - x = 2.$$

$$[195] \quad \left(\frac{10}{(5 + x)} \cdot \frac{10}{(5 - x)} \right)^2 = 20\frac{1}{4},$$

$$\therefore \frac{10}{(5 + x)} \cdot \frac{10}{(5 - x)} = \sqrt{20\frac{1}{4}} = 4\frac{1}{2}.$$

שחולקו שניהם על מספרי׳ והוכו העולה לחלק מחלוקת שני המספרי׳ על שני המספרים האחרי׳ (האחר) [האחד] באחר שהעולה הוא שוה לעולה (לחלקי) [לחלקי׳] מחלוקת הכאת שני המספרי׳ הנחלקי׳ האחד (באחד) [באחר] על העולה מהכאת שני המספרי׳ המחלקי האחד (באחד) [באחר]. ואמרנו שחלק אחד מהשני חלקי׳ מהעשרה הוא שמנה והאחר שנים וכאשר נחלק ארבעים על שמנה וארבעי׳ על שנים ארבעי׳ וארבעי׳ שני המספרי׳ הנחלקי׳ ושמנה ושנים יהיו שני המחלקי׳.

[No. 66] וגם כן התבאר מאשר אמרנו שאם יאמר אומר חלקנו עשרה לשני חלקי׳ וחלקנו חמיש׳ על החלק האחד וארבעי׳ על האחר והכינו העולה לחלק האחד (באחד) [באחר] והיה קכ״ה שנשים החלק האחד מהעשרה חמשה ודבר והאחר חמשה פחות דבר ותכה האחד באחר ויהיה כ״ה אדרהמי פחות [folio 153a] אלגו ותכה אותו במאה (וחמשי׳)[*] [וכ״ה] ויהיה שלשת אלפי׳ וקכ״ה [פחות קכ״ה] אלגוש ישוה חמישים בארבעים והוא אלפים ותעשה כאשר אמרנו ויהיה האלגו׳ ישוה תשעה אדרהמי והדבר ישוה שורש תשעה והוא שלשה תוסיפם על החמשה ותגרעם מחמשה ויהיה החלק האחד שמנה והאחר שנים. ואם תרצה כבר ידעת כי כאשר חלקנו העשרה על כל אחד מהשני החלקים והכינו מה שעלה לחלקי׳ (האחר) [האחד] באחר והעולה הוא חצי עשירית מקכ״ה והוא ששה ורביע בעבור כי עשרה הוא רביעית ארבעים וחמשית חמשים וכאשר הכינו רביעית בחמישית יהיה העולה חצי עשירית הדבר ההוא כאשר הוכה בעצמו. והוא ידוע מאשר אמרנו קודם ביאורו ותוספתו מן האומר חלקנו עשרה לשני חלקים וחלקת כל חלק על האחד ועלה ארבעה ורביע ונוסיף לעולם על הארבעה ורביע שנים ויהיה ששה ורביע[†]. ונניח החלק האחד חמשה ודבר והאחר חמשה פחות דבר ותכה האחד באחר יהיה כ״ה דרהמי פחות אלגו תכה זה בששה ורביע יהיה קנ״ו ורביע פחות ששה אלגו ורביע ישוה מאה אדרהמי ותנכ״חם[‡] עמם יהיה אלגוש ישוה תשעה אדרהמי והדבר ישוה שורשו והוא שלשה תוסיפם על חמשה ותגרעם מחמשה יהיה החלק האחד שמנה והאחד שנים.

[No. 67] ואם יאמרו לך חלקנו עשרה לשני חלקים וחלקת עשרה לכל חלק מהם והכית החלק האחד ממה שעלה לחלק [באחר והכאת החלק האחד באחר][§] בעצמו והיה עשרי׳ אדרהמי ורביע ושרשו יהיה החלק האחד (ומה שעלה לחלק בעצמו והיה עשרי׳ אדרהמי ורביע ושרשו יהיה החלק האחד) ממה שעלה לחלק [באחר] והוא ארבעה וחצי וכבר ביארנו המעשה הזה.

[*] A marginal gloss reads טעות

[†] This is a continuation of problem 65 and not a new one as Weinberg assumes on p. 139.

[‡] A marginal gloss reads איקונפרונטלוש קונילייוש

[§] Or perhaps also add באחר ואת העולה הכינו

[No. 68] One says that [the product of the quotients is] multiplied by itself to give 30.[196] Then the root of 30 is the product of one quotient [by the other]. Should one like to know the value of each of the two parts, do as I have stated. It is that one part is 5 plus a thing, and the other 5 minus a thing. Multiply one by the other to get 25 minus a square. Multiply this by the root of 30. If desired, multiply the 25 minus a square by itself to get 625 plus a square square minus 50 squares. Multiply this by 30 [to give 30] square squares plus 18,750 minus 1,500 squares; the root of this equals 100, and 100 multiplied by itself is 10,000 equal to 30 square squares plus 18,750 minus 1,500 squares. Confront it and add to both of them 1,500 squares. Return everything to a square square to get a square square plus $291\frac{2}{3}$ equal to 50 squares. Take $\frac{1}{2}$ the squares; it is 25. Multiply it by itself to get 625. Subtract $291\frac{2}{3}$ from it; the remainder is $333\frac{1}{3}$. The root of this subtracted from 25, when the root of this difference is taken, is the result. Add it to 5 to get one part. When subtracted from 5, it is the other.

[No. 69] One says that 10 is divided into two parts; each of the latter is divided into 40. The quotients when added and then the sum multiplied by itself gives 625.[197] When 10 is divided into two parts, then the sum of the quotients, when multiplied [by itself], is $\frac{1}{2}$ of $\frac{1}{8}$ of 625. It is 39 and $\frac{1}{2}$ of $\frac{1}{8}$ since 10 is $\frac{1}{4}$ of 40 and when $\frac{1}{4}$ a thing is multiplied by itself, it is $\frac{1}{2}$ of $\frac{1}{8}$ a thing multiplied by itself. This procedure has already been explained.

If you wish to, solve many other problems according to these methods; the solutions have been elucidated in the solutions which we stated earlier and added in this book.

Hail God alone, the praised and adored one, who has the power to dispense strength.

[196] $\left(\dfrac{10}{(5+x)} \cdot \dfrac{10}{(5-x)}\right)^2 = 30,$

$\therefore \dfrac{10^2}{(25-x^2)} = \sqrt{30}$, or

$\dfrac{(10^2)^2}{625 + (x^2)^2 - 50x^2} = 30,$

$\therefore 30(x^2)^2 + 18,750 - 1,500x^2 = 10,000,$

$\therefore (x^2)^2 + 291\frac{2}{3} = 50x^2,$

$\therefore x^2 = 25 - \sqrt{625 - 291\frac{2}{3}} = 25 - \sqrt{333\frac{1}{3}},$

[No. 68] ואם יאמרו לך הכינו החלק האחד ממה שעלה לחלק [באחר והכאת החלק האחד באחר]* בעצמו ויהיה שלשים הנה שרש שלשים הוא מה שעלה לחלק [האחד באחר] [folio 153b] (לחלק בעצמו והיה שלשי׳ הנה שרש שלשי׳ הוא מה שעלה לחלק מהשני חלקי׳).† וכאשר תרצה לדעת שיעור כל חלק מהשני חלקי׳ תעשה כמו שאמרנו והוא שנאמר שתחלק האחד חמשה ודבר והאחר חמשה פחות דבר ותכה האחד באחר ויהיה כ״ה אדרהמי פחות אלגוש (ותכה האחד באחד ויהיה כ״ה אדרהמי פחות אלגוש) ותכה זה בשורש (שלישי׳) [שלושים]. וכאשר תרצה זה תכה עשרים וחמשה אדרהמי פחות אלגוש בעצמו ויהיה תרכ״ה דרהמי ואלגו אלגו פחות חמישי׳ אלגוש. ותכה זה בשלשי׳ [ויהיה שלשים] אלגוש מאלגו (וט״ו) [וי״ח] אלפי׳ ותש״נ אדרהמי פחות 1500 אלגוש ושורש זה ישוה מאה אדרהמיש. ותכה מאה דרהמי בעצמו ויהיה 10000 דרהמי ישוו שלשים אלגוש מאלגו׳ וי״ח אלפים ותש״נ אדרהמי פחות 1500 אלגוש ותאסוף אוקבראשיש איקונפרונטאראש ותוסיף על [שניהם 1500 אלגוש ותשיב] כל דבר שתחזיק [אל] אלגוש אלגו׳ ויהיה אלגו אלגו (ורע״א) [ורצ״א] אדרהמי ושני שלישית ישוה חמישי׳ אלגוש ותחצה האלגוש ויהיה כ״ה תכם בעצמם ויהיו תרכ״ה תגרע מהם (הרע״א) [הרצ״א] אדרהם ושני שלישי׳ והנשאר (שלישי׳) [שלושים] וש״ג ושליש ושרש זה כשיגרע מכ״ה ושרש הנשאר ותוסיף על חמשה והוא החלק האחד. וכשיגרע מחמשה הוא החלק האחר.

[No. 69] ואם יאמרו לך חלקנו עשרה לשני חלקי׳ וחלקת על כל אחד מהם ארבעי׳ ומה שעלו לחלק הכית (כל חלק) על עצמו והיו תרכ״ה. וכאשר תחלק העשרה על כל חלק משני חלקי העשרה והעולה לחלק [מקובץ] הכית (כל חלק) [על עצמו] זה צריך שיהיה חצי שמינית מתרכ״ה והוא [folio 154a] ל״ט וחצי שמינית בעבור כי עשרה עלה רביעית מ׳ וכאשר נכה רביע הדבר בעצמו יהיה חצי שמינית הדבר מוכה בעצמו וכבר ביארנו המעשה הזה.

וכאשר תרצה תוציא אילו השאלות [מ]שאלות אחרות רבות כפי אילו הדברים וכפי אחרים (כמו הם) [כמוהם] יתבאר המעשה בהם מהדרכים שאמרנו קודם ושהוספנו בזה הספר. והתהלה לא׳ לבדו ות׳ וית׳ היכול אשר מאתו ההישרה.

* Or perhaps also add באחר ואת העולה הכינו

† Cancel the last two words.

$$\therefore x = \sqrt{25 - \sqrt{333\tfrac{1}{3}}},$$

$$\therefore 5 + x = 5 + \sqrt{25 - \sqrt{333\tfrac{1}{3}}} \text{ and } 5 - x = 5 - \sqrt{25 - \sqrt{333\tfrac{1}{3}}}.$$

197 $$\left(\frac{40}{(5+x)} + \frac{40}{(5-x)}\right)^2 = 625$$

$$\therefore \left(\frac{10}{(5+x)} + \frac{10}{(5-x)}\right)^2 = \frac{1}{4} \cdot \frac{1}{4} \cdot 625 = \frac{1}{2} \cdot \frac{1}{8} \cdot 625 = 39\,\frac{1}{16}.$$

APPENDIX

Leonardo owes the following examples to abū Kāmil's work:

1. $x + y = 10;$ $\left(\frac{x}{y} + 10\right)\left(\frac{y}{x} + 10\right) = 122\frac{2}{3}.$ (*Scritti* di Leonardo Pisano matematico publ. da Bald. Boncompagni I, Liber abaci, Rome, 1857.)

2. $x + y = 10;$ $\frac{x}{y}(x - y) = 24.$ (*Scritti*, 418; abū Kāmil, 124b.)

3. $x + y = 10;$ $\left(\frac{x}{y} + \frac{y}{x}\right)x = 34.$ (*Scritti*, 419; abū Kāmil, 126a.)

4. $x + y = 10;$ $\left(\frac{x}{y} - \frac{y}{x}\right)x = 5.$ (*Scritti*, 419; abū Kāmil, 128b.)

5. $x + y = 10;$ $y^2 - x\sqrt{8} = 40.$ (*Scritti*, 429; abū Kāmil, 130b.)

6. $x + y = 10;$ $x\sqrt{10} = y^2.$ (*Scritti*, 430; abū Kāmil, 131a.)

7. $x - y = 5;$ $x\sqrt{10} = y^2.$ (*Scritti*, 430; abū Kāmil, 131b.)

8. $x + y = 10;$ $\frac{x}{y} + \frac{y}{x} = \sqrt{5}.$ (*Scritti*, 434; abū Kāmil, 132b, 134a.)

9. $x + y = 10$; (*Scritti*, 439; abū Kāmil, 135a.)

$$\left(\frac{x}{y}\right)^2 - \left(\frac{y}{x}\right)^2 = 2.$$

10. $xz = y^2$; (*Scritti*, 447; abū Kāmil, 143b.)

$y^2 + z^2 = x^2$;

$yz = 10.$

11. $x + y + z = 10$; (*Scritti*, 448; abū Kāmil, 144a.)

$y^2 + z^2 = x^2$;

$yz = 10.$

12. $x + y = 10$; (*Scritti*, 451; abū Kāmil, 146a.)

$x - 2\sqrt{x} = y + 2\sqrt{y}.$

13. $x + y = 10$; (*Scritti*, 454; abū Kāmil, 150a.)

$$\frac{10}{x} + \frac{10}{y} = 6\tfrac{1}{4}.$$

This problem was solved by Leonardo and abū Kāmil in different ways. Leonardo let

$x = 2 - v;$

$y = 8 - v;$

$$x - y = \frac{10 \cdot 10 \cdot 4}{25} = 16;\ v = 0.\quad (\textit{Scritti} \text{ I, 455.})$$

This gives a root equal to zero according to Leonardo. A root equal to zero was never recognized by abū Kāmil who gives the following solution:

Let $\dfrac{x}{y} = z$;

then $\dfrac{10}{y} = z + 1$;

$\dfrac{10}{x} = \dfrac{y}{x} + 1$;

$\dfrac{10}{x} + \dfrac{10}{y} = \dfrac{x}{y} + \dfrac{y}{x} + 2,$

$\dfrac{x}{y} + \dfrac{y}{x} = 4\tfrac{1}{4}.$ (J. Tropfke, *Gesch. d. Elementar-Mathematik* **3**, 113.)

In some of the problems, Leonardo kept the form but changed the numbers:

14. $x + y = 12$; (*Scritti*, 410.) $x + y = 10$; (abū Kāmil, 112a.)
$\quad 27y = x^2.$ $\qquad\qquad\qquad\quad 9y = x^2.$

15. $x + y = 10$; (*Scritti*, 418.) $x + y = 10$; (abū Kāmil, 128a.)
$\quad \left(\dfrac{x}{y} + \dfrac{y}{x} + 10\right) y = 114.$ $\quad \left(\dfrac{x}{y} + \dfrac{y}{x} + 10\right) y = 73.$

16. $x + y = 12$; (*Scritti*, 488.) $x + y = 10$; (abū Kāmil, 134a.)
$\quad \left(\dfrac{x}{y}\right)^2 + \left(\dfrac{y}{x}\right)^2 = 4.$ $\quad \left(\dfrac{x}{y}\right)^2 + \left(\dfrac{y}{x}\right)^2 = 3.$

17. $x + y = 10$; (*Scritti*, 441.) $x + y = 10$; (abū Kāmil, 134b.)
$\quad \dfrac{y}{x} + \dfrac{x}{y} = 3.$ $\qquad\qquad\quad \dfrac{y}{x} - \dfrac{x}{y} = \dfrac{5}{6}.$

Closely resembling other problems in abū Kāmil are the following from Leonardo:

18. $x + y = 10$; $\qquad\qquad\qquad$ (*Scritti*, 411.)
$\quad x^2 + y^2 = 62\frac{1}{2}.$

19. $x + y = 12$; $\qquad\qquad\qquad$ (*Scritti*, 416.)
$\quad \dfrac{xy}{x - y} = 4\frac{1}{2}.$

20. $x + y = 10$; $\qquad\qquad\qquad$ (*Scritti*, 419.)
$\quad \dfrac{x}{y} + y = 5\frac{1}{2}.$

21. $x + y = 10$; $\qquad\qquad\qquad$ (*Scritti*, 420.)
$\quad \left(\dfrac{x}{y} + x\right) y = 30.$

22. $x + y = 10$; $\qquad\qquad\qquad$ (*Scritti*, 428.)
$\quad \dfrac{xy}{x - y} = 6.$

23. $y = x + 5$;   (*Scritti*, 431.)

$x\sqrt{10} = y\sqrt{8}$.

24. $x + y = 10$;   (*Scritti*, 440.)

$\dfrac{10}{x} + \dfrac{10}{y} = 5$.

25. $y = 3x$;   (*Scritti*, 446.)

$(x + \sqrt{x})(y + \sqrt{y}) = 10y$.

26. $x + y = 10$;   (*Scritti*, 454.)

$y + 2\sqrt{y} = \sqrt{x}\sqrt{y}$.

27. $x + y = 10$;   (*Scritti*, 458.)

$\dfrac{40}{x} \cdot \dfrac{50}{y} = 125$.

28. $x + y = 10$;   (*Scritti*, 458.)

$\dfrac{10}{x} \cdot \dfrac{10}{y} = 20\tfrac{1}{4}$.

29. $x + y = 10$;   (*Scritti*, 458.)

$\dfrac{40}{x} \cdot \dfrac{40}{y} = 625$.

GLOSSARY

add	איקובריאש = תאסוף
Old Sp. *confrontar* Ar. *muqābala*, confront	איקונפרונטאראש
Old Sp. *y son*, there are	אישון
Old Sp. *algo*, square, equivalent to Ar. *māl*, capital	אלגו, מרובע
x^4	אלגוש אלגוש
x^8	אלגוש אלגוש אלגוש אלגוש
x^5	אלגוש אלגוש מוכה בדבר
add	אספ
Euclid	אקלידס
to subtract	גרע
unknown, x	דבר
Old Sp. *de los*, of the	דילאש
Arabic coin denomination, signifies 2nd unknown	דינר
a pure number	דרהם, דרהמיש
quotients	חלקים
divisors	המחלקים
dividend	הנחלק
product of multiplication	העולה מהכאה
to return to one square	השבה לאלגוש אחד
to return (as to solve for one square)	השיב
to complete one square	השלמה לאלגוש אחד

221

to add	חבר
4th unknown, cf. Egyptian *sha'ti*, seal; also in Akkad.	חאטם
to divide	חלק
to subtract	חסר
in proportion, related	כיחס
Old Sp. *levantara*, subtract	ליבאנטארא
number	מספר
Old Sp. *cuentas*, numbers	מספרים, קאנטאש
Ar. *m'ukab*, x^3	מעוקב, קוביק
x^6	מעוקב ממעוקב, קוביקא מקוביקא
square quadrilateral	מרובע
Arabic coin, 3rd unknown	פלס
side of a geometric figure	צלע
Old Sp. *cuentas*	קאנטאש
sum up, gather	קבץ
take its root	קו שרשו
Old Sp. *cubicar*, to cube	קוביקאש
Old Sp. *cobramiento*, confrontation (as in an equation)	קובראמיונטו
Old Sp. *con ellos*, with them	קונילייוש
fraction	שבר
root	שרש, ראדיש
area	שטח
perhaps from Old Sp. *citar*, to cite	שיטיאש
Old Sp. *señas*, signum	שינייאש

INDEX

Abū Kāmil: as an algebraist, 3; solutions and proofs by, 4–6; relation of al-Khwārizmī's algebra to that of, 5–6, 12–13; books by, 7, 8–10; biographical data lacking on, 7; integrates Greek and Babylonian sources, 20–26; draws on Euclid, Heron, and al-Khwārizmī, 21–25; improvement of algebraic rule by, $107n$; his use of old methods to avoid a negative number, $118n$

Alexandrians, 4

Algebra: fusion of Babylonian and Greek, 20

Algebraic geometry: prevalence in Babylonia of, 20; use of by al-Khwārizmī, 20–21

Algebraic methodology: fusion of Babylonian and Greek, 20–21

Algebraic solutions: expansion of al-Khwārizmī's work by abū Kāmil, 18–19

Algebra of abū Kāmil: commentaries on, 7–8; Latin text of, 10, $39n$; Arabic text of, 10, 11; Hebrew text of, 10, 11, 12–13; problems taken from al-Khwārizmī in, 13–18; innovations in, 18–19; translation of parts of the Arabic text of, $28n$, 32–$33n$, $38n$, $44n$, $45n$, 46–$48n$, 52–$53n$, $56n$, 66–$67n$, 72–$73n$, $76n$, $78n$, 82–$83n$, 84–$85n$, 86–$87n$, $88n$, 90–$91n$, $98n$, $113n$, $133n$, 144–$45n$, $154n$, $160n$, $162n$, $164n$, $178n$

Algebra of al-Khwārizmī, 19

Algo, 12, 233

Anonymi tractatus de arithmetica, 8

Arabic science: traditions of, 3–4

Arabic text of Algebra. *See* Algebra of abū Kāmil

Area, computing of: abstraction in, 19; Egyptian method of, 19, 224

Āryabhata: continued fractions in solutions of indeterminate equations used by, 8

Azo, R. F., $4n$

Babylonian algebra: algebraic origins among Greeks in, 20

Babylonian culture: Arabic science and, 4

Babylonian solutions of indeterminate equations, 14, 15

Bernheimer, C., $11n$

Besthorn, R. O., $21n$

Bhāskara: *kuṭṭaka* dispersion in solution of indeterminate equations, 8; negative roots in, 20

Boncompagni, B, $9n$, 219

"Book of Fortune," 7

"Book of Omens," 7

"Book of Rare Things in the Art of Calculation," 8

"Book of the Adequate," 7